MATHÉMAT

DU MÊME AUTEUR

ROMAN

Mathématiques congolaises, Actes Sud, 2008.

JEUNESSE

Pourquoi le lion n'est plus le roi des animaux, Gallimard Jeunesse, 1996.

IN KOLI JEAN BOFANE

MATHÉMATIQUES
CONGOLAISES

roman

BABEL

A ma mère,
Véronique Bofane.

I

LA SARABANDE DES NOMBRES

— Ho, le vieux, à boire !

Celui que l'on appelait avec tant d'autorité "le vieux", plongea les mains dans un bac de polystyrène rempli de glaçons, en retira une bouteille de boisson gazeuse, la décapsula et la tendit avec empressement à l'homme qui venait de descendre d'un véhicule 4 x 4 bleu marine, flambant neuf.

Le gros véhicule s'était garé devant le *ligablo*[1] de Vieux Isemanga une minute plus tôt. Un des deux individus qui l'occupaient, celui assis à la place du passager, avait, du haut de la voiture, scruté quelques longues secondes les visages des gens attroupés autour d'un brasero – où cuisaient quelques brochettes de viande –, du bac de polystyrène, et d'une petite table bancale où étaient étalés des objets aussi divers que cigarettes à la pièce, rasoirs jetables, boîtes de sardines, corned beef, fil à coudre, ce qui constituait l'essentiel du capital des "Etablissements Isemanga". Sous le regard de l'homme, les conversations s'étaient tues. Chacun avait reconnu, au véhicule sans plaques et à l'allure de ses passagers, des militaires en civil. Quand l'homme eut adressé sa commande et commença à boire, les personnes

1. Etal de marchandises.

présentes se décrispèrent quelque peu et la conversation reprit, modifiée et sur un ton exagérément enjoué.

Le *ligablo* de Vieux Isemanga occupait au bord du trottoir, avenue de la Justice, dans le quartier cossu de la Gombe, une parcelle où étaient hébergés les locaux d'une organisation non gouvernementale s'occupant de tout et de rien. Vieux Isemanga y faisait fonction de planton, de préposé aux informations et, accessoirement, d'homme à tout faire. Pour arrondir ses fins de mois, il avait constitué un négoce qui drainait une population de fonctionnaires travaillant dans le coin, de passants désireux de se désaltérer et d'automobilistes pressés. A l'heure de midi comme à cet instant, les brochettes grésillaient sur leur lit de charbon ardent et répandaient aux alentours un parfum épicé qui attirait le client.

Ce genre de petit étalage était le modèle de commerce qui supportait à bout de bras des dizaines de milliers de familles à travers la ville de Kinshasa. Sa raison sociale allait bien au-delà de son rôle commercial. C'était un lieu de rencontre où, hormis les fumeurs de cigarettes, des gens différents se croisaient. Des discussions et des mini-forums politiques y avaient même lieu. Le *ligablo* était également le cabinet psychanalytique par excellence où l'on venait consulter inopinément. Avant l'arrivée du 4 x 4, avant que les débats politiques ne fussent escamotés, un père de famille se plaignait de son incapacité à atténuer le penchant dépensier de sa jeune seconde épouse. Juste avant, une secrétaire avait questionné ses interlocuteurs sur des moyens de faire cesser le harcèlement sexuel dont elle était l'objet de la part de son trop généreux patron.

Après avoir avalé une longue gorgée de sa boisson brune et pétillante, le passager du tout-terrain, l'adjudant Bamba Togbia, commanda une brochette. Il ne semblait pas s'intéresser outre mesure à ce qui se disait. La mâchoire en mouvement, son regard parcourait distraitement la parcelle. A gauche, un bâtiment modeste, couleur coquille d'œuf aux châssis rouges, abritait l'organisation non gouvernementale. Une dépendance, au fond, servait de conciergerie. Mère Bokeke Iyofa partageait l'étroit espace avec sa famille nombreuse. Il y avait ses trois enfants ; l'aîné, Patrick, vingt-cinq ans environ, deux plus petits, Mboyo et Boketshu, des jumeaux d'une dizaine d'années, ainsi que ses deux neveux, de grand gaillards venus du village, en Equateur[1], pour tenter leur chance dans la capitale.

Mère Bokeke Iyofa était en train de faire la cuisine sur un feu de bois devant la petite maison. A l'ombre, le long du mur de façade, sur un banc, Patrick, alias Trickson, les neveux Baestro et Gaucher, ainsi que des amis, disputaient bruyamment une partie de jeu de dames. La partie était des plus acharnées. On entendait le chuintement des pions – des capsules de limonade contre des capsules de bière –, glissant sur le damier en contreplaqué peint à la main. Une succession particulièrement rapide de claquements se fit entendre, suivie d'un ricanement de triomphe qui indiquait que la partie était terminée. Ce que confirma le cri de rage du perdant.

— Encore perdu. Mets-toi plutôt à la loterie, Célio. Les jeux de hasard, c'est ça qu'il te faut.

1. Province du Nord-Ouest du Congo.

— Le hasard, qu'est-ce que vous en connaissez, bande d'ignares ? Le hasard, dans les jeux de dames, c'est sûr qu'il n'y en a pas, mais dans ce cas-ci, calmez-vous, les mecs, ce n'était rien, juste des algorithmes un peu merdiques.

Sur ces mots, l'assistance s'esclaffa. Souvent, Célio Matemona faisait rire ses amis. A son corps défendant, d'ailleurs. Il n'y pouvait rien. Parler et penser mathématiques, c'était plus fort que lui. Les nombres étaient son univers, les conjectures étaient son monde et cela allait bien au-delà de ce que tous pouvaient appréhender.

— Où étiez-vous ? s'exclama-t-il. Où étiez-vous lorsque je finalisais ma première démonstration et que les nombres accomplissaient ma volonté ? Que savez-vous de la théorie des fractales à travers laquelle j'ai pu analyser mon chaos intérieur ? Qui d'entre vous était là, lorsque j'intégrais l'infiniment petit ?

Encore une fois, Célio était dans son délire. Il s'y croyait. Très tôt, il avait été fasciné par l'univers des mathématiques et des mathématiciens. Les termes "logarithmique", "vectoriel" ou "sinusoïdal", adjoints aux choses, leur conféraient une connotation beaucoup plus familière. Célio était persuadé que les mathématiques étaient inscrites dans son génome. Petit déjà, pour lui, jouer aux billes ou tirer un coup de pied au but, c'était faire de la trigonométrie. Tout était une question d'angles, d'arcs, de sinus et de cosinus. Même s'ils n'y comprenaient rien, ses délires amusaient beaucoup ses amis et c'est ainsi que Célio Matemona était devenu "Célio Mathématik" : celui qui contrôlait les opérations, déterminait les variables et côtoyait les nombres complexes.

— Qu'est-ce que vous croyez ? Mon cerveau n'arrête pas de parcourir la tangente et vous voudriez en plus que je suive vos jeux ridicules ?

Et les rires d'amplifier. Baestro, le neveu, mélomane à ses heures, chantonnait une chanson mélancolique où il était question de rêves de réussite et d'espoirs déçus.

Na kati ya bolondo, na kati ya pasi
Mokili ebeti ngai fimbo
Mokili ekomi bololo[1].

L'adjudant Bamba Togbia suivait la scène de loin pendant que les jumeaux se poursuivaient en scandant le générique de *Dragon Ball*. Il fit tranquillement quelques pas dans la parcelle, en direction de la petite bicoque. Un soleil implacable se reflétait sur la surface de terre battue. Les conversations autour du *ligablo* trébuchèrent. Les yeux étaient rivés sur le dos de Bamba. L'homme était grand, sec, la cinquantaine. Son cou un peu trop long et ses épaules exagérément rejetées en arrière lui conféraient un air d'oiseau charognard. Sa peau était d'un noir virant au bleu, tannée par les heures de garde sous un soleil de plomb. Arrivé au milieu de l'espace, le militaire fit un signe de la main aux jeunes gens. Les neveux ne semblèrent pas surpris. Gaucher se leva et se dirigea vers lui d'une démarche tranquille. La maman, au-dessus de ses casseroles, suspendit le geste qu'elle venait d'esquisser. L'adjudant et le jeune eurent une conversation brève et précise.

— Qu'est ce qu'il veut ? demanda Célio d'un ton agressif quand Gaucher revint au banc.

— Comme d'habitude. Il y a un meeting politique et on a besoin de nous, répondit Gaucher.

— Encore ! Laissez tomber, les gars, ça va mal finir, ces histoires.

— Ils payent un peu mieux que d'habitude, plaida Gaucher, on doit y aller, c'est du pognon vite fait. Pourquoi s'en priver ?

1. "Au fond de la taule, au fond de la souffrance, / La vie m'a fouetté, / La vie est devenue amère."

Une fois de plus, le mythe du glandeur tropical était mis à mal. L'équation sous cette latitude était simple et sans pitié. Tu ne te bouges pas, tu ne manges pas, tes enfants non plus, leur professeur encore moins. A quoi bon se laisser endormir par les objections de Célio ? Lui, au moins, avait pu faire des études, il pouvait espérer quelque chose. Il était même bardé de diplômes, à ce qu'il paraissait. Gaucher, par contre, ne savait jamais quel jour la Providence lui accorderait sa chance. Par conséquent, il lui fallait saisir chaque opportunité qui se présentait. L'adjudant Bamba n'était pas venu pour rien, il avait besoin d'eux. Afin d'influencer l'opinion publique, Gaucher et d'autres désœuvrés de sa sorte étaient payés pour représenter une foule sous des caméras de télévision. Les images étaient ensuite retransmises aux infos pour donner l'illusion que tout était comme avant. Le rôle de composition était de jouer aux militants convaincus et heureux, sous le règne d'un gouvernement de transition qui n'en finissait pas.

— Baestro, on y va ou pas ? insista Gaucher. Qu'est-ce qu'on fait de mal ? On va au stade pour un meeting, on joue notre rôle et d'ici quelques heures, on est de retour pour continuer notre partie. L'adjudant Bamba m'a, en plus, assuré qu'on serait payé le double de la dernière fois. C'est pas beau, ça ?

Baestro, jusque-là, n'avait rien dit : il hésitait encore. La dernière fois où il était allé à une de ces fameuses grandes messes, la violence et la nullité des propos des intervenants ne lui avaient pas plu. D'accord, dans cette mascarade, il avait aussi son rôle de figurant à jouer, mais le pays était en pleine mutation, on était à une autre époque, on voulait la démocratie et aboutir à des élections. Le pouvoir, contre son gré, avait bien compris qu'il était temps d'enclencher un processus démocratique, mais cela ne se passait pas sans résistance de sa part. Baestro était conscient aussi que tout ce fatras d'octrois de soi-disant libertés politiques n'était qu'un leurre. Il ne pensait pas ainsi parce que lui-même participait directement à la création de l'illusion, mais parce que l'esprit des politiciens professionnels en place n'avait pas beaucoup changé. Ils défendaient encore et toujours leurs positions et leurs privilèges avec la dernière des énergies et surtout avec les mêmes méthodes. Lui, Baestro, allait là où on lui disait d'aller et applaudissait à certains mots-clés comme : "parti", "démocratie", "peuple" et hurlait son enthousiasme en phrases fortes telles que "l'anarchie ne vaincra pas !", "le combat continue !", "jusqu'à la victoire !" Chacun dans son rôle, la conscience voilée, essayait ainsi de tirer son manioc du feu. Après réflexion, les scrupules de Baestro fondirent comme le salaire moyen d'un travailleur kinois, un jour de paie.

Le vent chaud et la poussière giflaient les visages de Baestro et de Gaucher, debout à l'arrière d'un poids lourd débâché. Le véhicule était rempli par les fameux figurants cueillis un peu partout dans la ville. Ils avaient tous reçu la visite de l'adjudant Bamba. Ensuite, un camion était passé les ramasser par grappes. Ils avaient été rejoints par deux autres véhicules remplis aussi de pions rémunérés. Il devait y avoir cent à cent cinquante individus, dont quelques femmes serrées à l'arrière. Ils avaient emprunté l'avenue Kasa-Vubu à toute allure. On était en début d'après-midi et les bords de la route étaient bondés de monde. Une foule nombreuse et disparate, soulevant la poussière d'une démarche décidée, s'égosillant dans des gesticulations grandiloquentes, ahanant sous des bâts hétéroclites, poursuivait ses rêves inaccessibles et quotidiens. Kinshasa, écrasée par le soleil et la poussière, vaquait à sa survie.

Des échoppes défraîchies, aux murs peints de toutes les couleurs, offraient une abondance de biens allant des vêtements de luxe à l'électroménager en passant par des ustensiles de cuisine en métal émaillé. Les enseignes – absence de néons et de plastique oblige – rivalisaient d'audace dans les appellations : "Dieu m'a donné", "La porte des bénédictions", "Chez Malou Première". Il y avait une pharmacie tous les dix mètres. De temps à autre, des profils d'hommes peints sur une planche indiquaient les salons de coiffure. Des banderoles découpées dans des draps signalaient la présence des peintres-décorateurs. Des étalages de lubrifiants automobiles et de chambres à air usagées témoignaient qu'ici on prenait soin de votre voiture et que des miracles étaient accomplis en cas de crevaison. Le camion filait toujours.

Curieusement, au lieu de prendre à droite pour aller vers le petit stade de la Révolution, les véhicules filèrent tout droit. A hauteur du pont Kasa-Vubu, Baestro remarqua qu'en plus du 4 x 4 de l'adjudant Bamba, deux autres tout-terrain s'étaient joints au convoi. Ils étaient remplis d'hommes à la mine inquiétante.

Arrivés au carrefour de Matonge, les camions s'arrêtèrent, les moteurs toujours en marche. Sans donner de raison, on fit descendre les quelques femmes présentes. Baestro et Gaucher s'interrogèrent du regard. Lorsque l'injonction : "les hommes à droite, les femmes à gauche" était donnée, avec des militaires à proximité, c'était généralement très mauvais signe. Après l'opération de débarquement des femmes, les camions firent demi-tour et reprirent leur route en direction du quartier de Limete. Mais, pourquoi, bon Dieu, ont-ils viré les femmes ? se demandaient les jeunes gens.

Le cortège, enfin, s'arrêta devant une villa entourée d'une clôture à hauteur de hanche. La maison paraissait inoffensive, si ce n'était la pancarte bien en évidence annonçant le quartier général d'un parti de l'opposition. Six soldats en faction étaient indolemment assis sur des bancs, le fusil d'assaut servant d'appui.

Le parti en question n'était pas n'importe lequel, il s'agissait du PND, le Parti de la nouvelle démocratie, dirigé par Makanda Rachidi, un politicien professionnel à la longue carrière émaillée de retournements spectaculaires. Le dernier en date et certainement le plus incroyable était cette pulsion tardive pour la démocratie. La pauvre, depuis l'évolution politique dans le pays, avait en effet été prise pour maîtresse par de nombreux individus tels que lui. Sans chercher à être séduits, ils l'avaient accaparée à l'aide de bagout, d'audace et d'une bonne dose de cynisme. Par leur train de vie outrancier, ces personnages la faisaient passer pour vénale. En dépit de sa grande beauté, ils la souillaient, la nuit, à plusieurs, dans des réunions secrètes. La démocratie, ainsi humiliée, était dans de sales draps.

La voix dure de Bamba rappela Baestro à la réalité. Au pied du camion, celui-ci donnait les derniers ordres.

— Vous voyez où nous sommes. Je vais maintenant vous dire ce que vous aurez à faire. Un murmure monta du camion. Les figurants ne semblaient pas d'accord. En guise de stade, leur nouvelle destination leur paraissait insolite. Ils ne s'attendaient pas à se retrouver ici à Limete, devant des opposants. Bamba n'en tint pas compte, il poursuivit :

— On se rassemble devant cette maison. Tout ce que vous aurez à faire, c'est de chanter des chants du parti. Comme vous le voyez, nous sommes venus faire un récital à cette vermine d'opposants. Ces gens détruisent le pays, ils apportent le désordre. Nous allons leur montrer notre détermination, pacifiquement, avec des chants.

Le discours autoritaire sembla calmer les récalcitrantes marionnettes. Tout le monde descendit des véhicules. On se rassembla sur un terre-plein de gazon qui séparait la grande route de la rue qui passait devant la villa.

— Le cri de ralliement sera : "*Mokili ebende*[1]", ajouta l'adjudant. Vous avez entendu ? Bon, action !

Baestro chantait sans conviction. Les hommes présents avec lui scandaient un chant de victoire maintes fois ressassé. Au bout de quelques minutes de vocalises, la centaine d'hommes se sentit galvanisée. Certains même esquissaient des pas d'une danse guerrière. En face, au siège du PND, les soldats de garde étaient maintenant complètement réveillés. Timidement, les hommes de Makanda Rachidi sortirent s'enquérir du sujet de cette liesse. Les visiteurs provoquaient en trépignant et en hurlant des défis. Les figurines articulées étaient en train de mériter leur salaire. Elles étaient presque en harmonie. Le groupe ondulait parfaitement comme un fluide et restait compact. Les bras levés se levaient et s'abaissaient

1. "Un monde de fer", "un monde impitoyable".

en pulsations saccadées pareils à un graphique de sons numériques. Tout était parfait. On pourrait même dire qu'ils en rajoutaient. En face, rien ne bougeait. Les chants étaient à leur paroxysme, les voix commençaient à s'échauffer, quand Baestro, comme dans un songe, vit sortir des 4 x 4 les types qu'il avait oubliés, les bras prolongés par une forme sombre. Il les vit ensuite exhiber des armes. L'un son Uzi, l'autre un pistolet automatique, armer, viser la villa et tirer dans des déflagrations d'enfer. Les coups de feu déclenchèrent instantanément la panique et la confusion. Le groupe de la centaine de pantins programmables se disloqua en plusieurs morceaux épars. Baestro et son frère Gaucher amorcèrent un mouvement de fuite vers ils ne savaient quelle direction. C'était la débandade générale. Comme des fourmis sous le pied de l'homme.

Dans les hurlements d'interrogation, le cri de ralliement se fit entendre : *"Mokili ebende ! Mokili ebende !"* En quelques secondes, animées par le charme du slogan, les poupées rebelles se massèrent à nouveau et se rapprochèrent instantanément de l'auteur du cri, un officier, semblait-il. Au même instant, celui-ci donna un ordre bref et une salve de plombs déchira l'air. Baestro sentit son cœur éclater. La mitraille à bout portant avait fauché deux camarades non loin de lui. Gaucher n'était plus visible. La panique rendit d'ailleurs Baestro aveugle, sourd et déjà comme ailleurs. Il venait, à cet instant, d'atteindre la courbe ultime de la trajectoire de sa vie. Ses espoirs et ses désirs étaient dorénavant derrière lui. Il n'était déjà plus de ce monde. Il fit un crochet désespéré à droite, courut sans savoir, crut même s'envoler un instant, mais, en fait, il n'avait fait que trébucher sous le croc-en-jambe d'un partisan de Makanda Rachidi. La seconde d'après, un homme en uniforme sombre, béret sombre, yeux inexistants, lui cachait le soleil, appuyé sur son fusil, la baïonnette de l'arme lui fouillant maintenant le flanc. Baestro, cloué dans la poussière par la lame, contemplait, découpée dans le ciel immense, cette masse d'ébène penchée sur lui et qui le tuait, là.

Le vénérable taxi se faufilait à toute vitesse dans la circulation du boulevard Lumumba, s'efforçant d'éviter les nids de poules, malmenant la blessure. Baestro était couché sur la banquette arrière, la tête reposant sur les genoux de son frère. Gaucher, tout près de son oreille, lui murmurait des paroles apaisantes.

— *Ba gagner ngai*[1], prononça Baestro dans un sanglot désespéré. Je me suis fait avoir. Gaucher avec sa main essayait d'arrêter le sang qui s'écoulait par saccades, doucement, mais inexorablement, du flanc de son frère. Le taxi filait vers l'hôpital général.

Gaucher avait réapparu comme par miracle tout de suite après le coup de baïonnette et avait pu dégager Baestro. Il avait réussi à le remettre debout et à le faire courir en claudiquant jusqu'au boulevard où ils avaient pu embarquer à bord d'un taxi bienveillant. Ils arrivèrent à l'hôpital et furent pris en charge assez rapidement. Arrivés là-bas, ils se rendirent compte qu'il y avait eu des blessés graves des deux côtés. Des militants des deux camps, avec leurs blessés, criaient des menaces et gesticulaient dans les couloirs de l'hôpital. Une pagaille indescriptible régnait. Un jeune médecin les prit en charge. Des infirmiers portèrent Baestro sur une civière

1. "Je me suis fait avoir."

jusqu'à une salle d'opération minable aux murs maculés de traces suspectes. On le coucha sur une table d'opération. Dans les couloirs, des cris de plus en plus insistants étaient perceptibles. Le médecin, inquiet, envoya un des infirmiers voir ce qui se passait. L'homme revint, le regard épouvanté, prévenir que des hommes de Makanda étaient à la recherche des blessés de l'autre camp pour les achever. Le docteur ouvrit précipitamment une armoire basse en métal et ordonna à Gaucher et à Baestro de s'y engouffrer.

— Il y va de vos vies, dépêchez-vous ! Aidés des infirmiers, ils parvinrent à caser le blessé et son frère dans l'armoire. Les deux jeunes gens se retrouvèrent dans le noir absolu. Baestro sentait douloureusement son cœur battre plus bas que d'habitude, à hauteur de la plaie. De longues minutes passèrent et bientôt, il ne contrôlait même plus ses mâchoires qui se serraient comme sous le poids de deux cruelles enclumes. Petit à petit, son corps commença à avoir des spasmes que Gaucher tentait de soumettre en serrant le corps de son frère très fort contre le sien. Le métabolisme de Baestro se dégrada rapidement et sans espoir. A l'extérieur, à travers la mince paroi, des bruits de violence et de hurlements d'hommes terrorisés et molestés leur parvinrent.

— *Ba gagner ngai*, chuchota une dernière fois Baestro avant de rendre son dernier souffle. Après des heures passées dans le réduit, chair contre chair, Gaucher sentit la chaleur doucement quitter le corps de son frère et la tétanie intervenir sans appel. Baestro s'éteignit dans le meuble de fer, au milieu d'ustensiles chirurgicaux, inoxydables et froids, comme l'est la raison d'Etat.

Makanda Rachidi semblait affligé. Il tenait le téléphone portable contre son oreille avec l'air attristé d'un homme prêt à s'envoyer une balle dans la tête. Il abrégea la conversation en grommelant quelques remerciements. Après avoir coupé la communication, son visage retrouva sa combativité légendaire. Toute la journée, il avait répondu à des condoléances empressées. "Le massacre de Limete", comme l'intitulaient déjà ses partisans et la presse, avait mis son parti sous les feux des projecteurs. Quelque chose qui pouvait passer pour un sourire éclaira un instant ses traits. L'incident était un tournant dans sa nouvelle orientation politique. Il acquerrait ainsi enfin la crédibilité dont il avait besoin aux yeux de la nation. Deux martyrs tombés au champ d'honneur, fauchés par les suppôts de l'Etat, voilà plus qu'il n'en fallait pour redorer un blason défaillant.

Son parcours politique avait été des plus chaotiques, suivant en cela les fluctuations de ses prises de position. Dans un pays où la corruption était érigée en mode de gouvernement, l'homme avait jusqu'ici usé du jeu subtil et lucratif du chantage à l'ordre public. Il n'avait qu'à remuer un peu et le président s'empressait de le faire taire avec de l'argent. Cela lui avait plutôt bien réussi, sauf qu'actuellement, la composante dite "société civile" avait fini par s'imposer et était devenue incontournable dans le nouveau schéma politique, et le jeu, du coup, s'était corsé.

— Foutu peuple, au lieu de nous laisser faire !

Makanda cala plus confortablement son corps massif dans le vaste canapé qu'il occupait. Son visage énorme, carré, ponctué de petits cratères, ressemblait à une surface ayant subi un cataclysme naturel, genre bombardement de météorites. Ses traits, à cet instant, reflétaient la satisfaction. Il émit un léger rugissement de fauve repu. Sa main se dirigea vers les journaux étalés sur la table basse et il lut avec fierté les grands titres s'étalant sur plusieurs colonnes sur toutes les premières pages. "Le sang des martyrs de la démocratie", "Le pouvoir a encore frappé !".

— Quelle imagination phénoménale ! Il pensait, bien sûr, à l'effort qu'il avait dû accomplir pour s'attirer les faveurs du public et de la presse. Selon lui, il méritait largement la nouvelle carrière qui s'annonçait. Makanda jeta un regard à sa montre. Il devait se préparer. Les journalistes l'avaient contacté, il avait des déclarations importantes à faire pour l'avenir du pays.

Les tambours avaient battu toute la nuit. La parcelle abritant l'organisation non gouvernementale où habitait mère Bokeke Iyofa était envahie par les amis et proches de feu Baestro. Tous déploraient le sort. Pourquoi était-il allé à cette manifestation ? se demandaient certains. C'était le risque que l'on courait lorsqu'on participait à ce genre de chose, estimaient les plus réalistes. Toutefois, aucun d'eux ne comprenait ce qui avait bien pu se passer. Gaucher, le seul qui aurait pu leur apprendre davantage, était prostré, accablé de douleur. Personne n'osait lui poser de questions et lui ne disait rien. Après maintes supputations, le sommeil petit à petit les gagna et les conversations se tarirent.

Célio Matemona n'avait pas à lutter contre le sommeil. Il essayait, dans son esprit, de rejouer le film de la fin tragique de son ami. Cette dernière partie de jeu de dames, son hésitation à aller à cette manifestation foireuse, les déclarations des politiciens, tout au long de la journée. Ceux-ci, quel que soit leur bord, avaient évidemment pris soin de récupérer l'événement. De plus, les proches étaient venus veiller un cadavre absent. Le corps du pauvre Baestro n'avait pas pu être récupéré par la famille à la morgue de l'hôpital : "Impossible, ordre du gouverneur de la ville", leur avait-on dit. Les gens étaient néanmoins venus le pleurer devant un lit vide. Au fur et à mesure que se déroulait la nuit, les danses funèbres, les longues discussions et les pleurs avaient fait place à l'assoupissement. Un feu sans vigueur éclairait des silhouettes figées qui s'animaient juste l'instant nécessaire à chasser un moustique un peu trop insistant.

Au petit matin, après avoir pris le café avec ses compagnons de la nuit, Célio regagna son logis situé à deux minutes de là. Il bifurqua à gauche et entra dans une parcelle où trônait un gros bâtiment du genre hangar, qu'on appelait "Le Maquis". Vu l'heure matinale, il n'y avait personne dehors, sauf deux jeunes femmes, l'une occupée à balayer l'espace de terre battue devant le bâtiment et l'autre accroupie, soufflant sur des braises dans un petit brasero en fer. Célio s'adressa à celle qui était accroupie.

— *Ndenge nini Sido*[1] *?*

— Tu viens de la veillée de Baestro ? demanda-t-elle d'une voix caressante.

— C'est à peu près ça, mais on s'est contenté d'une veillée sans lui. Il semble que des vautours s'occupent de sa dépouille. – Le jeune homme était submergé de tristesse et de dépit. – Je vais essayer de me reposer, Sido. On se voit plus tard.

La jeune fille et lui s'entendaient bien. D'habitude, Célio aimait lui dire des choses troublantes,

1. "Comment vas-tu, Sido ?"

mais ce matin, il n'avait pas le cœur à la conversation et il était trop fatigué pour lui expliquer l'absence du corps de Baestro, les funérailles presque nationales que le parti du président comptait lui célébrer, la récupération qui s'opérait dans la presse et dans les états-majors des partis. Amer, il franchit le seuil du gros bâtiment où il avait ses pénates.

En guise de logis, "Le Maquis" était un endroit plutôt particulier. Le local était un hangar, mais des couloirs quadrillaient la vaste étendue en dizaines de chambrettes délimitées par des parois de carton montant un peu plus haut que la taille d'un homme. Ces chambres ne dépassaient pas les six mètres carrés et un simple rideau servait de porte. Chaque compartiment abritait une famille. L'éclairage mouvant provenait de lampes à pétrole. Une humanité grouillante vivait là, en plein cœur de ce quartier cossu. Tout le monde n'était pas encore levé. De jeunes gaillards musculeux se déplaçaient dans les couloirs de chambre en chambre, la plupart une serviette de bain sur l'épaule. Le plus surprenant était de voir des silhouettes se mouvant au niveau du sol, tels de grands insectes fabuleux. En effet, des handicapés qui mendiaient au centre-ville, des orphelins, les parias du mirage urbain, s'étaient regroupés là avec femmes, enfants et énergie du désespoir. Ils s'étaient approprié ce hangar désaffecté que la ville avait fini par leur abandonner.

— Célio, j'ai besoin de toi, tu dois m'aider à remplir des papiers, lui demanda un unijambiste au sourire édenté.

— Célio, les soldats ont encore arrêté mon mari. Tu dois venir avec moi voir le commandant, lui dit une jeune femme.

— Vieux Mathématik, j'ai besoin d'un mot bien senti en français pour mon professeur, dit encore un jeune garçon au torse nu.

Célio était l'intellectuel du coin ou, au moins, il était considéré comme tel. Il servait d'avocat, de médiateur, de scribe et, occasionnellement, de notaire. Il était un bureau à lui tout seul. Chaque jour ses compagnons d'infortune lui présentaient leurs doléances ou demandaient son intervention pour une chose ou l'autre. Célio avait grandi comme eux, il était orphelin parmi eux. S'il possédait, lui, un certain bagage, c'était, prétendait-il, dû au fait qu'il avait pu accomplir des études sérieuses. En fait, il n'en était rien. Son destin avait eu l'heur de croiser des gens bienveillants qui lui avaient offert la chance de poursuivre une certaine formation jusqu'au secondaire, mais à l'université ça avait coincé par manque de moyens. Célio s'était inscrit normalement en première candidature mais, par la suite, il avait continué tout simplement à squatter les auditoires en tant qu'étudiant clandestin. Compte tenu des heures qu'il y avait passées, il avait estimé à un moment donné être licencié dans les sciences mathématiques et physiques sans en détenir les diplômes. On bâtissait sa légende comme on pouvait, avec ce qu'on avait.

Célio parcourut un des couloirs le long des chambres en carton vers la sienne. La plupart des occupants dormaient encore. Il n'était que 6 heures du matin et le soleil venait à peine de se lever. Certains préparaient leur toilette. Des mères s'occupaient de leurs enfants. Parfois, un salut enthousiaste saluait Célio.

— Célio, *nkolo makambo*[1] !

1. "Maître des affaires".

— Célio, double-*mitu*[1]. Electronique et mécanique !

— Célio, le grand boss !

Célio recueillait ces éloges avec détachement. Malgré la précarité de sa situation sociale, il était sûr de lui et de son avenir. Ses neurones n'arrêtaient pas d'échafauder des stratégies de réussite. Il était comme des millions de Kinois persuadés que l'avenir leur appartenait. Qu'un jour eux aussi connaîtraient le glamour. Célio Matemona, néanmoins, possédait un atout de taille. Il avait réussi à cerner les esprits labyrinthiques des Pythagore, Einstein et autres Thalès. De cela, il tirait un sentiment certain de supériorité.

Mais tout cela n'était que littérature. Entre-temps, la Faim, au milieu de la population, gagnait du terrain, faisait des ravages considérables. Elle progressait en rampant, impitoyable comme un python à deux têtes. Elle se lovait dans les ventres pareille à un reptile particulièrement hargneux creusant le vide total autour de sa personne. Ses victimes avaient appris à subir sa loi. En début de journée, avant qu'elle ne se manifeste, on n'y pensait pas trop, absorbé par le labeur qui permettrait justement de manger et ainsi obtenir un sursis. On faisait semblant d'oublier, mais l'angoisse persistait à chaque moment. En début d'après-midi, avec le soleil de plomb qui accélère la déshydratation, cela devenait plus compliqué. L'animal qui, depuis longtemps, avait pris la place des viscères, manifestait sa présence en affaiblissant le métabolisme, se nourrissant de chair et d'autres substances vitales. On était obligé

1. Double-tête.

de vivre sur ses maigres réserves. L'effort faisait trembler les membres, rendait les mains moites et froides, le cœur avait tendance à s'emballer. Pour calmer la bête, on lui faisait alors une offrande d'eau froide, pour qu'elle se sente glorifiée. Cela ne durait pas, car juste après, elle jouait sur le cerveau et d'autres organes de la volonté et du sens combatif. On pouvait avoir tendance à quémander et à mendier. Certains devenaient même implorants, parce qu'elle laminait, de son ventre rêche, des choses aussi précieuses que l'orgueil et la fierté. Elle était omniprésente et omnipotente. On ne conjuguait plus le verbe "avoir faim". A la question de savoir comment on pouvait aller, la réponse était : *"Nzala !"*, "la Faim !". Elle s'était institutionnalisée.

Mais malgré ses faces peu avenantes et la répulsion qu'elle inspirait, on disait que des images d'elle se vendaient très cher à l'étranger. La Faim cherchait ainsi à acquérir des lettres de noblesse. On l'évoquait pour se justifier, pour obtenir des circonstances atténuantes en cas de faute grave. La Faim participait pleinement à la rédemption des individus. C'était d'ailleurs le seul gain qu'on pouvait en espérer. En dehors de cela, elle était comme un poison qui détruit les corps, en les transformant en proies idéales pour la malaria et la bilharziose. Elle empêchait ses victimes de proliférer, en augmentant la mortalité infantile. Pour la subir, il fallait être armé psychologiquement, parce qu'elle agissait aussi par constriction du sens moral et d'autres valeurs aussi élevées. Ceux qui résistaient se prenaient d'ailleurs facilement pour des héros ou des saints. Les autres, pour être exemptés des tourments quotidiens, reniaient leurs convictions et acceptaient le pot-de-vin dans l'exercice de leurs fonctions. La jeune fille prude trahissait son éducation et devenait vénale. Le professeur faisait fi de l'éthique en échange de billets de banque. Le soldat crachait sur le code militaire, pour dégénérer en un prédateur assoiffé de pillage.

Chaque jour, la Faim additionnait des points. Elle progressait sinueusement dans les familles, indistinctement, laissant la mort et la désolation. Elle durcissait les cœurs. Elle abrasait de ses écailles rugueuses ce qui restait d'espoir. Afin de préserver les comptes du président de la République et d'équilibrer la balance de paiements du Fonds monétaire international, les Kinois s'étaient organisés pour gérer l'insatiabilité du monstre à double mâchoire. Surtout ne pas épuiser trop vite la réserve des victimes propitiatoires. Pour ce faire, ils avaient organisé la journée en *gongs*, c'est-à-dire, en repas. Depuis longtemps déjà, ils avaient institué le "*gong unique*", pris en fin de journée, lorsqu'un miracle s'était produit et que le python immonde avait décidé, en ce jour, d'être magnanime. Puis, succéda l'ère du "*gong alterné*". Dans les familles, une moitié de ses membres mangeait un jour, l'autre attendait le lendemain, et ainsi de suite. C'est certain, le combat était dur, mais restait, somme toute, loyal tant que les coups étaient portés au-dessus de la ceinture. Le Fonds monétaire international applaudit devant tant de combativité. Il se félicita de la condition physique du Kinois, de son sens de l'adaptation, mais surtout, de sa faculté à encaisser les crochets de la bête à l'estomac. Malgré de vains soubresauts, l'hydre infâme tenait le peuple en respect, avec violence, en contractant ses anneaux au fond des abdomens, prolongeant l'agonie, se vautrant chaque jour dans une victoire sans fin, semblable à l'éternité, obscure, secrète.

II

APOLOGIE DE LA SOUSTRACTION

Comme le cosmos, l'engouement de Célio pour les mathématiques avait une origine. Il devait avoir dans les dix ans quand il avait rencontré un livre. Un bouquin pas mal abîmé, orné d'une couverture vert olive, intitulé *Abrégé de mathématique à l'usage du second cycle*, concocté par un certain Kabeya Mutombo, édition 1967. L'ouvrage était le seul bien qu'il lui restait de feu son père, Cyprien Matemona, et Célio l'avait conservé précieusement comme une relique. Le livre était plus que fatigué. Pour parvenir jusqu'à cette époque, il avait dû subir plusieurs restaurations mais, pour rien au monde, le jeune homme n'aurait pu s'en séparer.

Tout petit, il l'avait trouvé plutôt rébarbatif. Tous ces triangles parcourus de traits et de pointillés qui allaient dans tous les sens ne réussissaient qu'à l'égarer dans ses tentatives pour comprendre quoi que ce soit. Des angles qui avaient la faculté de chauffer jusqu'à 180° sans qu'on sache trop pourquoi le laissaient plutôt sceptique. Que dire de ces caractères qui se montaient les uns sur les autres, qui s'additionnaient ou se multipliaient avec des signes qui n'existaient dans aucun alphabet normal ? En dehors de sa valeur sentimentale, le volume n'avait aucun intérêt. Célio le conserva dans cet état d'esprit pendant deux, trois ans jusqu'au jour où, en l'ouvrant par hasard, il avait lu : *Tout corps plongé dans un liquide subit une pression de bas en haut, égale au poids du volume du liquide déplacé.* La phrase l'avait frappé comme une révélation. Elle était d'une telle évidence ! Les mots avaient résonné en lui comme des paroles divines. Il avait survolé les pages pour en savoir davantage et ce fut l'illumination. Lui, qui n'avait plus de parents et personne d'assez intime pour lui servir de guide à travers la vie, commença à bâtir ses convictions à partir de ce qui était écrit dans le manuel. En grandissant, sa confiance en le livre s'était renforcée. Lors de moments d'adversité, prendre connaissance, dans la seconde partie, consacrée aux éléments de géométrie, que *l'on ne peut tirer au point de contingence aucune ligne droite qui passe entre la circonférence et la tangente, mais que par ce point, on peut faire passer une infinité de lignes circulaires,* avait mis du baume au cœur du jeune homme et lui avait ouvert de nouvelles perspectives. Parfois même, lorsqu'il lui avait fallu jauger ses semblables, il lui avait été utile de savoir que *deux pyramides, qu'elles soient droites ou obliques, étaient identiques si les bases et les hauteurs étaient les mêmes.* L'apparence ne comptait pas, il fallait savoir mesurer ce qu'il y avait à l'intérieur, comme chez les êtres humains.

Le bouquin comportait des vérités inébranlables dont Célio tira une grande partie de la philosophie de sa vie. Le livre devint comme un grimoire capable de lui ouvrir les portes de mondes fabuleux. Tout y était, il suffisait de lire entre les lignes. Ces connaissances suscitèrent en lui une soif incommensurable de savoir. A travers l'ouvrage, il crut vivre une sorte d'initiation. Tout naturellement, il voulut apprendre davantage sur ces fous géniaux, à l'origine des théories dont il se délectait. Il tenta de comprendre la vision de personnages tel que Thalès de Milet, qui était convaincu que l'eau était l'élément premier de la cosmogonie. Il voulut saisir les délires d'Albrecht Dürer qui allia les mathématiques à la peinture et développa des constructions géométriques telles que la spirale d'Archimède ou la spirale logarithmique. De tout cœur, il aspira à faire corps avec la démarche de René Descartes qui plaçait la pensée au-dessus de tout et ne se servait des mathématiques que pour éprouver sa réflexion. S'identifier à Max Planck qui mit en lumière la notion de quanta, un monde étrange dont lui-même doutait de la cohérence, était essentiel pour Célio. Posséder ce bagage, pensait-il, c'était comme avoir l'univers à portée de l'index avec, en prime, les possibilités infinies que cette situation pourrait procurer.

Mais la théorie n'était pas tout, il fallait manger. La journée était belle et bien entamée. Le soleil qui frappait de plein fouet le boulevard du 30-Juin était là pour faire prendre conscience à Célio que rester en permanence cohérent avec des principes n'était pas toujours facile. Malgré cela, le jeune homme se remémora rapidement un théorème concernant le boulot de démarcheur puis appuya sur le lourd battant en verre d'une porte tournante. Il n'eut, ensuite, aucun mal à passer les différents contrôles de sécurité avant de se retrouver dans la fraîcheur de l'ascenseur qui le menait au sommet de cet immeuble ultramoderne.

Avec le temps, Célio avait réussi à se faire connaître et avait ses entrées un peu partout dans la ville. Malgré sa veste élimée, et ses chaussures dont le cuir ne tenait que grâce à la couche de cirage avec laquelle elles étaient astiquées chaque matin, il avait fini par s'imposer. Il avait depuis longtemps acquis l'art de répondre le mot juste à des secrétaires pointilleuses et à des réceptionnistes revêches. De taille très moyenne, il avait tendance à relever le menton un maximum, ce qui le grandissait d'un bon demi-centimètre et réussissait à lui donner un petit air de grand seigneur. En outre, il possédait l'art de distiller quelques phrases hors de portée d'une intelligence ordinaire, ce qui faisait que ses interlocuteurs se sentaient très vite comme de vulgaires cloportes, désireux d'introduire auprès de leur président-directeur général un personnage aussi auguste. Même si son heure n'était pas encore venue, Célio était persuadé de sa supériorité dans pas mal de domaines. L'ascenseur s'arrêta au dix-huitième étage sur un air de carillon élégant. Le jeune homme se fit annoncer auprès du P-DG par une secrétaire à la poitrine pointue.

— Dans le souci de venir en aide aux déshérités de la ville, nous comptons sur votre sens de la solidarité etc., etc. Célio prononça le reste de son discours avec application. Il en était à délivrer son troisième message de la journée. Presque toujours le même. Et pratiquement à chaque fois, son estomac vide ponctuait la fin de sa phrase d'un grognement qui n'en finissait pas. Le jeune homme en avait assez de traîner sa misère de bureau en bureau. Célio Matemona, alias "Célio Mathématik", était en fait, le président-administrateur général et seul employé d'une petite ONG dûment répertoriée au département ministériel concerné. Grâce à sa petite structure, il approchait les ministères, les sociétés étatiques et les grandes entreprises pour recueillir des chèques qu'il déposait auprès d'une organisation catholique, la congrégation à laquelle appartenait quelqu'un qui lui était cher : le père Lolos, son bienfaiteur. En attendant sa future carrière qu'il n'avait pas encore vraiment définie, Célio avait créé cette ONG pour venir en aide à ses frères orphelins et handicapés physiques, par souci de solidarité, et en même temps pour soutenir dans sa tâche le père Lolos envers qui il était à jamais reconnaissant.

— Vous pourrez toujours compter sur notre soutien, monsieur Matemona. Il ne sera pas dit que les banques seront moins généreuses que d'autres.

Les mots furent accompagnés d'un chèque conséquent. Avec le temps, Célio ne ressentait même plus ce sentiment de victoire qu'il avait pu éprouver les premières fois où ses requêtes avaient été couronnées de succès. Il plia le petit bout de papier avec soin, le glissa dans son portefeuille et prit congé en remerciant.

Quand, en émergeant de l'atmosphère conditionnée, Célio se retrouva sur le boulevard, la chaleur l'enveloppa comme une gangue. Il devait être midi trente. A l'horizon, tout au bout du boulevard, la réverbération du soleil faisait danser les formes comme tressaute l'électroencéphalogramme d'un schizophrène en plein délire. Toutes les surfaces réfléchissantes semblaient dégouliner de mercure. Célio avait mal aux yeux mais il avait surtout faim. Son ventre vide lui jouait des effets d'optique. Ce qui ne l'empêchait pas de détailler les silhouettes des belles secrétaires, nombreuses et élégantes, profitant de leur pause. Il avait soif aussi. Il pensa au père Lolos et se dit que ce serait une bonne idée que d'aller lui rendre visite et en profiter pour lui remettre les chèques qu'il avait recueillis ces derniers jours. Il se dirigea vers l'arrêt des autobus pour Kintambo, encombré par la foule attendant un transport. Il dut se battre pour avoir une place dans le taxi-bus. La vétuste camionnette supportait le poids d'au moins trente personnes. Les plus chanceux étaient compressés sur une planche posée sur deux briques, ceux faisant preuve de souplesse étaient debout, pliés sous le plafond de l'engin, et à l'extérieur, les audacieux étaient agrippés à une carrosserie sérieusement inclinée du côté droit. Le véhicule démarra en dégageant une fumée âcre et se fraya, en zigzaguant, un chemin dans la circulation frénétique du boulevard.

Ils arrivèrent bientôt à l'arrêt de Kintambo-magasin, le carrefour vers les quartiers de Bandalungwa et Binza, où dans la cohue les véhicules se disputaient la priorité. Célio poursuivit à pied son chemin jusqu'au séminaire Jean-XXIII. Lorsqu'il pénétra dans l'enceinte, juste derrière l'église en briques rouges, il ressentit le calme et la paix dévolus aux lieux de réflexion et de méditation. Célio aimait venir ici, non seulement pour voir le père Lolos mais aussi pour l'atmosphère de l'endroit. Devant, des constructions basses formaient un carré avec, au milieu, une fontaine entourée de plantes grasses qui rafraîchissait agréablement l'air. A l'arrière, une succession de bâtiments constituait les salles de cours et les dortoirs. Au fond, à gauche, un potager s'étendait à perte de vue, en ce moment parcouru par des séminaristes maniant bêche et râteau, coiffés de chapeaux de paille. Célio se dirigea vers la construction de droite où il savait trouver le père Lolos.

Le père Lolos était professeur de mathématiques et enseignait aussi un peu la philosophie. Célio et lui s'étaient connus à Lubumbashi, dans le Katanga. Il avait commencé à s'intéresser au jeune homme vers ses douze ans. Au début de ses études secondaires, le père Lolos avait tout de suite repéré chez ce petit à l'air d'adulte sérieux des capacités d'analyse, de déduction et de logique. Il l'avait alors suivi avec intérêt et curiosité. Plus tard, l'intérêt et la curiosité s'étaient changés en réelle affection, qui l'avait lié définitivement à l'adolescent. Lolos lui enviait cette vivacité d'esprit, dissimulée sous un calme souverain. Hormis la sérénité, il possédait comme son protégé cet esprit carré, capable d'appréhender le mode de fonctionnement des actions et des interactions, apte à comprendre les arcanes inextricables des mathématiques.

Le jeune homme perçut des éclats de voix venant d'une des nombreuses portes qui donnaient sur le patio. Un séminariste affolé sortit d'un des bureaux en bredouillant des excuses.

— Hors de ma vue ! hurlait Lolos. A qui crois-tu faire avaler ces conneries ? Petit minable ! Même pas capable de résoudre une équation du second degré ! Le prêtre avait parfois tendance à se lâcher. Il avait ce qu'on appelle un caractère entier. Il aperçut son visiteur.

— Célio, mon fils, qu'est-ce qui t'amène ? Après voir serré le jeune homme dans ses bras, il recula un peu pour mieux le regarder. Une lueur éclairait son regard sombre. Malgré la soixantaine bien entamée, des mèches de cheveux noirs disputaient encore la place aux cheveux gris sur son crâne. Un visage taillé à coups de serpe surmontait un physique râblé de paysan méditerranéen.

— Bonjour, mon père. Je suis venu t'apporter quelques chèques et te saluer par la même occasion.

— Il ne fallait pas te déranger jusqu'ici, fit le père Lolos, bonhomme. Les transports sont difficiles et tu aurais pu déposer les chèques à la congrégation en ville. Enfin, je suis content de te voir. Entre ! Tu as mangé ? Célio n'eut pas besoin de répondre, le père Lolos l'entraînait vers un réfectoire.

— Installe-toi, dit-il en désignant à Célio une table déjà dressée. Un plat de poisson à l'étouffée, cuit dans des feuilles de banane, et du riz occupaient le milieu de la table. Célio identifia également de petites choses emballées dans des feuilles de vigne et du fromage de brebis, des mets venus de Grèce. Le jeune homme avala une grande gorgée d'eau glacée que le père Lolos venait de lui verser. Il sentit le liquide répandre sa fraîcheur dans tout son corps. La sueur perlant à son front se refroidit également et lui procura un apaisement de l'esprit.

— J'ai perdu un ami, il y a deux jours, mon père. Dans des circonstances atroces.

Depuis que Lolos était en Afrique, surtout ces dernières années, il avait été habitué aux annonces de deuil, mais, vu la mine de son protégé, il sentait que c'était plus important que d'habitude. Il déposa devant Célio l'assiette qu'il avait en main et attendit qu'il parle.

— Il ne méritait pas de mourir, enfin, du moins pas comme ça. Il s'appelait Baestro. Si tu as lu les journaux, depuis hier on ne parle que de cela. Baestro était le dernier des anonymes et il aura fallu sa mort pour qu'on le sorte de l'anonymat.

— Qui ça, "on", Célio ? demanda avec douceur le père Lolos.

Célio ne sut que répondre. A qui profitait la mort de Baestro ? Passé de vie à trépas, il était subitement devenu un produit intéressant. La victime toute désignée de la violence des opposants ou du pouvoir, c'était selon. Inutile ou presque de son vivant, recyclé, il semblait servir à merveille.

— Je ne lis que rarement les journaux, Célio. Tu sais bien que mon travail ici me prend tout mon temps. Tu sais aussi que les histoires du monde ne sont que douleurs, c'est pourquoi, toi et moi, nous nous attachons à l'abstraction.

— Il ne s'agit pas de concept, ici, mon père, tu sais bien de quoi je parle.

Le père Lolos essaya de trouver les mots pour consoler Célio. Il savait qu'il s'en remettrait. Il avait connu d'autres douleurs, d'autres désillusions. Celle-ci ne ferait que renforcer davantage sa carapace. Le petit était comme le baobab. La structure spongieuse et élastique de son bois lui permet d'absorber les assauts de la tempête, ce qui donne la possibilité aux racines de se renforcer pour qu'il puisse grandir, plus grand que les autres. Le vieux prêtre l'entretint de la vie et de la mort, mais surtout de la vie. Célio était au courant de ces choses. Il écouta néanmoins le père Lolos, tout en essayant de retrouver dans ses connaissances les moyens de rendre l'infini plus abordable mais n'imagina, hélas, aucune solution satisfaisante.

Tous les sens de Gonzague Tshilombo étaient aux aguets. Il s'agissait pour lui de tirer un maximum de profit des événements qui venaient de se produire à Limete. Il se tenait debout devant son immense bureau et analysait, les bras largement écartés, les journaux étendus devant lui comme on étudie des cartes d'état-major. Les quotidiens parlaient de ce qu'il savait déjà. Un mort, deux blessés graves dans les rangs des partisans du président. Le mort se nommait – il consulta un bout de papier – Lofombo Bolenge alias "Baestro". Dans le camp adverse, on comptait deux victimes. Le bilan était lourd, mais cela vaudrait son pesant d'or dans les jours à venir.

Gonzague Tshilombo était le directeur général du "bureau Information et Plans" dépendant directement de la présidence de la République. Le nouveau département avait été créé dans la foulée du processus démocratique. Malgré le titre et la fonction passe-partout de directeur général, Tshilombo disposait en fait de pouvoirs bien plus étendus qu'il n'y paraissait. Son rôle était de collecter et de diffuser des informations pour l'intérêt supérieur du parti présidentiel, avec tous les moyens qu'il jugerait bons et nécessaires. Il n'avait de comptes à rendre qu'au président. En période préélectorale, comme celle qui allait se présenter, son rôle serait crucial. S'il avait été choisi pour ce poste, c'était pour les traits de caractère bien marqués et fondamentaux qu'il possédait : sa capacité à synthétiser n'importe quelle situation ou événement complexe, son opiniâtreté, et surtout, sa fidélité envers des idées et des hommes. Les idées étant les siennes, quant à la fidélité aux hommes, cela se limitait, jusqu'à présent, à la personne du chef de l'Etat.

Le président appréciait sa rapidité, parfois même sa brutalité dans la réalisation de stratégies pleines de finesse. Il se félicitait de son imagination débordante, malgré des dehors austères, de sa discrétion quasi maçonnique. La lecture des événements terribles ne semblait pas l'affecter. Aucun signe sur son visage ne trahissait la moindre émotion. D'un index délicat, il rajusta la monture en or de ses lunettes, signe d'une grande cogitation.

Gonzague Tshilombo était économe de ses sentiments comme de ses gestes. Sa silhouette d'homme élégant – il portait ce jour-là, un costume clair, de très bonne coupe, sur une chemise bleu ciel et une cravate mauve – ne tolérait aucun geste superflu. Il en imposait par la taille. Souple mais robuste. Une petite moustache en brosse apportait la touche de sévérité nécessaire.

Son analyse maintenant était claire. Des opposants animés de la haine qui les caractérise avaient froidement abattu trois militants venus manifester leur attachement aux valeurs de la République. Un mort, deux blessés graves. Un héros était tombé au champ d'honneur, pour la cause. Il allait le faire savoir. Tshilombo appuya sur le bouton d'un petit appareil, placé sur son bureau. Une voix féminine se fit entendre.

— Angèle, envoyez-moi Bamba, s'il vous plaît.

L'ordre était à peine donné que l'adjudant Bamba Togbia était au garde-à-vous devant le bureau du patron.

— Quelles sont les dernières nouvelles au sujet du militant assassiné ? demanda celui-ci.

Bamba fit son rapport.

— Malgré les gesticulations de la famille, nous avons pu récupérer le corps, patron. On a fait le nécessaire le soir même. Quand la famille est arrivée à la morgue après l'incident, on lui a bien expliqué que le parti prenait soin de ses enfants, même dans la mort. Gonzague Tshilombo balaya le commentaire d'un geste de la main.

— Passons. Ensuite ? Bamba poursuivit, un peu embêté :

— Patron, la tante de Lofombo Bolenge qu'on appelle Baestro est passée au siège du parti et a fait un esclandre. Elle a menacé de venir pleurer son neveu tous les jours si on ne lui rendait pas le corps. Patron, elle s'arrachait les cheveux et a même menacé de maudire tout le monde en enlevant son pagne, ajouta-t-il inquiet.

— Bon, ça suffit ! coupa Tshilombo. Je ferai le nécessaire au sujet de cette tante. C'est la seule famille qu'il possédait à Kinshasa ?

— Pas vraiment, patron ! J'ai fait ma petite enquête à l'hôpital et il semblerait qu'il ait été accompagné jusqu'à la fin par quelqu'un qui a disparu. Je n'ai pas son identité.

— Et c'est tout ?

— Affirmatif, patron !

— Bon, laisse-moi maintenant. Bamba tourna les talons dans un demi-tour parfait et sortit de la pièce.

"Tout est prêt pour les funérailles du martyr, elles seront grandioses", pensa le directeur du bureau Information et Plans. Il ne faut surtout pas qu'il y ait de vagues. J'irai personnellement rendre visite à cette tante. Il prit encore une feuille de papier qui était sur le bureau et lut : Bokeke Iyofa, née à Boende le 24 avril 1951, état civil : veuve, profession : concierge.

Vieux Isemanga termina de ranger ses marchandises dans une petite malle en fer qu'il ferma d'un cadenas. Il appela Mboyo et Boketshu qui jouaient non loin, pour qu'ils aillent déposer les marchandises dans leur maison. C'est là qu'il gardait ses biens en lieu sûr. Il avait un peu traîné aujourd'hui. Le soleil était déjà couché et il avait encore un long trajet à faire jusqu'à chez lui à Selembao. La circulation avait considérablement diminué. Les abords du centre-ville, en majorité réservé aux affaires, se vidaient de leur population laborieuse. Célio, Gaucher et des amis entretenaient une conversation animée autour du jeu de dames sous une ampoule de trente-cinq watts. Il y avait là Patrick, le fils aîné de la mère Bokeke, dit Trickson, Célio Matemona, dit Célio Mathématik, Sera Sera, le jeune homme de confiance, Richard le Bourgeois, ainsi que celui que l'on appelait Face ya Yézu[1] parce de son visage émanait la bonté. Les jeunes provoquèrent Vieux Isemanga qui répliqua par un flot de paroles, où il était question de conflit des générations, du respect qui se perdait en même temps que la cervelle, et du fait qu'à son âge, il n'avait pas de temps à perdre avec des morveux gérontophobes, et stupides de surcroît, étant donné que leurs têtes avaient la même forme que l'appendice génital de leurs géniteurs.

— *Tika biso makelele*[2], l'invectiva mère Bokeke. Le vieux s'arrêta de parler. Non pas sous l'injonction de la femme, mais parce qu'un gros 4 x 4 s'arrêtait devant la petite table bancale maintenant vide. Le véhicule fut bientôt suivi par une grosse Mercedes classe S aux vitres fumées, flanquée de deux autres véhicules tout-terrain flambant neufs. Isemanga se demanda quel était ce patron venu acheter des cigarettes pourvu d'une escorte si importante, quand il reconnut dans le premier engin le militaire en civil qu'il avait déjà vu : l'adjudant Bamba Togbia. L'homme descendit du véhicule et se dirigea vers mère Bokeke. Il lui tint un discours murmuré auquel elle répondit de façon embarrassée. Bamba se tourna vers les voitures dont les moteurs tournaient toujours. Les jeunes gens observaient la scène, le jeu de dames suspendu pour cause de Mercedes grise suivie de véhicules 4 x 4.

1. Face de Jésus.
2. "Arrête de nous faire du bruit".

Plusieurs hommes sortirent des engins et se déployèrent dans la parcelle et le long du trottoir, en observation. La portière arrière de la Mercedes s'ouvrit alors et un soulier en caïman d'une pointure considérable apparut. Gonzague Tshilombo était venu consoler mère Bokeke de la mort de son neveu.

Celle-ci, confuse, faisait visiblement des efforts pour bien le recevoir. Elle lui désigna un fauteuil de jardin en plastique blanc placé loin des oreilles indiscrètes et s'assit elle-même sur un petit tabouret. Les jumeaux se firent discrets, étonnés que leur parcelle puisse recevoir le genre de type qu'on ne regarde droit dans les yeux qu'à la télévision.

Tshilombo s'installa aussi confortablement que possible.

— Mama, commença-t-il sans ambages, penché sur elle pour mieux l'hypnotiser, Mama, *nayaki pamba te*[1]. Si je suis là, aujourd'hui, c'est parce qu'un fils nous a été cruellement arraché. A ces mots, mère Bokeke poussa un cri et leva les bras au ciel. Des torrents de larmes coulèrent de ses yeux. Elle pleurait le visage levé, prenant le ciel à témoin. Elle expliqua dans des sanglots déchirants comment son pauvre Baestro était arrivé à Kinshasa, cette ville de toutes les perditions, remplie de politiciens qui tuaient les enfants. Dans un flot de paroles, elle posa la question de savoir pourquoi son cher neveu avait été désigné par le sort cruel. Elle se demandait encore comment annoncer la nouvelle à la mère, sa sœur, là-bas, à Boende. Elle se lamenta sur les frais démesurés qu'il fallait consacrer à des funérailles et à un deuil. Elle était intarissable.

1. "Mama, je ne suis pas venu pour rien".

Pourtant, ceci n'était que la première partie de son récital. Elle changea soudain de registre. Comme un cri venu du cœur, elle posa les questions cruciales. Qui avait tué le fruit des entrailles de sa sœur ? Pourquoi était-il mort ? Pourquoi l'empêchait-on de reprendre le corps de son neveu bien-aimé ? Avant de s'attendrir, Tshilombo lui coupa la parole.

— Mama, je t'ai entendue. Ne dis plus rien, je t'ai entendue. Sache que le parti n'a jamais négligé un de ses membres. Sois assurée qu'une enquête est en cours. Les coupables seront bientôt châtiés. Le président de la République en personne suit les choses de très près. Mais, avant que la lumière se fasse sur cette affaire… Tshilombo s'interrompit, se pencha davantage pour mieux souligner la complicité qui les liait désormais, puis poursuivit :

— Le président et moi comptons sur toute ta discrétion. Il ne faut surtout pas qu'il y ait ébruitement de cette affaire. La mémoire de notre enfant n'a été que trop jetée en pâture à la politicaille. Ne réponds à aucune question qu'on pourrait te poser. Surtout de la part de ceux que tu ne connais pas, les journalistes, par exemple. Ces gens-là, il faut s'en méfier, tu leur dis une chose, ils en écrivent une autre. Baestro faisait partie de la famille de notre mouvement politique. Une famille doit rester soudée. Lofombo Bolenge, alias Baestro, compte désormais parmi les héros de la nation au même titre que Lumumba et consorts. C'est pourquoi nous allons lui préparer des funérailles dignes de lui. Des jaloux voudront rendre vain son sacrifice. Mais dis-moi, son frère qui l'accompagnait n'a pas été blessé, j'espère ?

— Ah, Dieu merci, lui au moins a pu revenir. Qu'aurais-je dit à la famille si j'avais perdu mes deux neveux ?

Tshilombo était certain maintenant qu'une personne accompagnait le jeune martyr. Il y avait donc quelqu'un qui avait tout vu et tout entendu. Pas très bon, ça.

L'adjudant Bamba Togbia, debout, à proximité, essayait de ne rien perdre des phrases échangées sous le sceau de l'obscurité. Le directeur général du "Bureau" et la mère Bokeke continuèrent à parler pendant une vingtaine de minutes encore. Les silhouettes des gardes du corps se découpaient aux alentours. Depuis longtemps, le jeu de dames avait perdu tout intérêt et les jeunes gens restaient silencieux. Les jumeaux étaient assis à l'écart, par terre, leurs grands yeux rivés sur le personnage important. Celui-ci finalement se leva pour prendre congé et sortit de la poche intérieure de sa veste une liasse de billets qu'il tendit à mère Bokeke. Elle reçut l'argent des deux mains, le dos courbé, en signe de respect et de gratitude.

Célio Matemona, de loin, observait la scène. Cette visite ne pouvait qu'être en relation avec la mort de Baestro. Voilà donc les gens pour qui son ami avait perdu la vie. Qui aurait cru voir ici un personnage de cet acabit, en conversation avec mère Bokeke dans un fauteuil de jardin ? Cette mort suscitait bien des agitations, jugea le jeune homme. Que venait faire ici ce personnage dont le visage ne lui disait rien, mais qui, vu l'importance de l'escorte, devait appartenir à un service puissant et occulte dépendant directement de la présidence ? Seul le président octroyait les rôles dans ce pays. En tant que fondé de pouvoir de la communauté des déshérités du quartier, Célio ne pouvait rester indifférent à ce qui se passait sous ses yeux. La corpulence des gardes du corps l'avait jusqu'à présent dissuadé d'intervenir afin de défendre les intérêts de la mère Bokeke, mais lorsqu'il vit le dignitaire tendre avec condescendance une vulgaire liasse à la mère, il décida d'improviser.

— Excusez-moi.

Gonzague Tshilombo se retourna pour se retrouver face à Célio Matemona, médiateur, avocat, notaire à l'occasion de toute la communauté. Gonzague Tshilombo considéra le quidam qui essayait vainement de le toiser du haut de sa taille moyenne. Il ne distinguait pas bien ses traits à cause de la pénombre, mais il se dit que son regard était ce qu'on pouvait appeler un regard candide.

— Le prince, commença Célio, a plus de sagesse à conserver le nom de radin, qui, peut-être, engendre un mauvais renom, mais sans haine, plutôt qu'être fauché un jour, pour se valoir le nom de libéral, et être haï ensuite par tous. Dans ce cas-ci, par contre, le prince fuira les choses qui le rendent commun, disons, comme n'importe quel patron. Toutes les fois qu'il fuira cela, le prince se sera acquitté de son ouvrage.

N'ayant plus rien à ajouter, Célio termina là sa citation, fixant ingénument son interlocuteur. Celui-ci, un peu décontenancé d'abord, après réflexion doubla la liasse de billets et quitta la scène. Tshilombo, entouré de ses gardes du corps, s'interrogea sur ce bougre qui pouvait ainsi citer Machiavel. Avec quelques aménagements, il est vrai, mais tout de même.

— Tu as entendu ? Gonzague Tshilombo s'adressait à l'adjudant Bamba Togbia qui était passé du 4 x 4 à l'avant de la Mercedes. Tu as entendu ce que la mère a dit ? Tu vois, Bamba, ce qui s'est passé il y a deux jours est un cas d'école en politique. Je te résume. Le Bureau, en accord avec sa stratégie de communication, a organisé une manifestation pacifique devant le siège d'un parti de l'opposition. Tshilombo semblait réfléchir tout haut. Au passage des réverbères, la monture de ses lunettes jetait un éclat intermittent à l'intérieur de l'habitacle de la limousine.

— Cette manifestation, par la volonté de nos adversaires, opposés à tout dialogue, a malheureusement dégénéré et nous avons subi la perte d'un militant. Tshilombo prit un air attristé puis se reprit.

— Dans ce genre de schéma, Bamba, sache que cette perte n'est pas vraiment une perte. Je dirais même que c'est un gain. Il suffit de lire la presse pour t'en rendre compte. Mais nous n'allons pas nous endormir sur nos lauriers et rester inactifs. Il faut battre le cuivre pendant qu'il est chaud.

La voiture glissait silencieusement sur le bitume. Bamba ressentait une impression d'irréalité à contempler la ville du fond des fauteuils de cuir moelleux. Le parfum particulier de la climatisation et la fraîcheur ambiante le transportaient dans une autre dimension. De ce côté-ci, tout n'était que luxe. Au dehors, la cohue du jour avait fait place à d'intenses activités nocturnes, ponctuées par la lueur des lampes à pétrole qui scintillaient comme si les étoiles du firmament avaient choisi Kinshasa pour s'y reposer. Tshilombo se racla la gorge.

— Bamba, d'un point de vue médiatique, cette opération est une réussite totale. Le seul handicap est ce témoin, ce frère de Baestro. Un témoin reste un témoin. Tshilombo laissa la phrase en vol stationnaire pendant quelques secondes afin de bien imprégner le cerveau de son interlocuteur de ses paroles.

— Adjudant Bamba, je compte sur toi pour nous délivrer de ce souci, je te donne carte blanche. Je ne te demande ni quand ni comment tu procéderas, je compte sur toi. Tu m'as entendu ? Bamba ne répondit rien. La Mercedes tourna autour d'un rond-point, laissant le Palais du peuple à gauche et remonta vers Matonge. De temps à autre, des notes de solos de guitares traversaient les parois feutrées du véhicule pour y laisser des traces de gaietés nostalgiques. La Mercedes entourée des 4 x 4 s'arrêta au rond-point de la Victoire. Bamba sortit du véhicule, salua son boss et se retrouva dans la chaleur de Matonge. Il se dirigea vers la rue Kanda-Kanda, où il habitait, passa par le petit marché de "Djakarta", et s'y arrêta pour acheter quelques morceaux de poulet cuit à la braise.

Bamba Togbia habitait seul une petite maison confortable. S'il vivait seul, ce n'était pas qu'il appréciait particulièrement la solitude, mais sa femme et ses enfants étaient restés à Gemena dans le nord du pays, d'où il était originaire. Depuis sept ans qu'il était à Kinshasa, il ne les voyait plus que rarement. La vie militaire ne permettait pas, par définition, de disposer de la sienne. Cela faisait maintenant bien trop longtemps qu'il traînait son existence de mercenaire sans solde. Il avait participé à toutes les guerres à l'intérieur du pays, mais aussi à l'extérieur. Au Biafra, pour le pétrole, aux côtés de l'armée gouvernementale, en Angola, contre le communisme, au Tchad, pour endiguer les velléités expansionnistes de Kadhafi. Sa mutation pour

Kinshasa n'était qu'une étape de plus dans son long parcours. Maintenant qu'il était quinquagénaire, sa carapace forgée par les années au sein de l'armée commençait à révéler ses fissures. La nouvelle mission, assignée par Tshilombo, était claire. Il n'était pas à un enlèvement suivi d'une disparition près. Cette fois-ci, pourtant, un malaise le taraudait. Bamba glissa une cassette audio dans un combiné radiocassette et sur des paroles du grand Servos Niarkos, la voix de Papa Wemba, enveloppa le salon.

> *Bainaka ngai po nazalaka vedette*
> *Bainaka ngai po nazalaka jeune premier*
> *Lisano na baninga, ngai nalingaka, mama*
> *Bwale na ngai, bisengo ya basusu*[1]

Une fois de plus, le chanteur se demandait pourquoi le monde était peuplé d'un nombre incalculable de salauds qui rendaient l'existence difficile.

Bamba se sentait bien dans son trois-pièces. Il regrettait seulement que sa famille ne puisse aussi en profiter. Il disposait de tout le confort moderne : téléviseur dix-sept pouces, ventilateur pivotant à quatre vitesses avec lumières clignotantes incorporées, horloge électrique avec carillon, en direct de Shanghai, et congélateur, un clone de Whirlpool, qui occupait une grande partie du salon et venait en aide aux voisins qui n'en possédaient pas. Le sous-officier était respecté et craint dans le quartier parce que personne ne savait exactement ce qu'il faisait, à part qu'il était militaire et qu'il ne portait jamais

---

1. "On me hait parce que je suis une vedette, / On me hait parce que je suis un jeune premier, / M'amuser avec les amis, j'adore, / Mais ma souffrance participe à la joie de certains".

l'uniforme. Ce qui était tout de même inquiétant pour un soldat. Bamba déballa les morceaux de poulet, sortit une assiette et des couverts d'une commode en formica dernier cri et commença à manger son repas.

Eliminer un homme n'était plus un problème pour lui depuis longtemps mais les années avaient passé et il n'avait plus envie de ça. Ses quatre enfants étaient grands maintenant. Il voulait pouvoir en profiter paisiblement, enfin. De plus, servir son nouveau patron, Gonzague Tshilombo, qui n'était qu'un vulgaire civil, après tout, le dérangeait profondément malgré le peu qu'il savait de lui. Il ne parvenait pas vraiment à percer sa personnalité à jour. Mais, dans son malaise, ce qui le tracassait surtout, c'était que le neveu, sa future victime, n'était qu'un gamin. Ces différents éléments se télescopaient dans son esprit et la *chikwangue*[1] qu'il essayait d'avaler avait maintenant la consistance caoutchouteuse et fade de la chair humaine. Il la recracha dans l'emballage de papier kraft et mit la nourriture de côté. Il tendit la main vers un tiroir du meuble en formica et y prit un bic et un cahier d'écolier qu'il ouvrit. Après avoir écrit la date, il traça de façon appliquée : *Opération "Mokili ebende" (suite) : Traitement Témoin X. 1) Organiser surveillance 2) Enlever le sujet quand il faut, où il faut. 3) Appliquer solution extrême.* Point. Il ferma le cahier, le remit en place puis décida de sortir, prendre une bière ou deux, pour ne plus penser.

Le soleil, encore doux à cette heure, ravivait les contrastes aux abords sauvages du large

1. Pain de manioc.

fleuve qui s'étendait là-bas, jusqu'à Brazzaville. On voyait, au loin, des pêcheurs, sur leurs pirogues, jeter des filets. La surface sombre était détendue. Elle frissonnait légèrement sous la brise fraîche. Elle paraissait calme, apparence trompeuse puisque le courant, pernicieux à cet endroit, provoquait des vagues blanches et indolentes comme des bras blancs de sirènes. Le première classe Landu aimait se rendre au bout de la pelouse séparant le fleuve de l'arrière du bâtiment du Bureau. Son chef, l'adjudant Bamba Togbia, était encore plongé dans la paperasserie et les rapports. Il préparait la mission de la journée. Le boulot était plutôt peinard, pensait Landu. Une équipe restreinte, pas trop de comptes à rendre. Bamba et lui s'étaient rencontrés à la base de Kitona, près de Matadi. L'adjudant avait été son instructeur pendant plusieurs mois, il lui avait appris toute les techniques enseignées en Israël et en Egypte. Landu lui vouait une grande admiration.

— Première classe Landu ! La voix râpeuse de Bamba se fit entendre, autoritaire.

— Mon commandant ! Landu était un jeune soldat zélé et content de l'être. D'une démarche allègre malgré sa masse musculaire, il se dirigea vers l'entrée arrière de la villa. Bamba était assis à son bureau.

— Première classe Landu, on a une mission spéciale, on commence dès aujourd'hui.

— Mon commandant, tu as déjà vu que je refuse une mission ? Je suis aux ordres ! Moi-même, je sais qu'avec toi, mon commandant, on ne part jamais en mission pour rien, il y a toujours quelque chose à gagner.

L'extorsion était chez Landu pratique quotidienne.

— Pas cette fois, Landu, on ne gagnera rien, la cible n'a pas un rond, le déçut rapidement Bamba. On commence par le début. Il faut de la mé… !?

— De la méthode, mon commandant.

— Bon ! approuva l'adjudant. Mais on va commencer par localiser la cible. Ensuite on procèdera à une fi … ?

— Une filature !

— Parfait ! condescendit le sous-officier. Ne t'en fais pas, avant de commencer la mission, je veux te contenter. On fait d'abord un petit tour en ville, pour notre compte personnel.

D'un tiroir, en plus de deux talkies-walkies de marque Motorola, Bamba sortit un pistolet Glock 9 mm et le glissa sous sa chemise. Le première classe Landu se saisit d'un mini-Uzi, qu'il garderait tapi sous son siège dans la voiture.

Le 4 x 4 bleu marine sillonnait la ville, pareil aux fauves que l'on appelle de façon appropriée prédateurs. Le vent caressait le crâne rasé du première classe qui tenait le volant d'une main ferme. Le véhicule quadrillait maintenant "Wall Street", le quartier des changeurs de monnaies, en ville. Sur les trottoirs, des hommes et des femmes en grand nombre négociaient la vente et l'achat de devises de toutes sortes. Devant la difficulté qu'éprouvaient les banques et l'Etat à acquérir et à redistribuer des devises nécessaires aux importations, un marché noir s'était bien sûr mis en place, accentuant la chute des cours, créant les conditions favorables au blanchiment d'argent.

Cette illégalité flagrante était l'occasion, pour certains requins tels que Landu et Bamba, de "serrer" un peu ces opérateurs économiques d'un genre particulier, qui étalaient leurs liasses de billets comme des jeux de construction aux abords des rues. Landu braqua son volant en direction du bâtiment rose de l'ambassade d'Italie.

— Mon commandant, là ! Les deux en face, sous le grand arbre !

Landu venait de repérer des changeurs de monnaies, légèrement isolés, gênés dans leur démarche par des sacs de voyage pleins de liasses. Le véhicule fit un bond, rugissant, le moteur en avant. Les deux changeurs ne manifestèrent aucune frayeur lorsqu'ils virent la carte militaire de Bamba et le Uzi exhibé par le première classe Landu. Le business qu'ils pratiquaient étant complètement illégal, ils trouvaient normal, après tout, de s'acquitter de temps en temps d'une petite taxe. Les poches pleines de billets, les deux soldats filèrent ensuite vers le quartier de la Gombe, à la recherche de Gaucher, dénommé "la Cible".

Ils se garèrent non loin de l'ONG qui s'occupait de tout et de rien. Bamba avait un peu mieux expliqué ce qu'il attendait de son subordonné. N'étant pas connu, contrairement à lui, il devait aller traîner chez Vieux Isemanga. Il devait tout faire pour savoir comment Gaucher passait son temps et repérer le moment propice pour l'enlever. Il lui remit un des deux talkies-walkies.

Leur surveillance dura tout de même quelques jours. L'enlèvement aurait pu se faire dans le quartier, sitôt le coucher du soleil, mais Gaucher ne quittait jamais la parcelle le soir. La journée, il n'allait pas très loin. Depuis l'événement de Limete et la mort de son frère Baestro, il était devenu comme celui qui s'est fait mordre par un serpent et qui fuit à la vue de la queue d'un simple lézard. Le drame vécu lui avait enlevé toute envie. Tout lui faisait peur désormais.

Landu se fit passer pour un garde du corps travaillant dans le quartier. Avec son allure, il avait du mal à cacher sa condition de militaire. On le vit beaucoup dans les environs venir manger une brochette, boire une limonade, tailler une conversation. Pendant ce temps, l'adjudant Bamba, assis dans le 4 x 4 quelque part dans le quartier, attendait avec patience l'appel du Motorola qui déclencherait le compte à rebours.

Jadis, il avait aimé ces heures de planque où la tension et la concentration formaient un cocktail qu'il adorait savourer avant l'action. Il avait en son temps apprécié ces heures de guet, où il se sentait léopard à l'affût. Tout cela aujourd'hui n'était plus que routine. Il était dans l'armée depuis trop longtemps. Il y avait passé toute sa jeunesse, toute sa vie. Bamba avait été recruté alors qu'il n'était âgé que de quatorze ans à peine. Encore enfant, il avait été happé par le vertige de la mort et on lui avait très tôt enlevé la capacité à décider du bien et du mal. On l'avait amputé de sa conscience et il était devenu comme ces gens qui ont perdu un membre mais continuent à avoir mal là où il n'y a plus rien.

L'instruction militaire appliquée aux enfants n'est pas la même que pour le soldat adulte. L'instruction de l'enfant-soldat se pratique par la terreur et la rétorsion extrême. La rébellion embrasait le Congo en cette année 1964. La ville de Gemena où il demeurait avec ses parents était devenue la base arrière d'où des renforts étaient acheminés vers le front qui s'était déplacé de Stanleyville vers la région de Lisala, à une journée de voiture de là. Il fallait stopper la rébellion et le communisme. Une noria de C-130, frappés de l'étoile de l'armée de l'air américaine, débarquait des cargaisons d'armes, de munitions et des contingents de troupes diverses : les premiers paras congolais avec leurs bérets rouges, des troupes de mercenaires belges, français, britanniques, sud-africains. Toute une horde de guerriers fous qui alimentait l'imagination fertile du jeune Bamba Togbia.

Gemena prit rapidement l'allure d'une ville de garnison. Ce n'était plus cette cité écrasée de soleil où, à midi, seuls les chiens errants osaient encore braver la canicule au milieu de la rue principale. Elle fut parcourue de la cavalcade des jeeps qui sillonnaient les avenues en tous sens, semblant transporter des messages des plus urgents. Sa population, brusquement, avait explosé. Les hommes armés étaient partout. Les débits de boissons furent envahis par des soudards braillards et malpolis. Phénomène qui entraîna une brusque prolifération des filles prêtes à se vendre. Des accents de toutes sortes se mirent à pleuvoir sur la bourgade reculée de l'Equateur.

Dans ce tumulte, Bamba prit l'habitude de fuir l'école pour venir à l'hôtel de la "Bonne Auberge" où logeaient les bêtes de guerre. Il venait admirer leur dégaine de vainqueurs aux regards durs, s'enivrer sous le kaléidoscope vert et brun des uniformes maltraités. Il aimait épier le maniement des armes de calibres et de modèles différents. Il se délectait du chuintement inquiétant de la culasse qui glisse, de l'odeur de l'huile avec laquelle on entretenait les fusils automatiques. Alors, il ne fallut rien pour le convaincre lorsqu'il apprit qu'un recrutement avait lieu. Il oublia ses parents, mentit sur son âge comme la plupart des gamins qui s'enrôlèrent ce jour-là avec lui, pour le plus grand bénéfice du sergent-chef Pelengamo Personne, instructeur aux méthodes radicales et infaillibles.

On les avait emmenés dans un camp militaire. Là, le sergent-chef Pelengamo Personne les avait fait ramper, courir, franchir des palissades pour remplir le volet physique de son instruction.

En ce qui concernait le volet psychologique, Bamba se souvenait encore du visage du premier d'entre eux, qui à un moment, devant un mur de troncs, épuisé, n'eut plus la force de lever les bras. Le sergent-chef Pelengamo Personne lui intima l'ordre une seconde fois. Sous les yeux hébétés de la toute jeune recrue, un éclair jaillit depuis le mollet droit du sergent-chef, où était fixée une courte machette, et alla trancher la gorge de l'enfant qui s'écroula dans une gerbe de sang. La terre gourmande aspira le flot d'hémoglobine qui coulait en jet de sa carotide tranchée net. Durant tout le reste de la journée, les petits soldats durent s'entraîner en contemplant le corps de leur camarade gisant sous le soleil implacable, la tête désarticulée, entourée d'une large auréole noire incrustée dans le sable. Plus personne n'avait ensuite osé désobéir aux ordres du sanguinaire sergent instructeur, qui leur apprit une chose : la force physique n'était rien. Seule la volonté comptait. L'adjudant Bamba inspira profondément et bascula la tête en arrière, les yeux fermés, pour essayer d'effacer le souvenir qui s'y était imprimé.

— Mon commandant ! Mon commandant ! A vous ! crachota le Motorola posé sur le siège à côté de lui.

Ce jour-là, Landu avait débarqué en fin d'après-midi à la parcelle de mère Bokeke. Pour une fois, Gaucher semblait vouloir bouger. Après l'éternel après-midi à jouer aux dames, il s'était fait couper les cheveux par Trickson. Il s'était douché puis habillé pour sortir. Il arborait une veste noire ornée de broderies blanches, une imitation Versace, un pantalon noir signé Yohji Yamamoto, et, aux pieds, il portait des chaussures à triple semelle J. M. Weston. Le tout acquis selon un circuit compliqué de relations et de coups d'œil. Le ventre était peut-être vide, mais il fallait rester élégant coûte que coûte. Gaucher sortit enfin de la parcelle et se dirigea vers le carrefour du boulevard du 30-Juin tout proche.

Landu le suivit discrètement jusqu'à l'arrêt des bus en partance pour les quartiers de Bandal et de Matonge. Le jeune militaire actionna le Motorola et signala à Bamba, garé non loin de là, de le rejoindre au coin du boulevard. Gaucher était à peine arrivé à l'arrêt, qu'un taxi-bus déboula dans un bruit de carrosserie maltraitée. Les passagers eurent juste le temps de descendre, déjà un essaim d'au moins quarante personnes se disputaient les quelques places libres.

— Makala, Makala ! claironnait le receveur du mini-bus, accroché à la portière latérale. Jouant des coudes, Gaucher se fraya un passage à l'intérieur du véhicule bondé.

— Monte ! cria Bamba à l'adresse de Landu qui sauta dans le 4 x 4.

Le véhicule roulait à bonne distance du minibus. Les deux militaires comptaient cueillir le jeune homme ce jour-là, dès qu'il serait isolé un moment. Le petit bus déposa Gaucher à l'arrêt de Bandal. Il prit à pied l'avenue Kimbondo. Bamba et Landu, garés au bord de la grande artère, suivirent du regard le jeune homme, qui, non loin de là, pénétra dans une élégante petite demeure. Les deux hommes reprirent leur attitude de fauves aux aguets.

La nuit commençait à descendre et un voile sépia couvrait maintenant le décor constitué des coquettes maisons, des commerces et des bouquets de manguiers qui dressaient leurs silhouettes sur les nuages rouge sombre que traversaient des sabres de lumière orangée. Les volutes de poussières en suspension agissaient comme un effet optique particulièrement recherché. Bamba retira son arme, qui le gênait, et la glissa dans la boîte à gants. Landu était descendu de la voiture et discutait avec un réparateur de pneus installé au bord de l'avenue. Le vieux soldat s'installa plus confortablement sur son siège et ferma les yeux.

Le volet pratique de l'instruction des enfants-soldats, selon le sergent-chef Pelengamo Personne, ne comportait qu'une seule leçon. Pour ce faire, chargés dans des camions, on les emmena droit au front vers la ville de Bumba. La guerre avait évolué ces deux derniers mois, et on était déjà en pleine phase d'opérations de nettoyage. Le sergent-chef pensait qu'il y avait là une bonne occasion de parfaire l'éducation des petits. Des rebelles avaient été capturés par centaines et réunis dans la plaine de Mowaso. Aussitôt arrivé, le sergent-chef avait dit à ses protégés ce qu'il attendait d'eux : à l'arme blanche, chacun devait exécuter cinq prisonniers et connaître pour la première fois l'acte de tuer. Les suppliciés étaient assis sur le sol, en caleçon, les coudes attachés par derrière. Aucun d'eux n'espérait la moindre clémence. Courbés sous le soleil de plomb, leurs dos luisaient comme des boucliers dérisoires.

Dans la pénombre du véhicule, Bamba Togbia essayait en frottant son front avec énergie de la paume de la main gauche d'effacer les images de sang. Cela le calma un peu. Ses yeux étaient comme des braises mourantes dans l'obscurité. Dehors, les nombreux bars déversaient leurs flots de *ndombolo*[1] aux basses lourdes. Des jeunes gens à la démarche nonchalante et des jeunes filles, le

1. Danse qui imite la posture du gorille.

rein cambré, semblaient présenter un défilé de mode interminable. Landu était toujours en conversation avec le réparateur de pneus. Le jeune Gaucher était sorti de la petite maison pour aller s'installer à une des nombreuses terrasses en compagnie d'une fille longue et mince comme une liane.

La soirée avançait et la rue offrait de plus en plus d'animation. Un moment, Gaucher alla raccompagner la jeune fille devant chez elle puis se dirigea tranquillement vers le 4 x 4.

— Landu, monte ! cria Bamba.

Gaucher, à pied, passa à leur hauteur. Il tourna ensuite vers le rond-point de Bandal. Le gros véhicule démarra et fit un demi-tour à sa suite.

— On le cueille avant le rond-point, dit Bamba. C'est l'endroit idéal, obscurité maximale ! Landu était déjà passé derrière les banquettes du véhicule et ouvrait une des portières arrière. La voiture se déporta complètement de l'autre côté de la route, dépassa Gaucher. Landu sauta en marche, agrippa le jeune homme par le bras, avant de le lui tordre dans le dos. Tenant son Uzi de la main gauche, il le propulsa à l'intérieur de la voiture. Gaucher n'eut pas le temps de comprendre, il reçut un coup dans les reins qui le paralysa.

La joue plaquée contre le sol métallique du véhicule, il essayait de rassembler ses esprits. Le canon de l'arme pressé contre sa tempe rendait l'exercice difficile. Il ne pouvait empêcher son corps de trembler. Le faisceau lumineux provenant de l'éclairage public découpait l'obscurité de loin en loin. La panique l'empêchait de penser. Où l'emmenait-on ? Ceci ressemblait à un enlèvement. Mais qu'avait-il fait ? Ces deux types-là étaient présents le jour du trépas de Baestro. Son tour de mourir serait-il venu ? Dans son esprit, la peur avait créé un no man's land dont les limites étaient constituées de ténèbres. Le 4 x 4 quitta Bandal en trombe. A Kintambo-magasin, ils prirent à gauche et montèrent tout droit, laissant derrière eux le séminaire Jean-XXIII. Gaucher, cloué au sol sous la chaussure de Landu, essaya de parler, mais une pression insistante du canon du pistolet-mitrailleur le força au silence. Le moteur du puissant véhicule, lui, jouait de ses soupapes bien huilées. Ils dépassèrent le camp Tshatshi. Un peu plus loin, ils tournèrent à droite vers Kinsuka, là où le fleuve, dans un accès de colère, avait concassé la roche pour signifier sa suprématie en amont et en aval.

Gaucher fut traîné en dehors du véhicule. Les soldats l'emmenèrent dans les fourrés au bord de l'eau. Les rochers affleuraient à la surface agitée du vaste fleuve. On avait l'impression, totalement fausse, de pouvoir faire la traversée jusqu'à Brazzaville les pieds au sec. Landu tournait nerveusement autour de Gaucher maintenant à genoux dans la vase. En reconnaissant Bamba dans la voiture, le jeune homme avait compris que rien de bon ne pouvait lui arriver désormais. Gaucher parlait tout seul en pleurant. Une seule et même phrase dans sa langue tribale, revenait sans cesse :

— *Woyoke iseï o, woyoke iseï !* Vieux, *yokela ngai mawa*[1] ! Pardon, vieux, pardon ! L'adjudant Bamba contemplait la scène comme s'il ne faisait pas partie de ce qui se tramait là. Landu avait déjà fait claquer la culasse de son arme. Plus pour impressionner sa victime qu'autre chose, car Landu savait qu'il fallait terminer le petit à l'arme blanche. Les murmures inintelligibles de

1. En lomongo et en lingala : "Aie pitié de moi !".

Gaucher résonnaient de façon étrange dans le cerveau de l'adjudant. La voix du jeune homme se mêlait dans son esprit à d'autres voix entendues ailleurs, bien longtemps auparavant. La sueur qui coulait sur son visage l'obligeait à cligner des yeux.

— *Woyoke iseï, Woyoke iseï !* Gaucher répétait encore et encore ces mots que Bamba avait entendus jadis dans la clairière près de Bumba.

De façon incessante, son cinquième et dernier prisonnier avait répété cette supplication jusqu'au moment où le très jeune Bamba avait dû le faire taire, dans des hurlements d'effroi. Un crépuscule pourpre enveloppait alors la plaine de Mowaso d'un voile sanglant. La macabre sarabande des exécutions s'était prolongée jusqu'au couchant. Elle avait été l'occasion pour la jeune recrue de découvrir la vaine et atroce résistance des chairs face à la percée du métal, les gesticulations ultimes et dérisoires des prisonniers pour échapper à la lame qui s'enfonce et étripe. Elle lui apprit à suivre, aveuglément et une fois pour toutes, les ordres et directives du sergent-chef Pelengamo Personne, qui rendaient inutiles les plaintes des supliciés. Les flots de sang avaient maculé l'herbe tout autour, la terre, l'horizon, le ciel. Depuis, dans la tête du sous-officier Bamba, la plainte lancinante en langue tribale n'avait jamais vraiment cessé.

Landu sentit comme une hésitation chez son commandant. Promptement, il sortit un poignard de sous le bas de son pantalon.

— Mon commandant, laisse-moi le piquer ! dit-il, l'arme déjà à l'horizontale de la gorge du pauvre Gaucher. Bamba s'extirpa du songe psychopathique dans lequel il était englué. Prestement, il saisit le poignet du première classe.

— Attends ! éructa-t-il dans un souffle. La confusion régnait dans son esprit. Des éclairs rouges défilaient devant ses yeux.

— Attends ! répéta-t-il sur le ton mesuré de quelqu'un qui essaye d'apaiser un animal encore sauvage. Il était inutile de tuer le gamin, réfléchissait-il. Terrorisé comme il l'était, le jeune était dorénavant inoffensif. Bamba était persuadé qu'en lui expliquant les choses posément, Gaucher ne révélerait jamais ce qu'il avait vu et entendu le fameux jour de la confrontation à Limete. L'adjudant Bamba tira Landu sur le côté. Gaucher n'avait pas bougé, il était prostré à genoux dans l'obscurité, déjà ailleurs.

Bamba expliqua au première classe qu'il était inutile de sacrifier le jeune homme. Vu l'état où il se trouvait actuellement, il comprendrait que son intérêt était de disparaître. Dans un si grand pays cela ne devait pas être bien difficile.

— Mais chef, on a reçu des ordres.

— Les ordres, c'est moi qui les donne. Aie confiance en moi, ce garçon ne nous causera plus d'ennuis, regarde-le. Bamba n'eut pas à en dire davantage, son autorité avait suffi à apaiser le tumultueux Landu.

Les trois hommes se retrouvèrent à nouveau dans le véhicule. L'obscurité posait une chape sur les pensées qui les occupaient. Aucun d'eux n'avait prononcé la moindre parole depuis qu'ils avaient quitté les abords du fleuve. Gaucher avait très bien saisi le marché. Il ne devait plus être vu nulle part. Il devait se diluer dans la ville. Bamba lui avait bien expliqué que plus jamais il ne devait réapparaître à son domicile. Il devait oublier sa tante, mère Bokeke, ses cousins, ses amis, sous peine de se condamner à mort et de mettre Landu et lui, ses bienfaiteurs, en danger, pour ne pas avoir obéi aux ordres. Gaucher n'eut pas besoin d'une deuxième explication. Il se souvint brusquement qu'il avait un oncle éloigné habitant Masina dans les faubourgs de la ville. Il leur assura que là-bas, parmi la multitude, il deviendrait soluble, invisible à quatre-vingt-dix pour cent et naturellement biodégradé. Il leur rappela qu'à Masina la population était tellement nombreuse qu'on avait surnommé le quartier "Chine populaire".

L'adjudant Bamba ordonna à Landu de s'arrêter sur le côté du boulevard Lumumba. La large avenue se prolongeait vers Masina, l'aéroport puis le Bandundu. A en juger par les lucioles qu'étaient les innombrables lampes à pétrole des marchandes, la nuit n'avait que peu ralenti les activités. Bamba se tourna vers Gaucher assis à l'arrière et lui dit de descendre. Il n'était pas minuit et, en moins de deux heures, l'avenir du jeune homme avait totalement basculé.

Lorsque les triples semelles de ses chaussures J. M. Weston prirent contact avec l'asphalte encore chaud de la canicule diurne, Gaucher recouvra instantanément ses esprits. De quelques tapes il débarrassa tant bien que mal son pantalon de la boue qui y était collée. Du plat de la main, il défroissa les pans de sa veste à motifs brodés, imitation Versace, et prépara mentalement le discours à son oncle lointain qui expliquerait son arrivée si tardive et inopinée. Sur cette décision irréversible et sans appel, la veste au vent, en cadence, il emboîta le pas à quelques joggers habillés de tenues de boxeurs qui, en file indienne, allaient au pas de course tout droit vers Masina, Masina la populeuse.

III

L'ASCENSION DE L'HYPOTÉNUSE

Gonzague Tshilombo, enfoncé dans le cuir moelleux de la Mercedes, ressentait un vague sentiment d'insatisfaction, comme une frustration. L'euphorie due au succès de l'affaire de Limete était maintenant retombée. L'incident ne suscitait plus guère de commentaires ni de la part de la population ni de la part des milieux politiques. Toutefois, ce qu'il avait atteint de crucial, c'était la reconnaissance du parti de Makanda Rachidi en tant que véritable parti de l'opposition. Avec des martyrs tombés au champ d'honneur, sa crédibilité ne pouvait plus être mise en cause. Compte tenu des nouveaux bouleversements politiques et peut-être des élections à venir, il entrait dans les plans de Tshilombo d'avoir au moins un grand parti sous sa coupe afin de le faire agir au bon moment, au mieux de ses intérêts.

Tshilombo appréciait de vivre cette période de transition. Il estimait connaître des moments privilégiés où le savoir-faire des hommes tels que lui était nécessaire. Il était non seulement l'expert en écran de fumée, mais aussi le spécialiste en "comment poser une poutre dans l'œil du voisin sans faire tomber la paille qui s'y trouve déjà", des qualités inestimables en matière d'intoxication et de désinformation, car telle était sa véritable tâche, ainsi que celle du bureau Information et Plans. Il se carra plus confortablement dans son siège et rectifia le pli de son pantalon. La période de transition était propice à pas mal d'actions, notamment au noyautage des partis, à l'infiltration dans les médias, à détourner l'attention de la population. C'était formidable à plus d'un titre. Tout était transitoire : le gouvernement, les institutions, les consciences. Il fallait donc en profiter.

L'air conditionné rafraîchissant l'atmosphère de la voiture le rendit plus optimiste encore quand il arriva devant sa maison, située dans le quartier résidentiel de l'IPN. Avant même que Bamba, au volant, ne klaxonne, les deux battants du portail s'écartèrent sur un vaste jardin bien entretenu, bordant une imposante villa blanche. La voiture se gara devant l'entrée. L'adjudant sortit prestement pour ouvrir la porte de son passager.

— Emmène la voiture au lavage. Tu passes me reprendre en fin de journée. Tiens, prends ça, dit Tshilombo en lui tendant une liasse.

Comme d'habitude, en franchissant le seuil de sa demeure, Tshilombo laissait une grande partie de ses soucis derrière lui. Il pénétra dans un vaste intérieur clair composé d'une grande salle à manger, occupée par une longue table au design avant-gardiste. Derrière, apparaissait une baie vitrée, donnant sur une cour intérieure où la fraîcheur était assurée par la présence d'une petite fontaine et de nombreuses plantes vertes. Vers la gauche, deux salons se succédaient dans une pièce en L. Les murs ornés de tableaux contemporains, caractéristiques de par leurs phylactères et intitulés : *Le Combat des rivales* ou *Ezaleli ya ba deuxième bureau*[1], déployaient leurs scènes de satires sociales en couleurs subtiles et éclatantes.

1. "Le comportement des concubines".

Un autoportrait de Chéri Samba représentait le maître, assis au plafond, semblant se dire que le monde, après tout, n'était pas bien sérieux. Une huile de la peintre Moseka Yogo Ambake mettait en scène un éléphant gigantesque s'acharnant sur ce qui restait d'écorce sur un arbre, au sommet duquel, le peuple, tant bien que mal, essayait de survivre tout en pleurant ses morts. Une parabole du pouvoir sans merci. Au milieu, posé sur un socle, une grande sculpture en cuivre doré, oxydée de bleu, œuvre du sculpteur Tamba, séparait les deux salons. Le sol, dallé de marbre blanc, soulignait l'atmosphère d'élégance et de bon goût qui prévalait en ces lieux.

— Bonjour, patron ! C'était Félicien, l'employé de maison. Patron, j'ai besoin d'argent pour l'école des enfants. On menace de les chasser si je ne paye pas. En plus, ma femme ne peut plus aller vendre au marché, des militaires lui on saisi sa carte de marchande et elle doit payer.

— Ça va, ça va, le coupa Tshilombo. Ton salaire ne suffit plus, on dirait ? Je t'ai encore donné une avance il n'y a pas longtemps.

— Vous savez bien, tout augmente chaque jour, plus moyen de suivre, patron.

— Bon, je te vois tout à l'heure, laisse-moi maintenant. Apporte-moi plutôt à boire.

Tshilombo jeta sa mallette sur un grand canapé de cuir jaune et se dirigea vers une chaîne hi-fi aux lignes épurées. Il posa un vinyle de Chick Corea sur la platine et pressa un bouton. Une musique vaporeuse et complexe emplit l'atmosphère. Tshilombo ne se lassait pas d'écouter *Romantic Warrior*. La guitare subtile d'Al Di Meola égrenait des notes cristallines. Stanley Clarke avec sa basse posait avec intelligence un décor médiéval pendant que Lenny White, avec la même tessiture qu'un rythme cardiaque, ponctuait le tout à l'aide de ses différents toms.

Tshilombo savourait la musique en sirotant sa bière, installé dans le canapé. Il se retourna. Un nuage de parfum de prix précéda l'entrée de Mme Odia Tshilombo qui venait d'arriver, suivie de Kapinga, sa jeune cousine. Son épouse était vêtue d'un pagne rose éclatant lui moulant les hanches à merveille. Le regard de Tshilombo s'y attarda puis remonta vers le visage et les yeux qui, à chaque fois qu'il les contemplait, déclenchaient en lui une surprise agréable, malgré deux décennies de vie commune. Mme Tshilombo était en effet d'une très grande beauté. Grande, mince, des yeux en amande qui avaient toujours la faculté de déstabiliser l'homme. En la regardant, son mari éprouvait toujours une émotion trouble. Un sentiment assez fort, tout de même, pour qu'il puisse le confondre avec de l'amour. Pendant toutes ces années, il s'en était contenté et à chaque fois qu'il doutait de lui, il n'avait qu'à bien la regarder pour que son cœur s'emballe à nouveau. Odia avait su tirer profit de cette situation, car sur le chapitre de la pérennité de l'amour, elle avait un avis depuis longtemps tranché. C'est vrai que lorsqu'ils s'étaient connus, il était plutôt coureur. Bel homme, charmeur, doté aussi de qualités qui ne se voyaient que quand il était en érection, Tshilombo plaisait aux femmes. Ayant tout de même affaire à un bon parti, elle l'avait épousé, croyant que le bonhomme s'assagirait avec le temps, subjugué par elle. Cela aurait pu être, mais entraîné par la force d'inertie, il avait continué à multiplier les conquêtes. C'étaient elles, les garces, qui faisaient tout pour l'épingler à leur tableau de chasse, se défendait-il très mal. Sa femme était convaincue du contraire et, petit à petit, elle ne crut plus du tout en sa fidélité. Elle ne se priva pas de le lui rappeler à chaque occasion. Elle ne perdit pas de temps non plus. Ils eurent trois enfants très vite. Elle passa les seize premières années à les élever, pour ne pas trop penser aux frasques de son mari. Les enfants étaient grands maintenant et poursuivaient des études à Bruxelles sous la garde de leur frère aîné. La situation du pays étant plus qu'instable, comme tous ceux qui en avaient les moyens, les Tshilombo avaient préféré envoyer leur progéniture loin, sous des cieux plus cléments. Plus tard, les activités de Tshilombo dans les services de renseignement l'avaient contraint à plus de retenue. Il s'était lassé des femmes et était devenu plus sérieux. Il lui arrivait de récidiver, mais c'était uniquement par dépit. Parce qu'entre-temps, Odia s'était lancée dans les affaires et se souciait de moins en moins de ce que son conjoint pouvait faire. Ce dernier servait surtout à la soutenir dans ses activités commerciales, en lui procurant des licences et des devises. Le succès aidant, Odia commença à s'adonner de plus en plus à la vie mondaine de la ville. Soirées de gala, fêtes de charité, réunions du Lion's club, sans compter les dîners officiels auxquels son mari devait participer. Sa beauté en faisait une invitée particulièrement sollicitée. Petit à petit, les enfants étant loin, elle se consacra de plus en plus à elle-même. Tshilombo, un peu dépassé par sa réussite, commença à goûter au fruit amer de la jalousie. Une voix masculine un peu trop grave au téléphone, un voyage pas très clair, et son esprit se mettait en marche, fabriquant de lui-même des scènes suspectes et des images scabreuses. N'étant pas en mesure d'étayer le moindre soupçon contre elle, il se tint coi et se considéra comme un martyr délaissé par sa femme. Entre-temps, Odia lui faisait tellement bien comprendre qu'il n'était qu'un salaud et un fornicateur qu'un sentiment de culpabilité s'insinua en lui, et s'installa. Ce dont elle usa à bon escient. Chaque fois qu'elle avait besoin de quelque chose d'un peu compliqué, elle appuyait dessus et Tshilombo, désarmé, acquiesçait à n'importe quoi, permettant ainsi à son épouse de développer ses affaires de façon considérable. Tshilombo et sa femme partageaient donc leurs vies, au jour le jour, se méfiant l'un de l'autre sans aucune raison tangible.

Pour l'instant, elle avait fait venir de sa province du Kasaï une jeune cousine dénommée Kapinga. Vingt-trois ans, vierge selon la coutume des Baluba[1], qui lui tenait compagnie et que les parents avaient envoyée à Kinshasa pour qu'elle puisse poursuivre des études et trouver un beau parti, comme sa grande sœur Odia, qui supportait toute la famille à bout de bras. Odia était parfaitement consciente que la beauté pleine de fraîcheur de Kapinga pouvait jouer un rôle sur la libido de son mari. Elle l'avait donc d'emblée prévenue de ne pas trop lui adresser de sourires. C'était un salaud et il était capable de tout. D'un autre côté, c'était le moyen de le tenir, parce qu'il savait qu'elle savait à quoi il pensait quand il regardait la jeune fille. Elle avait besoin qu'il se sente perpétuellement en faute. C'était comme cela qu'elle le contrôlait, et c'était peut-être aussi ainsi qu'elle l'aimait. En tant que coupable permanent.

— Bonjour, mon chéri, dit-elle, en effleurant du doigt la joue de son mari. Kapinga, dépose-moi tout cela dans ma chambre.

1. Tribu du Kasaï (province du centre du Congo).

— *Mbote semeki*[1]. La jeune fille traversa le salon d'une démarche ondulante, les bras chargés de paquets, hiératique. Odia était passée la prendre à l'école comme chaque jour, après avoir été à ses rendez-vous.

— Tu veux manger ? s'enquit-elle. Il y a quelque chose dans le four, j'arrive. Et elle fila vers les chambres.

— Ça va, le Bureau ? Sa voix résonnait dans le couloir. Lointaine. Tshilombo commença à lui répondre, mais ses paroles ne recevant aucun écho, il s'arrêta tout seul, comme un véhicule manquant de carburant en terrain plat.

— Tu as pensé à moi ? Odia était revenue.

— Comment ? demanda Tshilombo.

— Je t'avais demandé d'appeler ton ami au ministère au sujet de mes exonérations. Tu l'as fait ?

"Merde, c'est vrai !" pensa Tshilombo. Il avait encore oublié. Cela faisait trois jours qu'elle le lui rappelait. Il faudrait qu'il joigne au plus vite quelqu'un aux Douanes.

— Je n'ai pas eu le temps, chérie. Je m'en occupe cet après-midi.

— Pas eu le temps ? Je me demande bien ce que tu fais toute la journée. Tu sais bien qu'il me faut ces documents le plus vite possible. Mes marchandises arrivent bientôt. Comment je vais faire pour les dédouaner ? Décidément, on ne peut pas compter sur toi, ajouta-t-elle, perfide. Tshilombo se fit tout petit, n'ayant aucun argument de défense assez costaud à proposer à son épouse. Elle quitta la pièce, le laissant mariner dans un sentiment indéfinissable qu'il connaissait bien, et qu'elle avait réussi à imprimer en lui, jour après jour.

1. "Bonjour, beau frère."

Au volant de la voiture lavée et entretenue, l'adjudant Bamba Togbia mit le cap vers Binza-Ozone afin d'accomplir l'inéluctable. Il était temps pour lui de bousculer son avenir. Si, dans l'esprit archaïque de Bamba, le Seigneur Notre Dieu en personne tenait les fils du destin, des ancêtres malveillants, sournoisement, s'amusaient à bouleverser la belle ordonnance divine, afin de nuire et de nous imposer une existence pleine de tribulations. Pour mettre en échec certaines créatures de l'au-delà, il était parfois nécessaire de recourir à des médiateurs, seuls capables de dénouer des écheveaux devenus trop complexes.

Arrivé à Binza-Ozone, quittant la route de Matadi, il engagea la Mercedes dans une rue non asphaltée, surplombée par une ligne à haute tension. Les habitations, à cet endroit, étaient évidemment anarchiques, ne figurant sur aucun plan d'urbanisme. L'exode rural avait fait pousser des quartiers entiers de ce genre. Les maisons étaient exiguës, bâties dans l'urgence. Des murs construits en parpaings apparents faisaient l'uniformité du paysage. Du sable partout transformait le quartier en une proie facile pour l'érosion. Les arbres plantés récemment étaient jeunes et encore frêles. L'électricité y arrivait péniblement malgré la présence des câbles à haute tension, narguant les habitants, du haut de pylônes gigantesques qui se succédaient régulièrement en direction du fleuve.

Une population de basse condition sociale proliférait là. Des domestiques et des pousse-pousseurs. Des vendeuses de charbon et des porteuses de pain. Des manœuvres et des porte-faix de toutes sortes. Des bandits de grands chemins et des avorteurs clandestins. Des déserteurs et des putains Mongo qu'on appelait *Mingando*[1]. Le vivier était propice à l'anonymat et à l'illégalité. C'est le lieu qu'avait choisi le vieux Mbuta Luidi pour exercer la profession de sorcier qui consistait à livrer, clés en main, du pouvoir, de l'argent, éventuellement de l'amour, ainsi que tout ce qui allait avec ces ingrédients, en mangeant fortuitement l'âme de son prochain au passage.

Sa maison était située au bout d'un chemin en face d'un cimetière désaffecté, composé d'une dizaine de tombes, au-delà d'une petite ravine barrant la piste. L'adjudant Bamba Togbia gara la Mercedes à proximité et en confia la garde à trois gamins qui tapaient dans un ballon fait de chiffons et de lanières de caoutchouc. Il descendit le chemin menant à la bicoque de Mbuta Luidi.

Consulter un sorcier était chose formellement interdite dans la famille de Bamba, depuis qu'un de ses aïeux, par luxure et convoitise, avait été piégé à l'intérieur d'un crocodile dans lequel il s'était incarné, pour pouvoir tuer des gens et ainsi s'approprier leurs femmes et leurs biens. Depuis ce jour, les membres de sa famille ne pouvaient sous aucun prétexte faire appel à un quelconque sorcier ou autre féticheur. Il était arrivé à l'adjudant, à quelques discrètes et impérieuses occasions, de recourir aux services de Mbuta Luidi, mais pour des raisons purement professionnelles. Il considérait d'ailleurs, dans ce domaine, avoir un accord tacite avec l'au-delà. A qui pouvait-il bien s'adresser lorsqu'il fallait retrouver à tout prix un fugitif ou autre opposant politique ? Mbuta Luidi possédait l'art de circonscrire la zone de recherche à un pâté

1. Clan de la tribu des Bamongo.

de maisons. Qui encore pouvait, grâce à des mixtures préparées dans un sombre chaudron, avec tant de sûreté, pointer du doigt parmi quelques photographies, le visage d'un probable auteur de coup d'Etat ? Mbuta Luidi était le seul, il était plus infaillible que le pape.

Aujourd'hui pourtant, l'adjudant allait présenter au sorcier un cas personnel dont dépendait la future tranquillité de son existence. Depuis quelque temps, Bamba éprouvait du vague à l'âme. Il en avait assez d'être muté de garnison en garnison à travers le pays. D'être affecté à des services de renseignement obscurs, à accomplir des tâches qu'il avait de plus en plus de mal à assumer. L'exécution avortée du jeune Gaucher en était un épisode significatif. Tout ce qu'il voulait demander au sorcier, c'était un peu de repos, un poste confortable et routinier, bref, une fonction au sein de l'armée : responsable du carburant dans un camp militaire, attaché à un service d'approvisionnement à la défense nationale, par exemple. Là où, compte tenu des bakchichs, il pourrait se faire un supplément sur son salaire. Voilà ce qu'il comptait soumettre à Mbuta Luidi, grand maître en sorcellerie, reconnu d'utilité publique de Songololo à Mbanza-Ngungu.

Lorsque Bamba poussa la porte branlante, les yeux du sorcier, assis, torse nu, dans la petite pièce, semblaient lui demander : "Pourquoi avoir attendu si longtemps pour venir me voir ?" Bamba eut comme une appréhension. Il franchit néanmoins le seuil et referma soigneusement derrière lui. La demeure était minuscule. L'unique pièce, sans ouverture, était coupée en deux par un rideau qui cachait certainement un lit au fond. L'espace de devant était meublé, si l'on peut dire, de deux casiers à bières servant de

sièges et sur un desquels était assis Mbuta Luidi.
Il y avait, à gauche, une étagère où étaient entassés des statuettes ténébreuses, des fioles contenant des mixtures et des objets innommables, des
bottes de végétaux aux vertus inquiétantes. Une
unique lampe à pétrole, confectionnée dans une
boîte de lait concentré Carnation, répandait une
lumière parcimonieuse. La fumée avait définitivement assombri les murs et répandu une sen-
teur âcre qui masquait les odeurs de résidus
organiques, de plantes vénéneuses et de peaux
de bêtes que le soldat devinait là, éparpillés
dans la pénombre.

— Assieds-toi, dit Mbuta Luidi en indiquant
le casier en face de lui. Entre eux, un feu était
allumé à même le sol de terre battue et les braises rougeoyaient doucement, comme un magma.
Bamba posa précautionneusement le postérieur
au bord du casier, le buste raide comme un diag-
nostic positif.

Le sorcier possédait ce genre de physique
qui, jeune, semblait déjà vieux, et devenu vieux,
avait tendance à ressembler de plus en plus à
une momie en bonne santé. Son corps avait
l'apparence sèche et coriace de ces arbres maigres qui poussent au milieu des savanes arides.
Sa morphologie était particulière : son torse était
bâti sur une charpente qui ne ressemblait à
aucun squelette connu jusqu'ici, les épaules étaient
rabotées, inexistantes.

"On dirait une grenouille", pensa Bamba. Un
petit ventre proéminent et des jambes maigres
cachés par un vieux pagne prolongeaient le personnage vers le bas.

La tête n'avait rien à envier au reste. La base
de son front, bombé tel un abcès, était crevassée
d'une ride profonde, comme si, autrefois, par

une nuit sabbatique, il avait été frappé à la tête par la foudre comme Caïn, jadis, à l'aube du monde. La fixité de son regard en avait gardé une lueur vague et incandescente.

— Je savais que tu viendrais aujourd'hui, dit-il. Laisse-moi deviner pourquoi. Il s'empara d'une demi-calebasse qui servait de plat, d'où il tira des graines noires et brillantes, de la taille du bout du pouce. Il rejeta les graines dans le récipient.

— Tu as besoin de grandir pour pouvoir te révéler, dit-il après avoir examiné la position des graines dans leur chute. Dis-moi ce que tu veux exactement ! D'après ce que je lis ici, tu n'es pas venu pour rechercher un incivique quelconque. Tu es venu pour autre chose, ne cache rien, dis-moi tout. L'adjudant se lança prudemment. Le vieux sorcier se pencha vers le foyer, scrutant son interlocuteur d'en dessous. De ses doigts crochus comme des racines, il sortit de l'ombre une poudre et la jeta sur le feu qui se réanima instantanément en longues flammes jaunes. Mbuta Luidi débutait son office.

— Tu me connais, articula Bamba. Pour te dire la vérité, aujourd'hui je ne suis pas venu pour le service. Je suis venu te soumettre une requête. Je ne te demande pas beaucoup. J'ai seulement besoin de changer de vie. Le vieux poussa un soupir, posa un chaudron noir de suie sur le feu. Pendant qu'il accomplissait ses préparatifs, il semblait ne rien perdre des paroles du soldat. Bamba invoqua son âge, son désir de recouvrer une vie familiale, retrouver ses enfants, la nécessité d'un travail plus paisible, d'où son ambition d'obtenir une fonction dans l'armée.

— Je peux faire de toi un colonel si tu veux, tout dépendra de ta motivation, c'est-à-dire : qu'es-tu prêt à abandonner pour cela ? Le mot "colonel" fit monter en Bamba un sentiment d'effroi. Surtout pas de grade démesuré, pensait-il. Il s'était bien gardé de parler au sorcier de l'histoire de l'aïeul coincé dans le corps du crocodile. Il avait omis exprès de lui parler de l'interdit qui frappait sa famille et qui lui interdisait de se trouver là où il se trouvait actuellement.

— Non, je ne veux pas être colonel. Tout ce que je veux, c'est recevoir une petite fonction dans l'armée. Quelque chose dans l'approvisionnement, là où je peux arrondir mes fins de mois.

— Bon, laisse-moi consulter les ancêtres et te faire connaître ce qu'ils veulent. Mbuta Luidi jeta quelques plantes dans le chaudron fumant. Il sortit, toujours de l'ombre à ses côtés, quelque chose qui ressemblait à une patte de singe, à moins que ce ne fût autre chose. Il trempa le membre suspect dans le chaudron et aspergea des directions bien précises de la pièce. Il fit cela en prononçant à voix basse des paroles qui sonnaient comme des ordres. Parler aux démons, il est vrai, nécessite une certaine autorité. Il reprit la calebasse, remua les graines qui s'y trouvaient, cracha dans le récipient et se pencha un long moment sur celui-ci, attendant une réponse qui semblait provenir du fond de la terre.

Le vieux resta immobile et attentif pendant un moment qui parut une éternité à Bamba. Son cœur battait à tout rompre. La réponse tomba, implacable, nullement adoucie par l'écran de fumée qui remplissait maintenant la pièce mais qui, étrangement, n'irritait ni les yeux, ni la gorge.

— Les ancêtres sont en colère, psalmodia Mbuta Luidi. Surtout l'un d'eux. Il a eu à connaître un problème. Un problème grave. Comme un coincement. Personne n'a eu de compassion pour lui. On n'a pas arrêté de le critiquer. Sa souffrance dans l'au-delà est incommensurable. Bamba pensa évidemment à son aïeul.

— Cet aïeul peut néanmoins arranger les choses pour toi, là-bas, mais il lui faut un sacrifice. Tu devras le délivrer. Tu devras m'apporter un objet appartenant à un être qui t'est cher. Si tu es d'accord, la prochaine fois que tu viendras, apporte-moi l'objet en question. Ce sera le seul moyen d'apaiser le courroux de cet ancêtre, afin que tu puisses accéder à ce que tu désires. Le vieux redressa son torse étrange, fixa Bamba, la tête un peu penchée, interrogatif. Sans attendre une réponse immédiate, il ajouta :

— La prochaine fois, apporte-moi également un coq, tout noir. Son sang apaisera les ancêtres. Et viens plutôt la nuit…

En émergeant dans la lumière éclatante du jour, Bamba se conforta dans l'idée qu'il venait bien de côtoyer le monde des ténèbres.

— Je n'aurais jamais dû faire cette démarche, se reprocha-t-il. Bamba connaissait les euphémismes utilisés par les sorciers. L'objet appartenant à l'être cher représentait en fait l'âme de ce dernier. Le sang du poulet représentait sa vie. Pour se consoler, Bamba se dit que, de toute façon, les dés étaient jetés. On ne revient pas en arrière lorsque l'on traite avec l'au-delà. Il marcha vers la Mercedes, la tête rentrée dans les épaules, littéralement assommé. A ce moment, sa silhouette faisait penser à un vautour frappé d'une dépression subite. Les enfants qui surveillaient la voiture, sachant d'où il sortait et devant son expression hagarde, refusèrent les billets qu'il leur tendait.

— *Toboyi tozua kindoki*[1] ! s'exclamèrent les gosses en chœur. Bamba tenait l'argent comme on

1. "On ne veut pas être ensorcelés !"

présente une obole mais les gamins étaient déjà loin, privant le militaire d'une possible expiation.

Gonzague Tshilombo parcourait le long couloir luxueux de la galerie commerciale de l'hôtel Continental de Kinshasa. Des gens élégants et parfumés déambulaient avec nonchalance, savourant le temps. Les vitrines des boutiques arboraient des articles de luxe importés des capitales de la mode.

Après une journée bien remplie, il aimait pouvoir se détendre dans ce cadre confortable. Si le Continental était l'endroit idéal pour se fournir en objets de luxe, l'hôtel était surtout l'endroit qui offrait la convivialité la plus haut de gamme de la ville, où les privilégiés aimaient se voir mais aussi se montrer. C'est là qu'il fallait descendre quand on visitait Kinshasa pour affaires. La ville, il est vrai, n'attirait guère les touristes. La capitale était surtout réservée au business à forte et discrète marge bénéficiaire. Le prix de la moindre chambre dépassait largement le montant du salaire annuel, sans congés payés, d'un planton de l'Etat.

Tshilombo se rendit à la boutique de journaux et fit son choix parmi un large éventail de quotidiens et de magazines internationaux. Il traversa ensuite le grand hall en distribuant deux ou trois saluts de la tête. Il se dirigea vers le bord de la piscine, au-delà de la terrasse à l'arrière de l'hôtel. Des clients, principalement des couples, étaient attablés de-ci de-là. Il choisit une table à l'écart et fit signe à un serveur qui accourut vers lui, le carnet de commandes à la main.

Le directeur du bureau Information et Plans était plongé dans les nouvelles du monde. Son esprit vagabondait, décortiquant, analysant et recoupant les articles à l'aune de ses connaissances en politique planétaire. Il aimait disséquer ce qu'il lisait. Mais, pour lui, dans tout ce fatras de territoires, de noms de dirigeants et de déclarations tonitruantes, ressortaient les mots "pressions internationales". Des mots qui faisaient faire la grimace à Tshilombo malgré lui. Des mots terribles qui en avaient poussé plus d'un à céder et que la nation, à son tour, devait affronter actuellement. La cote du pays était au plus bas au niveau international. Dans les manchettes des journaux, les mêmes mots revenaient sans cesse : "Echec du processus démocratique", "violation des droits de l'homme", "embargo reconduit". Les pressions venaient de toutes parts, elles étaient terribles, des émissaires étrangers se succédaient à la présidence.

Pourtant, malgré l'obstacle quasi insurmontable des fameuses pressions internationales, des hommes choisis par le destin réussissaient tout de même, à contre-courant de l'opinion, à ouvrir des brèches au travers du rempart de l'incompréhension. Tshilombo avait toujours été impressionné par la détermination qui anime certains de ces hommes de pouvoir. Il admirait cette vertu vraie qu'ils possédaient, dans laquelle ni la peur ni la mesure n'avaient encore de place ; cette volonté où seul le renoncement à toute idéologie préétablie est capable de balayer les obstacles pseudo-philosophiques dressés devant eux. En ces hommes, résidait le réel dépouillement des choses terrestres. En eux, résidait le véritable mysticisme. Il communiait avec ceux dont la conviction intime et agissante actionnait les engrenages des conflits divers émaillant le monde. Il s'identifiait à ceux dont le savoir-faire créatif dessinait

les épures compliquées des géométries financières. Il se savait du même sang qu'eux. Ceux
dont la science articulait et manipulait les leviers
des alliances politiques et stratégiques. Il était des
leurs, lui, Gonzague Tshilombo.

— Comment allez-vous mon cher ? Tshilombo
se retourna pour se trouver en présence d'un
homme au regard affable : Maître Kalamba, un
juriste réputé, rencontré à plusieurs reprises lors
de dîners à la présidence, lui tendait une main
chaleureuse. Il était accompagné d'un individu
jeune au port raide, à la tenue vestimentaire déjà
amortie mais dont le regard candide lui disait
vaguement quelque chose.

— Célio Matemona, un ami, dit-il en présen-
tant le quidam en question. Puis, ils allèrent s'installer à une table à côté. Tshilombo se replongea
dans ses périodiques.

Il y avait peu de monde aux abords de la piscine. Quelques beautés étaient étendues, prenant
le soleil sur des draps de bain colorés. Les gens
qui fréquentaient ce genre d'endroit sortaient à
peine de la sieste. C'était les instants paisibles,
précédant parfois la reprise du travail, dans des
bureaux plus calmes débarrassés de la cohue
des collaborateurs, des clients, des quémandeurs.
C'était l'heure où les cadres supérieurs négociaient des tractations délicates. C'était l'heure
aussi où le patron et l'assistante de direction se
retrouvaient sans témoins, seul à seul, toutes
interfaces éteintes.

— Cher maître, savez-vous ce qu'a remarqué
Leonardo ? Que si vous lancez dans cette piscine deux cailloux, pas trop loin l'un de l'autre,
ceux-ci produiront des cercles concentriques
qui vont s'agrandir puis se croiser, mais jamais
n'interféreront l'un l'autre dans leur progression.

Les cercles demeureront intacts jusqu'au bout, ne se détruiront pas mutuellement. Cela signifie, maître, que, quoi que vous fassiez, les décisions qui doivent vous départager de votre adversaire lors d'une procédure judiciaire, émanant uniquement de l'institution, n'auront qu'un impact limité sur lui parce qu'il a les moyens de faire durer cela à l'infini. Essayez de voir, maintenant, au-delà de ce que vous offre le code pénal. Attaquez sur le terrain de la loi, mais en même temps, agissez sur un autre front. Sortez de cette piscine, sortez du code pénal, allez voir ailleurs. Dans ses comptes, par exemple, dans sa vie privée, je ne sais pas, moi. Allez voir là où vous pourrez faire pression, là où ça fait mal.

Tshilombo se tourna vers la table de maître Kalamba. Il examina plus attentivement l'individu assis en face de lui. Evidemment, il aurait dû reconnaître le ton et cette façon de scander les phrases du personnage rencontré chez la mère Bokeke Iyofa. Celui qui avait cité Machiavel. Que faisait-il en ces lieux ? Il est vrai qu'il accompagnait un des experts juridiques les plus brillants de Kinshasa. Ce pouvait être un de ces rabatteurs de filles qu'on appelle "mukala" et dont usent certaines personnalités, mais il n'en avait pas le langage et ce qu'il disait correspondait exactement à ses vues à lui, Gonzague Tshilombo. Cela le troubla. Il fit signe au serveur et commanda une autre consommation. Son regard erra un long moment à la surface limpide de la piscine, dériva au-delà de l'étendue d'eau, bleutée comme une lagune du Pacifique, resta un instant suspendu sur une courbe grandiose, soulignée par un string de couleur jaune, et se replongea ensuite dans les turpitudes du monde sur papier glacé.

Vers le fleuve, dans le jardin luxuriant du bureau Information et Plans, le première classe Landu considérait avec curiosité un caméléon qui essayait de garder un équilibre plus que précaire sur une branche trop fragile pour son poids. Le jeune soldat examinait la bête avec perplexité. Si celle-ci pouvait se rendre invisible, selon ce qu'affirmaient certains, Landu n'assistait pour l'instant qu'à un vague changement de couleurs virant au brun verdâtre et tirant un peu au bleu turquoise sur les pattes arrière. Landu d'ailleurs, de toute sa vie, ne se souvenait pas d'avoir jamais vu de caméléon invisible. Et puis, s'il fallait croire tout ce que les Blancs racontaient…

Il oublia l'animal aux yeux globuleux, pour reporter son regard sur son chef et commandant, Bamba Togbia, occupé à rêvasser, un vieux journal à la main, assis à l'ombre de l'appentis abritant les véhicules de service. Landu était préoccupé. Depuis quelque temps, pas vraiment après l'histoire du fleuve, mais un peu plus tard, son adjudant avait changé. Il était devenu plus mélancolique, plus songeur. Cela faisait quelques semaines maintenant et son humeur ne se rétablissait pas. Landu avait bien pensé lui demander ce qui n'allait pas, mais en tant que petit frère, il devait attendre, par pudeur, que son aîné lui en parle d'abord. Landu avait néanmoins pris la décision de le sonder plus tard.

A l'intérieur de la villa, Gonzague Tshilombo, assis à son bureau, était lui aussi d'humeur pensive. Depuis quelques jours, un projet se concrétisait dans sa tête. Ce soir-là, au bord de la piscine du Continental, il avait traîné un peu. Peu après 18 heures, maître Kalamba et son invité s'étaient levés et l'avaient salué en partant. A 18 h 30, le soleil s'était couché. Vers 19 heures, les derniers clients avaient définitivement déserté la terrasse. Gonzague Tshilombo seul dans la pénombre, contemplait l'étendue plane de la piscine. A 19 h 15, il s'était levé puis dirigé vers les grands bacs en ciment portant des bananiers nains. Il avait ramassé deux gravillons de même taille, les avait discrètement lancés, pas trop éloignés l'un de l'autre. Aussitôt après l'impact des petits cailloux, des sillons harmonieux et concentriques s'étaient formés à la surface de l'eau pour s'égayer vers les bords de la piscine. Au moment où les deux mouvements, générés par les deux cailloux, s'étaient croisés, les cercles, superbement, s'étaient ignorés l'un l'autre tout en poursuivant leur ballet parfaitement coordonné.

— Il faudra que je demande à ce type qui est ce Leonardo, avait aussitôt pensé le directeur général.

A partir de ce soir-là, son projet qui consistait à renforcer l'influence du Bureau dans la vie politique du pays prit définitivement forme. La routine ne suffisait plus. Il était temps de donner plus de consistance aux affaires. Il était celui qui manipulait dans l'ombre et se devait d'y rester, mais les actions se devaient d'être plus spectaculaires. Pour cela, il avait besoin d'un technicien, d'un théoricien de la stratégie politique, qu'il contrôlerait lui-même. Mais surtout pas un politicien. On ne pouvait pas avoir confiance en ces gens-là. Il avait besoin de quelqu'un d'audacieux et dont l'audace serait d'autant plus grande que, sorti de nulle part, cet homme aurait à proposer des idées. Il fallait un homme possédant une certaine candeur afin d'insuffler un esprit d'idéalisme à la mission prévue. Un homme capable de relever les défis intellectuels qui se présenteraient à lui, mais par-dessus tout, issu d'un milieu pauvre, misérable, même. Car pour mieux s'attacher les hommes, il faut pouvoir les dominer. Et quoi de plus efficace, pour mieux contrôler ses semblables, que d'être celui qui possède l'eau et le chameau dans le désert ? D'être celui qui propulse ces gens assez haut, afin qu'ils en éprouvent du vertige, et qu'en même temps, ils ressentent de l'effroi d'être à nouveau précipités dans le néant, dans la misère et la précarité. Un impératif : leur faire éprouver en douce les angoisses de Cendrillon, juste avant le coup de minuit.

Gonzague Tshilombo avait jeté son dévolu sur Célio Matemona. Ce type, issu de nulle part, semblait répondre à tous les critères de qualification. A deux reprises, Tshilombo avait pu se rendre compte que le jeune homme était audacieux et possédait une certaine intelligence. Il s'agissait d'intégrer l'individu au regard innocent dans ses nouvelles fonctions et bientôt, sous sa direction, ce jeune accomplirait des merveilles. Mais il fallait en savoir plus sur lui. Une petite enquête suffirait. Tshilombo pressa le bouton de l'interphone et demanda à Angèle de lui envoyer l'adjudant Bamba.

— *Kwanga ya moninga, batiyaka yango miso te*[1] *!* Vous vous êtes accaparés d'idéologies étrangères et voulez les utiliser à votre profit ? La démocratie à votre manière ne fonctionnera jamais ! La déclaration de Vieux Isemanga provoqua un tollé parmi les personnes agglutinées autour du *ligablo* des "Etablissements Isemanga". Il y avait les habituels employés travaillant dans

1. "On ne lorgne pas le pain de manioc d'autrui." (Proverbe lingala.)

le secteur. Il y avait la jeune secrétaire sexuellement harcelée par son patron, et qui, en désespoir de cause, sous l'insistance de celui-ci, avait
fini par accepter ses nombreux cadeaux, mais
n'avait pas encore cédé sur l'essentiel. Il y avait
également le père de famille qui n'arrivait toujours pas à atténuer les penchants dépensiers de
sa jeune seconde épouse. Les jeunes gens qui
fréquentaient la parcelle, les amis de Trickson, le
fils aîné de mère Bokeke, avaient rapproché leur
banc et le jeu de dames se déroulait au bord de
l'avenue. Il y avait Face ya Yézu, Richard le Bourgeois, Sera Sera, le jeune homme de confiance,
ainsi que le petit Amisi qui passait de temps en
temps. Quelques brochettes cuisaient doucement
sur la grille du brasero.

L'après-midi qui s'amorçait faisait passer la
ville à une vitesse intermédiaire. Après la fébrilité
de la course à l'argent du matin, une certaine tor-
peur s'installait vers 14 heures. Il y avait ceux qui
avaient mangé, qui digéraient avec satisfaction
leurs succès de la journée et ceux qui n'avaient
pas mangé, qui constituaient à peu près toute la
population de la ville, et qui se reposaient un
peu, pour reprendre la lutte, après avoir bu un
grand gobelet d'eau froide, pour calmer la faim
tenaillant l'estomac.

— La démocratie chez nous ne marche pas
parce que nos politiciens sont des brigands et
des voleurs ! avança le bigame. Vieux Isemanga
ne se laissa pas démonter.

— Et vous croyez qu'en Occident il y a moins
de brigands et de voleurs ? Non. Si leur système
politique fonctionne, tant bien que mal, c'est parce
qu'il est issu de leur propre civilisation, il coule de
source. Chez nous, pour construire notre propre
modèle politique, nous devrions nous référer

plus à nos racines, aux lois et principes qui gouvernaient nos sociétés avant l'arrivée de l'homme blanc. D'ailleurs, tout cela ne serait pas arrivé s'il n'y avait pas eu les missionnaires. Un murmure de scepticisme s'éleva dans la petite assemblée. Vieux Isemanga poursuivit sa démonstration, imperturbable.

— Savez-vous comment s'est installé le premier Blanc dans ma région de Monkoto ? Devant le silence de ses interlocuteurs, le vieux continua.

— Et savez-vous pourquoi les missionnaires avaient tous la même apparence ? Pour nous duper ! répondit-il lui-même. Devant son auditoire incrédule, Isemanga expliqua ce que ses pères lui avaient relaté jadis.

— La première expédition qui arriva dans cette contrée reculée de l'Equateur, petits, se composait comme d'habitude d'un explorateur ou deux, de quelques soldats, de porteurs et d'un missionnaire en avant de la colonne, portant toujours barbiche poivre et sel, longue soutane blanche, sandales en cuir, casque colonial. Evidemment, au plus profond de la forêt, ils tombèrent dans l'embuscade tendue par mes pères et mes oncles. Ceux-ci tuèrent toute la troupe de quelques flèches bien placées. Là, petits ! insista-t-il en indiquant son flanc, sous le bras gauche, près du cœur.

— On goûta même un peu de cet animal à peau blanche qui se tenait debout. Devant le goût insipide de la viande, on oublia très vite l'incident. Des mois plus tard, une seconde expédition fut envoyée par les Blancs et connut le même sort. Mais, petits, le type avec sa barbiche poivre et sel, sa longue soutane blanche, ses sandales en cuir, son casque colonial, était de nouveau là. Toujours avec le même discours, les bras levés : "Mes frères, mes frères !" On ne lui a pas laissé une seconde chance, on lui a envoyé une flèche. Là, petits ! Montrant encore son côté gauche.

— Puis il y eut la troisième expédition. On a encore tué tout le monde, mais cette fois-ci, petits, quand le même type à la barbiche, soutane et sandales, a crié, les mains levées : "Mes frères, mes frères !", intrigués par son invincibilité, mes pères et mes oncles lui ont laissé la vie sauve pour le sommer de s'expliquer. Il leur a raconté l'histoire d'un juif, qu'il était censé représenter, qui, déjà à l'époque, ressuscitait encore plus rapidement que lui. En trois jours. A partir de là, petits, on a été foutus. C'est ainsi que la colonisation s'est introduite par la duplicité et la ruse dans la région de Monkoto. Les auditeurs présents, évidemment, s'esclaffèrent.

— Vieux, tu mens !

— Tu exagères ! renchérirent-ils. Pour leur signifier son indifférence face aux quolibets, Vieux Isemanga se détourna, puis, à l'aide d'une petite cuillère, prit un peu de pulpe de gingembre dans un bol en fer blanc et en enduisit les brochettes qui grésillaient sur leur lit de charbon.

— Célio, *kolo makambo* ! Au cri d'appel d'un des jeunes gens, les regards curieux se tournèrent en direction d'un taxi qui venait de s'arrêter de l'autre côté de la rue. Célio Matemona en descendit, pareil à lui-même, mais en mieux. Incontestablement, quelque chose venait de se passer dans sa vie. Chacune des personnes présentes le connaissant pouvait s'en rendre compte : Célio était vêtu d'un costume gris anthracite trois boutons, tout neuf. Il avait aux pieds de nouvelles chaussures, modèle Church's, à lacets, noires ; au cou, une cravate bleu marine sur une chemise à grands carreaux bleu ciel. Une mallette marron au bout du bras complétait son allure de gentleman.

— Célio double tête ! s'exclama Trickson.

— Mécanique et électronique, ajouta Face ya Yézu. Ses amis bruyamment le félicitaient déjà de tout ce qui avait bien pu lui arriver ces dernières heures. En sondant son regard et en humant son parfum, ils pouvaient se rendre compte que la fortune, enfin, avait fait son entrée triomphale dans la vie de Célio Matemona, plus connu sous le surnom de "Célio Mathématik". Que les nouvelles chaussures et le costume de coupe italienne qu'il arborait n'étaient que les prémices de quelque chose de bien plus grand. Et qu'importe le gabarit de sa chance actuelle ! N'ayant rien à perdre, Célio n'avait que des gains à engranger.

— Que regardez-vous ? Vous n'avez jamais vu Célio Matemona ou quoi ? demanda-t-il d'un ton sévère. Ne savez-vous pas que ce que vous voyez-là m'attendait depuis longtemps ? Que les dossiers que je transporte habituellement étaient destinés à cette mallette ? Que si j'ai côtoyé si longtemps Pythagore et le théorème du même nom, ce n'est pas pour rien ? Mais d'abord, laissez-moi poser un geste clair : tournée générale de brochettes, de chikwangues et à boire pour tout le monde !

— O Célio ! dirent-ils en chœur. La petite assemblée oublia la discussion sur la démocratie et se perdit en commentaires et interrogations sur la générosité et le succès tout neuf de Célio Matemona.

Si, pour ceux ne le connaissant pas bien, Célio était parfois perçu comme un "esquiveur[1]", en ce

---

1. Sorte d'escroc, personnage récurent au Congo. Se prononce aussi "squiveur".

moment, il marquait des points. Autour du *liga-blo*, chacun fut impressionné par sa nouvelle mise. Le jeune homme semblait avoir touché le jackpot. Cependant, le qualificatif d'esquiveur dont l'affublaient parfois les mauvaises langues ne vient jamais de lui-même. Quand on est nommé ainsi, c'est que, quelque part, on l'est effectivement. La prudence s'impose néanmoins parce que l'état en question n'est ni flagrant, ni permanent, il est circonstanciel, rien de plus. Le penchant, aussi, ne recèle pas que des défauts. Si l'esquiveur est considéré comme comédien, légèrement menteur et un peu opportuniste, il n'esquive, en fait, rien du tout. Au contraire, il est celui qui, par tous les moyens, transcende les obstacles, recule les frontières de l'impossible, méprise les plafonds de verre. En termes mathématiques, Célio se concevait, et était sans doute perçu comme un esquiveur positif.

Après avoir dégusté les brochettes piquantes et s'être désaltérés, les jeunes gens déplacèrent le banc et le jeu de dames à sa place initiale, à l'ombre de la bicoque de mère Bokeke. L'histoire que Célio avait à leur raconter n'était peut-être pas faite pour être entendue par des oreilles non averties.

La veille, en fin d'après-midi, il avait été cueilli à cent mètres de là par le 4 x 4 de l'adjudant Bamba. Il avait la conscience tranquille mais le regard insistant de Landu l'avait inquiété. D'autant plus que depuis la mort de Baestro, les choses n'étaient plus aussi lisses. Il y avait eu la visite du haut dignitaire de la République, aux chaussures en caïman, d'abord. Puis on n'avait plus revu Gaucher à la parcelle. Entre-temps, la tante avait reçu une seconde visite de l'homme d'Etat. Elle ne parlait plus qu'à demi-mot de la mort de son neveu et de la disparition de Gaucher. On aurait dit qu'elle craignait quelque chose. On croyait savoir qu'elle était allée chercher son neveu partout où il pouvait être. Elle avait même visité les cachots et les hôpitaux, semblait-il, mais sans résultat. Gaucher avait tout simplement disparu. On espérait seulement qu'il réapparaîtrait un jour, ou qu'il donnerait signe de vie.

Le 4 x 4 emmena Célio non loin, du côté du fleuve, dans le quartier de la Gombe même. Ils entrèrent dans la parcelle abritant le bureau Information et Plans. Bamba lui ouvrit la portière sans un mot et l'emmena à l'intérieur de la villa. On le fit attendre dans une antichambre. Enfin, on l'introduisit auprès de Gonzague Tshilombo debout derrière son bureau monumental, la main tendue, un sourire de bienvenue aux lèvres. Célio essaya de décrypter son regard derrière les lunettes, lui serra la main puis prit place sur la chaise que lui présentait son hôte.

Tshilombo lui tint un langage franc. Il lui expliqua qu'il était temps de lancer une nouvelle génération dans les affaires de l'Etat. Que le pays devait bénéficier du dynamisme de sa jeunesse encore vierge de compromissions. Que le président avait besoin d'un éclairage neuf. Il lui dit qu'il l'avait remarqué et qu'il souhaitait l'incorporer à son équipe en tant que collaborateur. Sa place était ici, comme conseiller. Ensuite, pour lui faire comprendre qu'il avait enquêté sur lui, Tshilombo lui parla de ses contacts en matière de philanthropie, qui il allait voir. Il lui parla même de Sido, la copine occasionnelle du "maquis", il l'entretint évidemment du père Lolos. Tshilombo termina son monologue en précisant qu'il lui donnait la nuit pour réfléchir à sa proposition, puis se leva.

— Si notre offre vous intéresse, présentez-vous ici, demain, à 10 h 30, dit-il, en tendant à Célio une épaisse enveloppe brune.

— Et changez-vous.

Conscient que le patron ne lui avait laissé aucun temps pour réfléchir et que sous le babillage de souris il y avait une mâchoire de crocodile, Célio s'était précipité chez les Sénégalais de Matonge afin de renouveler sa garde-robe pour se retrouver le lendemain, à 10 h 25 au bureau Information et Plans.

Il avait été ébloui par l'atmosphère feutrée des lieux. Peu de monde, deux secrétaires, quelques jeunes gens qui passaient leur temps penchés sur des écrans d'ordinateurs, compulsant des documents ou occupés à rédiger des rapports. Une poignée de militaires en civil, dont Bamba et Landu, étaient chargés de la sécurité et de l'intendance. En tout, une douzaine de personnes. Il avait de nouveau été introduit chez le patron qui lui avait posé des questions sur les études qu'il avait faites. Ils en vinrent aux mathématiques. Célio décida de le sensibiliser à ses vues et de lui faire entrevoir le monde idéal dans lequel lui-même s'immergeait. Il voulut lui faire comprendre que tout y était plus facile. Il avait deux minutes pour y parvenir.

Si dans sa vie, Célio devait, pour une fois, jouer à l'esquiveur, c'était le moment ou jamais. Ici et pas ailleurs, parce qu'un bon esquiveur est capable d'exploiter une situation à son profit lorsqu'il connaît quelque chose avant tout le monde. Comme certains prestidigitateurs, l'esquiveur sait persuader en utilisant un leurre. Le jeune homme n'y alla pas par quatre chemins.

— Vous savez, nous autres mathématiciens, nous ne nous attachons pas aux choses matérielles. Nous essayons simplement d'étudier des objets qui sont des points, des ensembles, des espaces. Ces réalités ne sont pas comme la plupart des objets qui nous entourent, elles, elles sont indépendantes de tout : de la culture des hommes, de l'énergie comme de la matière. Elles sont bien plus stables que la réalité physique. Elles possèdent, en plus, l'avantage de résider au-delà des limites de l'espace et du temps. Comme des créatures célestes, en somme. Certains parmi nous ont même cru que le monde physique avait été créé d'après le monde mathématique, vous vous rendez compte ?

Tshilombo ne se rendait compte de rien du tout. Où l'emmenait-il, ce con ? Le directeur restait de marbre et tentait de suivre le fil de ce que le type racontait. Célio perçut le doute. Il sentit le flottement dans son auditoire. Il dévia vers un terrain beaucoup plus rassurant pour son interlocuteur.

— Mais nous, au Bureau, c'est la matière humaine que nous aurons à manipuler. Il faut s'en méfier, monsieur le directeur, parce que parmi toutes les substances, elle est la plus instable. En prenant en compte chaque individu comme un atome isolé, on court bêtement le risque de le voir partir dans tous les sens. De le trouver incontrôlable. Agissons plutôt sur la masse qui, elle, sera nécessairement confrontée, un moment donné, à des interactions qui l'handicaperont dans ses mouvements. A nous, alors, d'étudier ces interactions, comme dans les mathématiques. A nous d'étudier le pourquoi et le comment et d'en tirer parti. L'information, de toute façon, est là pour nous permettre de tout savoir sur cette masse, et cela, à tout moment.

Tshilombo essaya de déceler s'il y avait un piège. Tout ce que disait l'individu était suspect mais cela se tenait. Il y avait même matière à réflexion. Il faudrait lui tenir la bride, à ce petit, il réfléchissait un peu trop bizarrement. De ce fait, leur entretien dura plus longtemps que ce qu'exigeait la formalité.

Célio passa ensuite l'après-midi en compagnie des autres collaborateurs. On lui montra en quoi consistait le travail. Ils étaient chargés de compiler des informations à longueur de journées aux niveaux national et international. Ces renseignements étaient triés et, si possible, recoupés. Ensuite, ils étaient classés. La finalité de ce travail était à la disposition exclusive du boss. Tous ces éléments étaient mis en partition et orchestrés par lui seul. Célio avait très vite compris que le bureau Information et Plans servait de caisse de résonance pour certaines informations utilisées à des fins de propagande en faveur de l'Etat. Pas très joli tout cela mais à aucun moment Célio ne confronta le sujet à ses propres convictions. Pour l'instant, il les mettait au frigo. Il ne se posa pas de questions ni sur le travail qu'il aurait à accomplir ni pour qui. Il avait désormais un job qui semblait solide et c'était l'essentiel.

Quel jeune homme ne rêverait d'être à sa place ? Si le cours des circonstances amène les hommes à se fourvoyer, on n'était, après tout, que le jouet du destin. Pour l'instant, celui-ci ne lui avait réservé que la plus abominable des galères. Le ventre trop longtemps creux, Célio en avait assez de la misère et réservait ses scrupules pour d'autres occasions. Il avait là l'opportunité d'utiliser pleinement ses talents créatifs et il n'avait pas l'intention de la rater. Il allait allier son sens de la raison à l'ingéniosité. Appliquer une échelle des valeurs à Gonzague Tshilombo et aux activités du Bureau était hors de propos pour l'instant. Célio percevait pourtant que la qualité première et le défaut principal de son nouveau patron étaient son ambition. Au-delà, le jeune homme ne voulait pas faire l'effort de savoir comment il serait appelé à satisfaire celle-ci.

Il passa sa première journée à se familiariser avec les lieux. Fit mieux connaissance avec l'adjudant Bamba et le première classe Landu. Dans le jardin paisible, il contempla le fleuve un long moment. Afin de tempérer son euphorie et le vertige que lui procurait sa nouvelle situation, il fit le vide dans son esprit et s'empêcha de penser à son futur, comme celui qui, éprouvant la tentation de marcher sur l'eau, doit concentrer sa volonté pour réfréner son impulsion. Il serait bien temps d'y penser plus tard.

IV

LES ALGORITHMES NOCIFS

Un embouteillage s'était formé sur l'avenue Bokassa. Un nid-de-poule dans la chaussée qui aurait pu contenir un hippopotame nain en était la cause. Landu commençait à s'énerver au volant. La saison des pluies avait refait son apparition depuis peu et accentué l'état exécrable de la voirie de Kinshasa.

— Qu'on me donne le dossier des routes et on verra comment cette ville va changer, s'emportait Landu. Tout d'abord, j'arrête tous les entrepreneurs des travaux publics, ces voleurs qui lésinent sur l'épaisseur du bitume. Et je ne les relâche que quand toutes les rues sont réparées. C'est plus possible, c'est une honte ! La situation, en tout cas, ne semblait pas émouvoir Bamba outre mesure. Ils se dégagèrent après quelques méandres savants et retrouvèrent une surface plus stable. Landu fixa le milieu de la route et prononça sur le ton de la conversation :

— Mon commandant, que penses-tu du nouveau que le patron vient d'engager ? Il ne parle pas beaucoup, mais il a l'air sympa, non ? Bamba grommela quelque chose d'inintelligible. Landu fixa plus intensément le milieu de la route. En matière de sondage d'opinion, ce n'était pas brillant. Il reprit son souffle et lâcha :

— Mon commandant, je sais que cela ne me regarde pas, mais depuis quelque temps je te vois préoccupé, je te vois trop calme. Mais, si mon commandant n'est pas bien, comment puis-je être bien moi-même ? Je sais que je ne suis que ton petit, mais peut-être que si tu me parles un peu de ce qui te dérange, peut-être pourrais-je t'aider ? *Mwana moke abetaka mbonda, bakolo mpe babinaka*[1]. Bamba se tourna vers le première classe Landu, le regarda un instant et reporta son regard absent au-delà du capot de la voiture.

— Petit, dans la vie il faut parfois reconnaître ses limites. Bamba parlait comme s'il s'adressait à lui-même. La poule n'avale que ce qui est accessible à son go… ?

— A son gosier, mon commandant !

— Bien ! Petit, je crois que j'ai dû avaler quelque chose qui me dépasse. Surtout, rappelle-toi ce que je te dis aujourd'hui : n'enfreins jamais les ordonnances des ancêtres. Après s'être relâché, Bamba parla du sorcier Mbuta Luidi. Landu connaissait l'individu, il l'avait rencontré avec son supérieur, un jour qu'ils étaient à la recherche d'un journaliste qui avait écrit des calomnies sur le compte du gouvernement et du chef de l'Etat. L'adjudant lui fit part des exigences du sorcier et de la difficulté à sacrifier un être cher. En cela il pensait à sa femme et à ses enfants, évidemment. Il possédait bien quelques effets personnels leur appartenant, abandonnés lors d'un de leurs séjours dans la capitale, il y avait plus de deux ans de cela, mais il ne se voyait pas apporter ces objets au sorcier et il ne voyait pas comment se sortir de cette situation inextricable.

— Mon commandant, ce sorcier est de ma région. Laisse-moi me renseigner sur ses techniques

1. "Lorsque l'enfant bat le tambour, les adultes aussi dansent." (Proverbe lingala.)

mystiques. Un de mes oncles est expert en la matière, je vais lui en parler, ne t'en fais pas, je ne lui dirai pas qu'il s'agit de toi. Peut-être alors trouverons-nous une solution à ton problème.

— Petit, on ne joue pas avec l'au… ?

— Avec l'au-delà, mon commandant.

— Tu veux que je meure ou que mes ancêtres me fassent devenir fou ? Les sorciers sont les plus puissants. A ta place, je ne prendrais pas cette affaire à la légère.

— Je sais, mon commandant, mais mon oncle Ndombasi a beaucoup côtoyé ces gens. Ce ne serait pas la première fois qu'il réglerait un problème. En attendant, détends-toi. Si on allait prendre un verre chez *How are you ?*, on n'est pas très loin. A cet instant, Bamba se serait laissé conduire n'importe où. De toute façon, son pacte avec Mbuta Luidi risquait de le mener bien plus loin encore.

Le soir même, Landu alla rendre visite à son oncle maternel Ndombasi. Après avoir envoyé un enfant acheter deux bières, il l'invita à l'écart afin de l'entretenir du problème de son adjudant. Il lui parla de Mbuta Luidi que l'oncle connaissait de réputation. Il était lui-même natif de Kwilu-Ngongo et l'homme était connu dans la région. D'après lui, Mbuta Luidi n'était pas un sorcier du genre "douze malins". Autrement dit, il ne possédait pas les douze démons de la sorcellerie, il n'était pas au sommet de la hiérarchie. Il était puissant, mais il ne voyait pas tout, il ne pouvait pas parer à tout.

— Tu pourrais lui amener ses propres oreilles qu'il n'y verrait que du feu, lui confia l'oncle. Pourquoi crois-tu qu'il s'est installé à Kinshasa ? Pour régner ! Parce que chez nous, il y a des sorciers bien plus efficaces que lui. L'oncle lui en dit encore davantage. Ensemble, ils envisagèrent des possibilités. Il lui prodigua même quelques conseils. L'oncle maternel s'éclipsa quelques minutes dans sa chambre et en ressortit avec une amulette attachée à une ficelle qu'il remit à Landu. Celui-ci l'attacherait plus tard au-dessus du biceps gauche sous la chemise pour se protéger, on ne sait jamais. Avec les ténèbres, on ne prend jamais assez de précautions et ce qu'il avait à faire comportait des dangers.

Au bureau, le lendemain, Landu s'entretint avec Bamba de sa conversation avec son parent. Le sourire en coin du jeune militaire rassura l'adjudant.

— Mon commandant, tout n'est pas perdu, tu auras une réponse à ton problème dès demain.

La pluie formait un rideau translucide sur les vitres du 4 x 4. Landu réprima un bâillement. Il aurait dû être dans son lit depuis longtemps, mais c'était cette nuit qu'il avait décidé d'agir. Il fallait mettre ce sorcier en échec. Le jeune militaire n'aimait pas le pouvoir que ces gens avaient sur les êtres. Il attendait le moment propice pour rendre visite à Mbuta Luidi selon le plan mitonné avec l'oncle Ndombasi. Heureusement qu'il avait pu garder le véhicule pour la nuit. Bamba ne lui avait posé aucune question sur ce qu'il en ferait. Demain, Landu comptait le surprendre.

Le première classe s'était garé non loin de la bicoque du sorcier. Le quartier était complètement désert et la pluie avait enlevé toute velléité de sortie aux fêtards qui auraient pu s'attarder. Elle se calma, si on pouvait dire, vers les 2 heures du matin. Landu toucha son bras gauche, là où il y avait l'amulette et ouvrit la portière de la voiture.

La violence de la pluie l'obligea à baisser la tête. En un instant, il fut trempé. Le sol était gras et glissant mais ses rangers mordaient efficacement la terre. Des trombes d'eau filaient de partout, cherchant une ornière, une mare, un ruisseau dans lesquels s'engouffrer. Le première classe descendit le chemin menant vers le vieux cimetière et repéra la bicoque du sorcier. La pluie tombant avec fracas rendait les contours flous. Une lune blafarde ne parvenait pas à délimiter les formes. Le jeune militaire s'approcha de la maisonnette et en fit le tour. Il trouva ce qu'il cherchait. Des panneaux de tôles ondulées, posés verticalement, formaient une espèce de cabine de douche improvisée : le *kikoso*. Landu s'y glissa. Sur un parpaing posé par terre, un gobelet en plastique contenant une brosse à dents biologique provoqua un sourire sur le visage du soldat. Il s'empara de l'objet, une espèce de bâton de réglisse, que seuls les vieux utilisent encore pour se brosser les dents. Avant de quitter l'endroit, il renversa le gobelet d'une chiquenaude comme si un chien errant était passé par là. Le jeune commando se replia vers le 4 x 4, mission accomplie. Les gouttes de pluie, frappant le sol, effacèrent toutes les traces qu'auraient pu laisser les rangers du première classe Landu.

Le lendemain matin, celui-ci passa par la rue Kanda-Kanda prendre Bamba. Lorsqu'il klaxonna, l'adjudant était déjà prêt. Le quartier se réveillait plus lentement que d'habitude. La fraîcheur de la pluie tombée toute la nuit en incitait encore certains à rester au lit. Landu démarra et emprunta l'avenue Kasa-Vubu à gauche.

— Mon commandant, mon oncle m'a donné ceci pour toi. Landu posa sur le tableau de bord le petit morceau de bois dont le bout était une brosse ayant pas mal servi. Bamba regarda l'objet avec méfiance et répulsion.

— Qu'est-ce que c'est ? demanda-t-il

— C'est un bâton à brosser les dents que m'a remis mon oncle. Tu devais ramener au sorcier un objet personnel appartenant à un être cher, non ? Voici l'objet, répondit-il, montrant la brosse anonyme. Ne te préoccupe pas d'où elle peut provenir. L'oncle Ndombasi m'a assuré l'avoir bien travaillé, tu n'auras plus à sacrifier quiconque dans ta famille. Seul l'oncle sait d'où provient cet objet, ton sorcier n'y verra que du feu, il croira que cette brosse appartient vraiment à quelqu'un de ta famille et il te donnera ce que tu veux.

Après tout, réfléchit Bamba, Landu venait d'une région où la sorcellerie était considérée quasiment comme une science. Il avait sûrement raison, l'important était de remplir le pacte avec le sorcier. Qu'importe d'où le morceau de bois pouvait provenir ? Il temporiserait un peu et irait voir Mbuta Luidi dans une semaine ou deux. D'ici là, il ne lui restait plus qu'à trouver un coq bien noir et son problème serait réglé.

Dans le quartier de la Gombe, la nuit découpait sur des fonds bleu roi des ombres d'un noir soutenu. Au "maquis", devant le hangar occupé par Célio et ses amis, un feu de bûches lançait des étincelles dans l'obscurité. Une musique lancinante enrobait le silence. Des silhouettes assises frappaient des mains en cadence. Une guitare au son creux accompagnait un chant plein de nostalgie. Un être paraplégique, posé sur ses quatre membres comme un cheval ombrageux, effectuait une danse aux mouvements désarticulés selon une symétrie propre. Un autre, un cul-de-jatte, celui-là, actionnait son torse, pareil à un balancier pris de folie. La chanson se poursuivit, la transe fermait les yeux des femmes qui entonnaient des contre-chants pleins de sensibilité. La musique prolongeait la nuit.

La plupart des occupants du hangar s'étaient retirés chez eux, entre les murs de carton. Ils avaient passé la journée à essayer d'extirper de la ville ce qu'ils pouvaient, par tous les moyens. Les handicapés, organisés en véritables commandos, avaient harcelé les nantis faisant leurs courses. Ils se ruaient sur leurs proies comme des hordes de phacochères. Martelant d'appels à la compassion, exhibant des membres atrophiés, s'accrochant aux vêtements et aux sacs, jouant sur la culpabilité. Les voleurs à la tire avaient opéré au Grand Marché et en ville toute la matinée, exerçant leur dextérité dans les sempiternelles cohues. Les spécialistes de l'arrachage de bijoux s'étaient depuis longtemps débarrassés de leur butin chez quelque bijoutier ouest-africain de Barumbu. Les commerçants ambulants et les cireurs de chaussures faisaient leurs comptes et rêvaient à des projections financières. Les prostituées, quant à elles, arpentaient encore le boulevard, assurées de la sécurité de leur emploi, les hommes étant ce qu'ils sont, maintenant et toujours.

Nombres relatifs, équations réciproques, irrationnelles, numériques, calculs de dérivées. Théorème de Thalès, notions de trigonométrie. Géométrie dans l'espace, propriétés fondamentales du plan, cône de révolution, différence de deux vecteurs. Dans le calme de sa chambrette, sous un éclairage dansant, Célio Matemona tournait doucement les pages de l'*Abrégé de mathématique à l'usage du second cycle* de Kabeya Mutombo, édition 1967. Sa main de temps en temps, en appuyant avec précaution, lissait les surfaces patinées par le temps. Le jeune homme posait ses paumes avec délicatesse comme pour percevoir une ultime vibration, un dernier signe que lui enverrait l'ouvrage. Parce qu'il le connaissait en profondeur, le bouquin. Il s'y était immergé sans restriction, y avait passé des nuits entières. Il s'était tellement imprégné de la moindre virgule, du plus banal des astérisques, que le contenu vivait littéralement en lui.

Les théorèmes et les définitions qui se succédaient avaient été de véritables oracles pour Célio. Il les avait appliqués aveuglément et en avait usé comme autant de martingales. Les graphiques et les schémas compliqués le ramenaient à des souvenirs aussi nets que des diaporamas. Chaque chapitre, paragraphe, alinéa, avait été une solution vitale, un retournement spectaculaire, parfois, aussi, une déception. A force de manipulations, les bords des pages du livre s'étaient érodés et étaient devenus irréguliers, les coins s'étaient arrondis et fragilisés.

Malgré les soins dont les entourait Célio, certaines des pages avaient été chiffonnées, d'autres n'existaient tout simplement plus. Un morceau de ruban adhésif transparent, jauni par le temps, barrait l'une d'elles en diagonale. Célio se souvenait de cette déchirure ; du livre qui volait de banc en banc. Il avait dû se battre contre toute la classe pour récupérer le manuel. Le jeune Célio avait souvent été l'objet de sarcasmes à cause de son amour immodéré des mathématiques. Mais qu'y pouvait-il ? Si l'univers, dans sa complexité, fonctionnait à partir de ces principes, pourquoi ferait-il, lui, Célio, exception ? Il n'empêche, maintenant, il allait prendre sa revanche sur le passé. Qu'on le veuille ou non, il allait utiliser ses connaissances pour sublimer les activités du bureau Information et Plans et Tshilombo n'aurait qu'à s'y faire.

Penser à son travail maintenait Célio éveillé. Jusqu'à présent, il n'avait toujours pas d'affectation précise et il rongeait son frein. Depuis leur premier entretien, Tshilombo lui avait à peine adressé la parole. S'il avait su le temps qu'ils avaient déjà perdu ! Considérant les possibilités qui étaient les siennes, Célio était tenté de prendre les devants. Comme action du Bureau, il ne connaissait jusqu'ici que les rassemblements orchestrés par Tshilombo, dont le dernier avait été fatal à Baestro. Ce n'était pas très fameux. Il jugea qu'il y avait sûrement moyen de faire mieux.

D'accord, pour un temps, cela pouvait marcher. La population pouvait se laisser abuser par des images de militants survoltés à la télévision mais cela ne garantissait en aucun cas la quiétude dans le pays. Celui-ci était au plus mal. Trop de tiraillements de toutes sortes. La population mise à rude épreuve s'impatientait, on risquait la déflagration.

Au niveau international, ce n'était que menaces de toutes parts. Il fallait réagir au plus vite. Célio pensait bien à quelque chose, mais l'idée devait encore faire son chemin. Il s'agissait pour l'instant d'une simple opération sans véritable portée :

$$x = -y$$

x c'est eux, $-y$ c'est nous

Le postulat était simple, mais il avait encore des détails à discuter avec Tshilombo. Le problème était la marge de manœuvre dont il disposait, c'est elle qui définirait le coefficient dont il avait besoin. Quant au niveau intérieur, l'opposition devenait carrément un problème. Les gesticulations stériles des politiciens commençaient sérieusement à irriter l'intelligence de Célio. En principe, le Bureau ne pouvait rester indifférent à ces choses.

Célio, lentement mais sûrement, commençait à endosser son nouveau personnage. Il se rendait compte que son rôle pourrait être plus important que celui des jeunes gens avec qui il travaillait. Il ne voyait d'ailleurs pas ce qu'il pouvait leur apporter de plus. Par conséquent, il avait sûrement été engagé pour accomplir d'autres fonctions que celle de documentaliste comme ses collègues. Il voulait initier des actions concrètes. La vie de chômeur était enfin terminée pour lui. Quelqu'un avait fini par reconnaître ses mérites. Il ne comprenait pas encore bien par quelle alchimie, mais le fait était là, il travaillait pour la présidence de la République. A lui de manœuvrer correctement et bientôt le pays entier connaîtrait Célio Matemona dit Célio Mathématik.

— Tu ne dors pas encore ? La voix de velours de Sido le sortit de ses réflexions. – Tu n'es jamais fatigué ? Tout le monde est endormi et toi, tu es là, à veiller. Célio se tourna vers elle. Sido s'apprêtait à aller dormir et ne portait plus qu'un pagne serré à hauteur de poitrine. Il allongea le bras et sa main, tout naturellement, se posa sur la cambrure de ses reins. Il inspira profondément et se laissa enivrer par l'odeur poivrée émanant d'elle. Cela réveilla en lui des choses oubliées. Depuis quelques jours, il se sentait à nouveau revivre. Sido ne s'y était pas trompée. Elle percevait en lui des choses neuves comme l'ambition, l'opiniâtreté, la rage. Elle s'approcha, faisant retomber le rideau qui fermait le lieu hermétiquement. Elle murmura à l'oreille de Célio quelques mots qui les firent éclater de rire. Ils continuèrent à chuchoter encore un moment mais bientôt, un silence plein de sous-entendus se posa sur la petite chambre. Et aux ombres que projetait la petite lampe à pétrole, se mêlèrent les ombres de deux silhouettes se cherchant dans la nuit, l'une d'elles tentant d'imposer sa volonté à l'autre.

Le flot ininterrompu de milliers de piétons allant travailler ne s'était pas encore tari à cette heure. Par manque de transports ou d'argent, les Kinois étaient obligés, dans cette ville immense, de parcourir à pied les dix ou vingt kilomètres qui les séparaient de leurs lieux de travail. Certains venaient de la lointaine périphérie pour rejoindre le centre-ville, lieu mythique, qu'ils évoquaient depuis leurs villages respectifs. Le mirage des immeubles ultramodernes, les innombrables véhicules, l'opulence apparemment à portée de main avaient agi sur eux comme un charme et, tous les matins, des files interminables, comme des armées de fourmis, venaient rendre hommage à cette reine insatiable et cruelle qui se nourrissait chaque jour de leurs rêves et de leurs espoirs.

La Mercedes gris métallisé fendait l'air avec indifférence. Gonzague Tshilombo conduisait machinalement. A l'arrière, Kapinga, assise dans un coin de la banquette, arborait une moue boudeuse. Tshilombo, de temps à autre, jetait sur elle un regard soupçonneux dans le rétroviseur, mais son esprit était plutôt accaparé par son travail. Il pensait à ce jeune Célio Matemona. Si le type était un peu excentrique, Tshilombo était, néanmoins, persuadé que son choix avait été le bon. Son intuition le trompait rarement car il avait du flair, il savait reconnaître les hommes. Il avait pu se rendre compte que si le nouveau n'avait aucun mal à analyser, il serait certainement plus fort pour traiter des données et éventuellement les interpréter. Les interpréter comme le ferait un musicien, évidemment. Tshilombo était aussi persuadé que le Bureau devait communiquer davantage. Etre plus présent sur les fronts sensibles.

— Tu l'as fait exprès, prononça Kapinga du fond de la banquette. Tshilombo sortit de ses réflexions. Que voulait-elle dire par "Tu l'as fait exprès" ?

— Comment ? demanda-t-il au rétroviseur. La jeune fille s'exprimait avec une rage contenue.

— Tu as fait exprès de me surprendre tout à l'heure dans la salle de bains.

— Dans "ma" salle de bains, je te ferai remarquer. Il me semble qu'il y en a une à ta disposition du côté de ta chambre. Ce serait à moi de te demander ce que tu faisais là.

— J'avais envie de me baigner dans le marbre, *semeki*. Le marbre, c'est agréable, de temps en temps. Ma peau adore ça, en tout cas. La raison en valait bien une autre.

Tshilombo était exaspéré. En effet, il avait malencontreusement surpris la jeune fille dans sa salle de bains. Son épouse étant sortie très tôt, ce matin, c'était lui qui la déposait à ses cours. Et ce, malgré le fait qu'il venait de comprendre quelque chose : moins il l'approcherait, mieux cela vaudrait pour lui.

Il préférait ne plus penser à quel point, en ouvrant la porte de la salle d'eau, il avait été frappé par sa nudité éclatante. Durant un laps de temps pendant lequel son cœur cessa de battre, il eut le temps de voir des seins hauts et fermes comme des goyaves. Des goyaves pas encore mûres, encore acides. Sa peau, de la couleur du cuivre rouge, était couverte de gouttelettes d'eau qu'elle n'avait pas encore séchées sur son corps. En suivant par mégarde le trajet de l'une d'elles sur son ventre, sa toison drue, d'un noir profond et vertigineux, débordant un peu sur les cuisses, capta complètement son regard. Kapinga eut un cri et, par pudeur, se retourna d'un bloc, en se penchant un peu. Ce fut pire. En voulant à tout prix éviter la vue des globes durs et élastiques de ses fesses, le regard du beau-frère, malencontreusement, partit vers le bas. Vers l'ombre où les grandes lèvres formaient dans un faux contre-jour, comme un enchevêtrement de pétales foncés, gorgés d'humidité. Tshilombo crut défaillir. Il put malgré tout, prononcer un "Oh pardon !" tardif et refermer la porte, en faisant appel à tout son sens de la retenue.

Il avait choisi de ne plus parler de l'incident. Arrivé devant l'école, Tshilombo tendit à la jeune fille une liasse en guise d'argent de poche. Kapinga ne bougea pas, continuant à bouder. Tshilombo rajouta une seconde liasse. Elle eut un sourire qui dura exactement une seconde et demie. Elle descendit de la voiture et se dirigea vers le bâtiment, tenant ses cahiers d'une main, essayant vainement de l'autre, de rajuster sa jupe, autour de ses hanches, et autour de ses cuisses.

Arrivé au bureau, Tshilombo convoqua tout de suite Célio.

— Il est temps que vous preniez possession de vos véritables fonctions, lui dit-il. Célio était assis face à son patron, serein. Tshilombo, une fois de plus, était habillé avec classe. L'homme arborait un costume bleu foncé finement ligné, à trois boutons, qui élargissait avantageusement ses épaules. Il repoussa ses lunettes sur son nez.

— Tout d'abord, laissez-moi vous mettre au courant du rôle véritable joué par le bureau Information et Plans dans les stratégies menées par la présidence de la République. Vous devez savoir que notre objectif dans l'absolu n'est pas de faire de l'information, comme peut-être jusqu'à présent votre tâche aurait pu vous le laisser croire. Notre souci est plutôt de nous dire : cette information que nous possédons, que pouvons-nous en faire ? Notre travail est de communiquer, mon cher Célio. Toujours à bon escient et toujours dans l'intérêt immédiat du président. Notre mission est de diffuser des messages utiles. Par l'information, agir sur les événements dans la mesure de nos possibilités.

Célio était concentré. On entrait enfin dans le vif du sujet. Son cerveau prenait acte des véritables donnes. Il est vrai qu'il avait déjà réfléchi à certaines choses dans la pénombre de sa chambre. Lui aussi avait besoin de communiquer.

— Pensez-vous à un projet précis sur lequel nous pourrions travailler dès maintenant ? demanda Célio. Tshilombo n'en attendait pas moins.

— Le plus urgent pour l'instant est de calmer la population. Il y a trop de mécontents qu'il faut réprimer et cela commence à faire désordre. Vous ne l'ignorez pas, le gouvernement a dû prendre des mesures radicales ces derniers temps et cela ne peut pas se répéter trop souvent. Il vaut mieux agir en profondeur. Agir en profondeur consiste-rait à laisser évoluer un véritable processus de démocratisation, pensa Célio, mais ce n'était ni le moment, ni l'endroit pour en parler.

— Dans le contexte actuel, il faudrait que le gouvernement et surtout le président puissent poser un geste fort, commença le jeune homme. Il faudrait créer un phénomène, comme en physique. Dans ce domaine, tout dépend des quatre puissances que sont le mouvement, le poids, la force, la percussion. Avec un peu de travail, ce n'est pas très compliqué à reproduire.

— M'ouais, pensa Tshilombo tout haut.

— Il faudrait générer à partir d'une information anodine une espèce de lame de fond qui puisse entraîner la population vers une seule et même direction. Pour démultiplier une action, l'*Abrégé de mathématique* de Kabeya Mutombo conseille ouvertement la fonction exponentielle, patron. C'est ce qui marche le mieux.

— Je ne connais pas votre Kabeya Mutombo mais continuez, proposa Tshilombo. Célio se sentait euphorique.

— Il faudrait une sorte de fonction qui démultiplierait une action simple, à l'infini et peut-être, produirait une réaction en chaîne. L'exemple le plus courant, je dirais, de la réaction en chaîne, c'est la production de l'énergie nucléaire, patron. On commence par bombarder de l'uranium 235 avec un neutron qui brise son noyau en deux fragments. C'est la fission. Après, cela va tout seul. En se brisant, le noyau d'uranium expulse deux ou trois neutrons, qui à leur tour vont aller briser d'autres noyaux qui expulseront d'autres neutrons, et ainsi de suite. La quantité d'énergie dégagée est incroyable. Mais voilà, demanda Célio, dans notre cas, avons-nous besoin d'une centrale nucléaire ou d'une bombe A ? La différence réside uniquement dans le contrôle, dans la stabilisation. Tshilombo restait silencieux mais n'en pensait pas moins. Le gars était, encore une fois, en train de l'entraîner dans un de ses délires. Dans son cerveau, le directeur essayait de trouver des arguments pour, un tant soit peu, ralentir le cours de la pensée du conseiller mais, ignorant tout, ou presque, des détails de la fission nucléaire, à son corps défendant, il se laissa entraîner. Célio poursuivit :

— Dans une centrale, on contrôle de très près la libération des neutrons. Rien ne peut déconner. Quand ça déconne, c'est simple, on obtient Tchernobyl. Dans une bombe par contre, cette libération des neutrons doit être la plus divergente possible dans un laps de temps très court, pour favoriser justement la croissance exponentielle. Tshilombo se demandait toujours où Célio voulait en venir. Le jeune homme parlait comme s'il était seul dans la pièce, les yeux légèrement plissés. Le buste bien appuyé au dossier de son siège, il ne cherchait pas à convaincre, il s'exprimait, voilà tout.

— En même temps, en termes de communication, je pense à la rumeur. On pourrait la comparer à la plus élémentaire, à la plus basique des réactions en chaîne. Vous le savez mieux que personne, patron, la rumeur nécessite très peu de choses. Il suffit d'un rien. Une information diffusée opportunément, qui vivrait sa propre vie par la suite. Il faut lancer une bombe dans la ville, patron. Il faut que ça parte dans tous les sens. Les Kinois sont des spécialistes de la rumeur, de la radio-trottoir. Ils adorent. Cette fois, Tshilombo comprenait beaucoup mieux.

— De quel genre, vous en voyez une ?

— Je pense vaguement à quelque chose. Il faut absolument restaurer l'image du chef de l'Etat. Il doit profiter du désarroi actuel pour reprendre sa véritable place, être celui qui est au-dessus de la mêlée. Celui qui est au service du peuple. Pour cela, accomplir un geste d'abnégation, de sacrifice. Pas nécessairement le sien, s'entend.

— Précisez encore, l'invita Tshilombo.

— Croyez-vous, monsieur le directeur, que le président serait prêt à sacrifier quelques politiciens qui sont à son service maintenant, et qui le servent sûrement de façon satisfaisante, mais qui, une fois dans le rôle que nous leur attribuerons, pourraient le servir encore mieux ?

— Précisez davantage, Célio.

— Voilà. Tout le monde à Kinshasa sait que quelques partis, soi-disant de l'opposition, sont en réalité financés par le président lui-même. Ces partis sont destinés à le servir le moment voulu. Qui sont-ils ? Personne jusqu'à présent n'a pu les identifier formellement. Une certaine rumeur dit aussi que leurs patrons se rendent à des rendez-vous aussi secrets que nocturnes, pour recevoir leurs dollars et leurs instructions de la présidence. Mais voilà, malgré parfois de vagues soupçons, personne n'a jamais pu prouver quoi que ce soit à ce sujet. Nous pourrions profiter de cette rumeur. Nous pourrions, par exemple, divulguer des noms. Le peuple de Kinshasa est sensible aux histoires croustillantes. A nous de lui fournir la matière première. Tshilombo commençait à entrevoir où Célio voulait en venir. Facétieux, le jeune homme ! Il l'invita à continuer d'un grognement.

— Dans ce cadre, monsieur le directeur, pensez-vous que le président serait prêt à sacrifier quelques-uns de ses pions ? Enfin, momentanément.

— Mais où serait son intérêt dans cette histoire ?

— Son intérêt sera que, dans un premier temps, en les choisissant bien, dès que ces politiciens se présentent comme membres de l'opposition seront étiquetés comme des traîtres fricotant avec le pouvoir, par effet de solidarité, cela éclaboussera toute l'opposition politique parce qu'on ne saura plus à qui faire confiance. Ensuite, comme on se rendra compte tôt ou tard que la fuite de l'information ne pouvait provenir que de la présidence elle-même, on en déduira que le chef de l'Etat aura voulu se débarrasser de quelques personnages véreux, peut-être dans le souci de recouvrer une certaine virginité, se racheter aux yeux du peuple.

— Et combien devrons-nous en sacrifier ? demanda Tshilombo.

— Une demi-douzaine ? Et ce, pendant tout au plus, une semaine.

— C'est envisageable. Dévoiler des agissements au grand jour ? L'idée me plaît assez. Faites-moi des propositions concrètes, préparez-moi un plan. J'en parlerai au président. Tshilombo sembla se rappeler quelque chose :

— Au fait, j'oubliais. Il vous faudra déménager. Nous avons un appartement à votre disposition sur le boulevard du 30-Juin. A partir de maintenant, vous devrez vivre selon le standing qui sied au grand communicateur que vous allez devenir.

Célio avait tout de suite pris le dossier en main. Il avait totale liberté d'action, Tshilombo le lui avait encore confirmé. Il comptait lancer un message qui serait comme le prolongement de la pensée du peuple. Le diffuser à la télévision suffirait. Le message devait être sobre et imparable. Il ne s'agirait pas d'une simple dénonciation car alors les gens parleraient de médisance, et ça n'irait pas plus loin. Célio pensait qu'il fallait que la population cogite elle-même. Le meilleur moyen était encore de poser des questions plutôt que de formuler des affirmations. Les gens devraient chercher des réponses aux questions par eux-mêmes. Il réfléchit à la façon de les poser. Il fallait les poser comme un flic, avec des sous-entendus. Pour mettre mal à l'aise. Il pensa à la forme que cela prendrait, au mode de diffusion, à la fréquence sur les antennes. "Où étiez vous monsieur X, tel jour, à telle heure ?" Célio trouva que cela sonnait bien et que la question effectivement pouvait en mettre beaucoup dans l'embarras. La question serait inévitablement posée par les proches d'abord, par les militants ensuite, puis par n'importe qui ; ainsi débuterait la réaction en chaîne. De son côté, Tshilombo négociait ferme avec le président. Celui-ci ne voulait pas lâcher de noms sans garanties de compensation. Le directeur du Bureau l'assura de son efficacité et du succès de l'opération.

Célio faillit se perdre dans le dédale des longs couloirs qui sillonnaient l'immeuble de la RTN, la Radio télévision nationale. On lui indiqua le bureau du P-DG où il dut attendre dans une antichambre. Il semblait bien que la machine qui participait à son ascension était lancée. Tshilombo lui avait donné les pleins pouvoirs, la balle était désormais dans son camp. Célio n'attendait que cela et était heureux de pouvoir jouer un tour à cette classe politique qui ne pensait qu'à profiter de la conjoncture pour nourrir ses basses ambitions. Il était temps de secouer un peu le cocotier.

Evidemment, travailler pour la présidence comportait des risques en termes d'image, en cette période de démocratisation. En ces temps où tout pouvait changer du jour au lendemain, il valait mieux la préserver, son image, mais Célio voulait être dur avec lui-même, il ne se laisserait influencer par rien. Le jeune homme était conscient qu'il aurait des actes à accomplir qui ne seraient peut-être pas en accord avec l'éthique et ce genre de choses mais il avait décidé d'assumer. Il était prêt à bien des sacrifices pour pouvoir manger la part de gâteau devenue la sienne. D'un point de vue de pure logistique, son patron lui avait remis quelques liasses de billets en attendant qu'il soit fixé sur son salaire. Dès le lendemain, ils iraient visiter l'appartement qui lui était destiné sur le boulevard du 30-Juin. En même temps que les choses se concrétisaient dans sa vie, il éprouvait une certaine nostalgie car il lui faudrait bientôt quitter le maquis et ses frères d'infortune. Sa nouvelle vie ne pouvait les inclure. Une naissance ne s'accomplit jamais sans douleur, se dit-il pour se consoler.

— Je vous en prie, monsieur Matemona. Une secrétaire signala à Célio que le P-DG Shungu Olenga l'attendait. Celui-ci l'accueillit avec d'autant plus de servilité qu'il venait de recevoir un coup de fil de Tshilombo. Le jeune conseiller expliqua la teneur de leur future collaboration. Il lui expliqua qu'il n'aurait désormais affaire qu'à lui, Célio. Qu'il devait oublier Gonzague Tshilombo et le Bureau. Le P-DG Olenga, un homme massif aux contours adipeux, n'arrêtait pas de s'éponger le front malgré l'air climatisé. L'homme examinait Célio, se demandant d'où pouvait provenir ce petit homme à l'air arrogant qui s'adressait à lui avec tant de sûreté. De toute évidence, il bénéficiait de l'appui total de Tshilombo, donc de la présidence. Autrement dit, le bout d'homme, l'air de rien, avait un certain poids. Le P-DG de la RTN ne devait son poste qu'à un large esprit de consensus.

— Mais bien sûr, fit-il. Voilà bien longtemps que nous collaborons étroitement. Laissez-moi vous mettre en rapport avec la personne avec laquelle vous aurez à travailler. Il s'agit de Mlle Bakkali, la responsable du département Publicité. L'homme parla dans un téléphone, puis continua la conversation, entretenant Célio de banalités concernant les capacités du nouvel émetteur que la RTN venait d'acquérir.

Célio examinait son interlocuteur qui, une fois de plus, s'épongeait le front avec son grand mouchoir. L'homme devait aussi son ascension à son extrême faiblesse de caractère. Il obéissait à Tshilombo de façon inconditionnelle. Le parfait paravent contre les questions intempestives concernant les prochaines annonces. Il tenait son vaste mouchoir comme ces enfants qui refusent de grandir et qui s'agrippent à un morceau de chiffon pour se rassurer. Célio se sentait bien, parfaitement à l'aise. Pour la première fois de sa vie, il se trouvait confronté à un des hommes les plus en vue du pays, mais qui, devant lui, Célio Matemona, se sentait obligé à l'obséquiosité. Le jeune homme était agréablement surpris de ressentir quelque chose de neuf, mais en même temps déçu, une fois de plus, par les hommes, persuadés que si l'habit ne fait pas le moine, les belles plumes font tout de même de beaux oiseaux. Depuis qu'il côtoyait le pouvoir, on portait sur lui un tout autre regard. A présent qu'il avait à sa disposition un véhicule et des gardes du corps en la personne de Bamba et Landu, qui produisaient leur petit effet lorsqu'il débarquait quelque part, les portes s'ouvraient plus facilement que lorsqu'il allait collecter des chèques pour son ONG. Ce temps lui paraissait loin maintenant.

La porte s'ouvrit sur une jeune femme au regard direct et pétillant de malice. Ses yeux surmontés de sourcils épais avaient la capacité de jauger un interlocuteur en un instant. Plutôt petite, elle était habillée d'un tailleur en soie bleu foncé qui soulignait discrètement sa taille en forme d'amphore. Elle se présenta sous le nom de Nana Bakkali. Célio tarda à lui rendre sa main, tout en s'efforçant de se soustraire à l'attraction des particules brillantes qui gravitaient au fond de ses yeux.

— Célio Matemona, se présenta le jeune homme. D'après ce que m'a dit monsieur Olenga, c'est à vous que j'aurai affaire. Ravi de vous connaître. Après un échange de pures formalités, Célio leur expliqua que les actions qu'il comptait mener bientôt à l'antenne seraient susceptibles d'entraîner des réactions parfois inattendues de la part de certaines personnes, mais que ce serait à la RTN de gérer la chose. Personne ne devrait savoir d'où émaneraient les messages. Célio insistait bien là-dessus. Après cette mise au point, ils parlèrent de techniques, de formats, de temps d'antenne. Célio était fasciné par la directrice de la publicité. Elle semblait connaître son travail. Passait rapidement d'une idée à l'autre, allait à l'essentiel. Elle et lui avaient plus ou moins le même âge, évalua-t-il. Si elle avait pu accéder à ce poste de responsabilités, c'est qu'elle devait avoir de vraies capacités obtenues à force d'études. Pour mener sa campagne, Célio avait besoin d'efficacité. Ils parlèrent encore de choses et d'autres. Il prit rendez-vous avec elle pour plus tard, puis les quitta, satisfait de cette première entrevue.

Dans le parking, l'adjudant Bamba et le première classe Landu l'attendaient, stationnés en plein soleil. Ils regagnèrent le bureau au bord du fleuve. Tshilombo était parti. Célio donna congé à Landu et à Bamba, il avait encore à travailler. A part les quelques militaires en faction au-dehors, il n'y avait plus personne. Le jeune homme aimait ce genre de calme, propice aux vagabondages de l'esprit. Et puis, dans cette ville, c'était à ces heures-ci que se bâtissaient les plans ambitieux, avec pour seul interlocuteur le ronronnement du climatiseur.

Le statut de Célio au sein du Bureau était devenu définitif. Il avait été nommé conseiller principal de Tshilombo. Son salaire avait été fixé et était, comme il s'y attendait, carrément indécent. Le budget qui lui avait été alloué pour entamer son action était tout simplement colossal. Il pouvait en user pratiquement comme bon lui semblait. On aurait dit que l'argent provenait directement de la planche à billets. En réfléchissant à tout cela, Célio ne parvenait pas vraiment à se concentrer. Sa main se referma sur un trousseau de clés posé sur le bureau : l'appartement sur le boulevard était à sa disposition. Il y avait fait transporter ses affaires qui avaient tenu dans une valise de taille moyenne achetée en vitesse. C'était la première fois de sa vie qu'il possédait une habitation rien qu'à lui et il avait dû attendre la trentaine pour cela. Célio en avait le tournis. Ne tenant plus, il quitta le Bureau et alla prendre possession de ce qui allait devenir son nouveau domaine. Pour une fois, il échappait à la promiscuité et possédait un havre où il pourrait s'isoler du tumulte de la ville.

Ce premier jour, il essaya tous les meubles du salon comme un enfant qui découvre un nouveau

jouet. Il s'amusa avec la télécommande du téléviseur à large écran plat ; fit fonctionner la
chaîne hi-fi et se vautra dans le canapé. Il prit
place à la grande table de la salle à manger et fit
semblant d'entretenir des invités de marque.
Dans la salle de bains, il considéra avec émerveillement la robinetterie chromée, fit jouer les
manettes. Le grand lit dans la chambre à coucher
était pour lui le summum du luxe. Il s'y affala sur
le dos, les bras en croix, contemplant le plafond.
Dans sa mallette, le document qui comportait les
noms des personnalités politiques à mettre au
pilori attestait que s'il n'avait pas encore tout à fait
réussi, on pouvait dire qu'on lui faisait confiance,
on lui confiait des secrets. A lui qui, voilà à peine
quelques semaines encore, n'avait aucune idée de
la façon dont sa carrière allait prendre son envol,
même s'il avait toujours su que cela se produirait
tôt ou tard.

Célio flottait sur le matelas moelleux comme
sur un nuage. L'hémisphère gauche de son cerveau, pour une fois, se déconnecta complètement, et se mit en position veille. Il ne pensa à
rien pendant un temps infini, il fit le vide. Il sentit
alors le nuage sur lequel il était couché bouger
sous lui. De très loin, il perçut une voix. Une
voix pleine de douceur qui appelait son nom.
La voix l'appela par trois fois sur des tons différents et mélodieux :
— Célio, Célio… Célio, hé ! Son visage était
reposé mais une légère crispation se fit entre
ses arcades sourcilières. La voix reprit, plus
douce et séduisante encore :
— Célio, Célio… Célio hé ! Cela faisait longtemps que le jeune homme n'avait pas joué à ce

jeu cruel qui consistait à se bercer de la voix de sa mère. Cela faisait si longtemps. La cassure avait été tellement brutale qu'il n'était même plus sûr que ce fût réellement le timbre de sa voix qu'il entendait dans sa tête. La douce mélodie le berçait, bien sûr, mais surtout, elle le renvoyait à lui-même et à son tourment.

La guerre avait brisé son enfance le jour où les hommes du général Mbumba Nathanaël, depuis la frontière angolaise, s'étaient infiltrés sans coup férir jusqu'aux abords du village où il habitait. Des ombres couvertes de feuillages avaient encerclé la petite bourgade entre Dilolo et Kolwezi. Après avoir sécurisé les abords de celle-ci, une section de rebelles s'était concentrée autour d'un petit bâtiment où flottait le drapeau national et l'avait arrosé d'un feu nourri. C'était ce qui avait réveillé Célio. Lorsqu'il ouvrit les yeux, son père était penché sur lui, son regard inquiet lui intimait l'ordre de garder le silence. Par bonheur, la maison familiale était bâtie à l'écart, à côté de l'école du village, dont son père, Cyprien Matemona, était instituteur. Sa mère, fébrilement, s'affairait à rassembler quelques objets essentiels. Elle accomplissait les gestes sans réfléchir, guidée par l'atavisme. La petite sœur de Célio, les yeux encore embués de sommeil, se tenait immobile et muette dans l'obscurité. On s'était gardé d'allumer. Au loin, perçaient des cris et le crépitement des armes automatiques. Avec précaution, le père ouvrit une porte donnant sur l'arrière de la maison. Devant eux, dans la lumière bleutée de la lune, s'étendait le mur plus sombre de la forêt. Le père hésita. Malgré sa peur, il fit quelque pas au dehors pour évaluer le danger. Il revint vers les siens. La mère portait la petite sœur dans le dos, et tenait Célio serré contre elle. Personne ne parlait, ils étaient aspirés par l'obscurité devant eux, aussi insondable que le fond d'un puits. Le père pressa tout le monde vers le mur sombre des arbres. Pliés en deux, ils traversèrent l'espace libre qui les séparait du ventre accueillant de la forêt. Derrière eux, ils pouvaient entendre le tumulte que provoquait la mort. Des lueurs éclairaient maintenant le ciel. Dans sa fuite, Cyprien Matemona crut sentir des flammes lui lécher le dos d'une caresse pourtant glaciale.

L'odeur de l'humus les prit aux narines dès les premiers pas dans le milieu inconnu. Ils entamèrent une course éperdue à travers les branches qui les blessaient et les cernaient. Le père Matemona ouvrait un chemin à l'aide de son corps, n'osant faire trop de bruit. Hormis le froissement et le claquement des branches sur leur passage, la forêt était baignée dans un silence impénétrable. Les animaux nocturnes et les oiseaux de nuit n'émettaient plus le moindre son. La terreur qui s'était introduite dans le pays par le fer et le feu avait réduit la nature entière au silence. C'est ainsi que débuta, en ce mois de mars 1977, cette guerre que l'on appela "la guerre des 80 jours". Quatre-vingts jours. C'était plus qu'il n'en fallait à la mort pour accomplir son œuvre et laisser Célio seul au monde. Seul, quoi qu'il ait pu faire.

A cause de la voûte des arbres qui bouchait le ciel, ils ne se rendirent compte de la venue de l'aube qu'une fois arrivés aux abords d'une clairière. La traverser fut une épreuve. Dans le contexte présent, chaque arbre, chaque brin d'herbe devenait hostile. Tapis dans la végétation, ils détaillèrent le paysage. Après s'être rassuré, le père de Célio encouragea les siens de la voix. L'errance reprit à travers la végétation. Ils marchèrent tout droit devant eux. Les branches griffaient les joues et les fronts, lacéraient les vêtements, ne laissant pas grand-chose intact. Ils avaient ainsi parcouru des kilomètres sans s'arrêter, cherchant à s'éloigner des combats dont ils ne savaient rien.

Pour Cyprien Matemona, il ne s'agissait certainement pas d'une vulgaire mutinerie, d'une révolte de militaires, événement somme toute habituel. Plus tard, comme pour lui donner raison, la forêt leur apporta des échos de crépitements d'armes automatiques, qui de loin ressemblaient à un feu de brousse. Brusquement, la savane fit son apparition. Le soleil était déjà haut quand ils s'arrêtèrent. La mère de Célio leur servit de maigres provisions sur des assiettes en fer blanc. Sa petite sœur commença à se plaindre de la fatigue, elle voulait rentrer à la maison. Le père essaya de lui expliquer un voyage qu'ils devaient faire, qu'ils arriveraient bientôt. Ils mangèrent, se reposèrent un peu puis reprirent leur randonnée sans but, cernés par les hautes herbes qui coupaient comme des lames de rasoir.

Ils débouchèrent dans l'après-midi au bord d'une route. Ils tardèrent à l'emprunter et eurent raison car un groupe d'hommes en uniformes neufs vert olive se déplaçaient de part et d'autre de celle-ci. Cachés dans l'herbe comme des animaux, ils restèrent sur place pendant des heures, n'osant bouger, cernés par la guerre. Plus tard, un groupe de civils comme eux, composé de deux femmes et de quatre hommes, passa par là. C'étaient les premiers qu'ils rencontraient. Ils étaient chargés de baluchons, poussiéreux, les vêtements déchirés. Malgré la peur, Cyprien Matemona leur fit signe. D'abord tendue compte tenu de la méfiance, leur relation ne tarda pas à se réchauffer après qu'ils eurent échangé quelques informations. Dans les cas extrêmes, la solidarité, généralement, reprend le dessus. Ensemble ils essayèrent de reconstituer ce qui se passait.

Ainsi les descendants des anciens gendarmes katangais, qui avaient fui dans les années 1960 après une guerre perdue, revenaient en force pour tenter de reprendre le pouvoir dans la région et déstabiliser le pays. On racontait des histoires de villes prises, de garnisons décimées, mais aucun d'eux ne possédait d'informations précises. Pour l'instant, on fuyait, voilà tout. On essayait d'échapper aux hommes en armes, de quelque côté qu'ils soient. Les troupes gouvernementales, semblait-il, ne contrôlaient rien pour l'instant. Les fugitifs prirent le risque d'emprunter la route et une colonne dépenaillée se forma.

Ils n'allèrent pas bien loin. Un groupe de rebelles, dissimulés au bord de la route, les mit en joue. Célio se souvenait des ordres hurlés dans la confusion. Ils levèrent les mains. Les baluchons furent éparpillés sur le sol. Le père de Célio essaya de le rassurer d'un regard qu'il n'oublierait jamais. La peur se lisait sur les visages, indifféremment sur ceux des agresseurs et des victimes. Il s'agissait du groupe de soldats passé plus tôt dans la journée. L'un d'eux était adossé à un arbre maigre perdu dans le paysage. Une de ses bottines était retirée et une plaie sanguinolente semblait le faire souffrir. La blessure avait arrêté leur progression et la situation rendait les combattants nerveux. On gesticulait beaucoup. Les civils furent questionnés sans ménagement. D'où venaient-ils ? Qu'avaient-ils vu jusqu'à présent ?

Où était l'armée gouvernementale ? Les culasses des armes claquaient. Le père de Célio essaya de parlementer pour qu'on les laisse partir. Puis cela commença comme un jeu. Parmi les hommes auxquels ils s'étaient joints, l'un d'eux, vêtu d'un T-shirt sale et d'un pantalon de survêtement de sport, semblait nerveux. L'homme transpirait beaucoup. L'un des rebelles s'intéressa à lui.

— Toi ! dit-il. On le fouilla sans ménagement. Ses jambes tremblaient. Du canon de son arme, un des rebelles désigna son front.

— Qu'est-ce que c'est ? cria-t-il. Tous regardèrent le front du pauvre type qui, déjà, gardait ses mains ouvertes à hauteur de poitrine comme une protection dérisoire contre une balle éventuelle. Il n'arrivait même plus à parler. Les rebelles hurlaient tous en même temps. En swahili, en lingala et en portugais. Celui qui avait interpellé le suspect désignait une fine ligne horizontale, presque imperceptible entourant son front. D'après le rebelle, c'était là le signe évident que cet homme avait l'habitude de porter le béret militaire. Cet homme était un déserteur de l'armée gouvernementale, un ennemi. Sous l'accusation, les cris redoublèrent. L'homme plia sous les coups de crosse. La confusion était totale. Brusquement, les civils que la famille de Célio avait rejoints, comme mus par une même impulsion, se catapultèrent vers les hautes herbes des deux côtés de la route. Des coups de feu claquèrent. Célio se sentit soulevé de terre. Sa mère, son bébé attaché dans le dos, l'avait empoigné à bras-le-corps et courait à travers le rideau des hautes herbes qui les dépassait de plusieurs têtes. Des rafales fusaient de partout, le diable avait commencé à aboyer. Elle le lâcha et l'agrippa par le poignet de façon à ce qu'il puisse courir à côté

d'elle. Les balles hachaient menu les fibres végé-
tales tout autour d'eux. De partout on entendait
des cris et des bruits de piétinements de broussailles. Le cœur de Célio battait à tout rompre
dans ses oreilles. Brusquement, sa mère tomba.

— Cours Célio, cours ! hurla-t-elle. Et Célio
courut droit devant lui, entouré du mur de végétation. Les rafales d'armes automatiques devinrent plus intenses. Une brusque dénivellation
dans le sol le happa et il tomba dans un trou,
sans doute creusé par un quelconque animal
solitaire. Son corps se recroquevilla tout contre la
terre et ne bougea plus, tétanisé par l'épouvante.
Petit à petit, les cris et les échos des armes cessè-
rent, le démon dans un dernier aboiement se tut,
et un silence sans pareil se fit dans la savane.

Après un temps infini, Célio sortit de la tranchée. Hébété, il essaya de se repérer. Le ciel
commençait à flamboyer. La lumière déclinante
du soleil rougissait les nuages. L'imminence de la
nuit l'épouvantait. Où donc étaient passés ses
parents et sa petite sœur ? D'abord, Célio éperdu,
courut dans la savane comme dans un labyrinthe. La mort toute proche lui imposait de ne pas
crier. Il n'osait appeler à cause de la guerre et du
diable, tapi non loin. Puis, à mesure que l'obscurité s'appesantissait au-dessus et autour de
lui, l'enfant se mit à gémir, mais il courait toujours. Ensuite, il ne fut plus qu'une longue et
déchirante plainte, répercutée dans cette nuit où
tout avait été comme pétrifié. Pendant longtemps, l'enfant hurla à la mort.

Célio se réveilla, le lendemain matin, blotti
dans la tranchée. Il avait longtemps erré à la
recherche de ses parents, c'est ainsi qu'il était
retombé sur la fosse, par hasard. Il s'y était recroquevillé en espérant que sa mère ou son père le

retrouveraient là. Ensuite le sommeil l'avait terrassé. Lorsqu'il ouvrit les yeux, le lendemain matin, il lui fallut quelques secondes pour réaliser que ce qu'il avait vécu n'avait pas été un mauvais rêve. Son instinct de survie lui dicta néanmoins de retrouver la route. Il marcha au hasard et finit par tomber dessus. Elle était déserte comme si rien ne s'y était jamais passé. Comme si rien n'avait jamais eu lieu. L'enfant s'assit au bord de celle-ci, s'efforçant de ne pas pleurer, et attendit que ses parents avec sa petite sœur viennent le chercher. Il attendit si bien que presque toute la journée s'écoula. A un moment, le désordre des baluchons éparpillés le dérangea. Il se leva, rassembla quelques chiffons, un manuel de mathématiques qui appartenait à son père, et les mit en ordre près de lui. Il recommença le manège un peu plus tard avec une casserole, des assiettes et le désordre disparut. Alors, seulement, il se sentit satisfait et continua d'attendre. Un camion militaire chargé de soldats gouvernementaux le ramassa au même endroit, juste avant le crépuscule. L'enfant fut conduit à un centre de regroupement de la Croix-Rouge près de Likasi.

Lorsque les soldats l'avaient trouvé au bord de la route, il n'avait pas été facile d'embarquer le petit. Célio s'était débattu, avait griffé, mordu, pour ne pas être emmené, criant que ses parents arriveraient bientôt, qu'ils n'étaient pas loin, qu'ils lui avaient dit d'attendre là. Les militaires n'avaient pas été dupes ; ils connaissaient ce genre de situation. A son arrivée au centre de regroupement, la Croix-Rouge s'était occupée de lui, comme de beaucoup d'autres enfants et déplacés de guerre. On lui donna un numéro.

La guerre dura quatre-vingts jours. Les orphelins furent confiés à une institution religieuse à Lubumbashi. Célio s'attendait chaque jour à ce que ses parents débarquent à l'orphelinat pour l'emmener. Les semaines puis les mois passèrent. Depuis son arrivée, on n'avait pas vu l'enfant verser une seule larme. On le connaissait comme un garçon taciturne, appliqué à l'école, ne se faisant jamais remarquer sauf en se classant régulièrement premier de la classe. Il termina avec succès son cycle d'études primaires. Puis commencèrent les études secondaires et les choses sérieuses en mathématiques.

C'est à ce moment-là aussi que le père Ioanidès Lolos croisa sa vie. Le prêtre était professeur de mathématiques. Il avait remarqué très vite le don de Célio pour cette matière. Dans la mesure du possible, il s'employa à l'aider dans ses devoirs. On vit de plus en plus souvent le père à l'intérieur des murs de l'orphelinat. Formellement, il passait trois fois par semaine, mais cette fréquence augmenta avec l'attachement à l'enfant. Il lui fit faire des exercices destinés à des élèves des classes supérieures. La soif d'appendre chez Célio était immense. Malgré la grande douleur qui forcément devait l'habiter, aucune pulsion négative n'émanait du jeune garçon. Cela préoccupait le père Lolos car jamais non plus le petit n'avait évoqué son drame personnel. Le prêtre savait que c'était contraire à son devoir de favoriser un enfant plus qu'un autre, mais malgré lui, quelque chose d'indéfinissable s'était tissé entre eux.

Les années passèrent, puis tout cela s'arrêta net lorsque Célio eut quinze ans. C'était l'année où devait débuter l'option mathématique en secondaire. Le père Lolos fut muté à Kinshasa.

Lorsque le prêtre apprit la nouvelle à Célio, celui-ci resta digne, malgré cette sensation très précise qu'un caillou pointu venait subitement de faire son apparition au milieu de son cœur. Il affirma même qu'il serait intéressant, pour la carrière du prêtre, de travailler dans la capitale. Le garçon ne semblait pas gai, mais pas triste non plus.

Le père Lolos prit son avion un beau matin. Célio l'accompagna jusqu'à l'aéroport. Ni le vieux ni l'adolescent ne parlèrent beaucoup avant l'embarquement. Ils n'échangèrent en substance que très peu de mots. A l'heure de se séparer, Lolos ne put que prononcer un "Je t'écrirai" enroué, à cause de la boule dans sa gorge qui l'empêchait de respirer, puis il disparut. Célio n'avait rien répondu car le petit caillou qui avait germé dans son cœur s'était mis à bouger de lui-même et commençait à lui faire mal. Le jeune homme attendit de voir l'avion décoller puis rentra à l'orphelinat. En chemin, le caillou se transforma en une pierre lourde et pleine d'aspérités. Célio était ravagé par le vide immense qui venait une fois encore de se faire dans sa vie. Cette nuit-là, la pierre grossit encore, elle devint même énorme. Célio ne parvint pas à dormir car elle le faisait suffoquer. A l'aube, de peur d'en mourir, il rassembla ses maigres biens, quitta subrepticement l'orphelinat et se dirigea en courant vers la gare de chemin de fer de Lubumbashi.

Un train partait ce jour-là. Au petit matin, la gare s'anima des voyageurs en partance. Des manœuvres chargeaient les wagons, des agents de la société nationale des chemins de fer veillaient à la bonne marche des choses. Célio se perdit dans la foule à la recherche du wagon qui l'abriterait, car il avait décidé de partir pour Kinshasa. A l'orphelinat, on était sûrement en train de le chercher. Mais avant qu'on ne fasse le rapprochement entre sa disparition et le départ du père Lolos, il serait déjà loin. A part l'avion, le train puis le fleuve étaient les seuls moyens de se rendre dans la capitale éloignée de près de deux mille kilomètres. Pratiquement la même distance que de Lubumbashi à Johannesburg, autrement dit, le bout du monde.

Mais Célio était déterminé, quoi qu'il lui en coûte. Le chemin de fer n'arrivait pas jusqu'à Kinshasa, mais il parcourait un long chemin à travers la brousse jusqu'à Ilebo, le port sur la rivière Kasaï. Ensuite, la rivière le mènerait vers le grand fleuve jusqu'à Kinshasa. L'entreprise était colossale, mais c'était la seule manière de combler l'abîme laissé par le père Lolos. Il devait absolument le rejoindre là où il était.

Toute la matinée, on chargea des wagons de marchandises venues d'Afrique du Sud et de Namibie, par la route et le train, à travers la Zambie. On manipulait des minerais produits dans la région. Entre autres des lingots et des plaques de cuivre destinés à être fondus, pour gainer des câbles coaxiaux ou pour se répandre en réseaux sur des circuits intégrés, mais aussi pour constituer des douilles de munitions afin de maintenir l'ordre. Il y avait des tonnes de cobalt qui, traitées à une température de plus de 1 500 °C, seraient destinées à des moteurs de fusée et à l'industrie pétrolière. Il y avait des quantités et des quantités de matériaux fissibles dénommés uranium, qui une fois enrichis de façon suspecte, prendraient le patronyme plus arriviste, mais plus létal, de plutonium, pour dissuader tous ceux qui n'auraient toujours pas compris le phénomène des équilibres des forces.

L'insuffisance d'infrastructures modernes rendait les manœuvres de chargement difficiles et les hommes en haillons suaient déjà à cette heure du matin, les muscles saillant sous l'effort. A cause du manque de moyens de manutention, le départ aurait certainement du retard, mais à vingt-cinq dollars le kilo de cobalt, au prix où était le caviar, on en avait sûrement pour son argent. Ce qui du coup posait la question : l'homme en viendra-t-il un jour à jalouser l'esturgeon ? Ou encore : vaudra-t-il mieux, pour certains sur cette terre, comme le panda ou le phoque, confier ses intérêts au WWF ou Greenpeace plutôt qu'à l'ONU ?

Les oubliés du miracle économique produisaient et manipulaient des denrées inestimables et rares, destinées à une technologie de pointe dont certaines applications avaient tout simplement pour but de les asservir encore davantage. Les circuits intégrés allaient produire des images et des concepts pour continuer à les persuader qu'ils seraient toujours les derniers des derniers sur la planète qui est la nôtre, et que tous leurs combats utopiques seraient toujours vains et, de toute façon, voués à l'échec. Les métaux précieux, une fois portés au feu, seraient envoyés dans l'espace afin de les surveiller, comme de grands enfants, sous l'œil constant de satellites sophistiqués. Au cas où certains aspects de cette globalisation seraient mal perçus par ces populations, ce même cuivre reviendrait immanquablement, sous forme de blindages de balles de 7,62 crachées avec hargne par quelques kalachnikovs rebelles. Si tout ceci devait rendre quelqu'un malade, à partir de ces mêmes matériaux on développerait des traceurs médicaux efficaces. Malheureusement leurs prix seraient inversement proportionnels à la baisse du cours des matières premières et tributaires de la hausse intempestive du dollar. Devenant, du coup, inabordables pour le pauvre hère courbé sous son bât quotidien. Mais qu'importe, tant qu'il mettrait du cœur à l'ouvrage, rien n'était encore perdu, lui promettait-on.

Quand le chargement du train fut presque terminé, Célio se dénicha une place dans un wagon entre des caisses de machines-outils. Il se dissimula ainsi la journée entière et ne ressortit que le lendemain, après Likasi. Il se fit pincer par des contrôleurs magnanimes qui le chargèrent de petites besognes, pour payer son voyage jusqu'à Ilebo, où il devait, soi-disant, rejoindre ses parents. Ils passèrent par Kamina qui abritait une grande base stratégique, descendirent vers Kananga puis Ilebo. Plus de mille kilomètres à travers les grands espaces. Le tout dura pratiquement une semaine.

L'arrivée dans la ville portuaire fut comme une apothéose pour Célio. A la vue des eaux limoneuses où se mélangeaient les rivières Sankuru et Kasaï, il fut rempli d'une joie, vite tempérée cependant car il n'était pas au bout de ses peines. Il lui fallait encore embarquer clandestinement sur un bateau. Durant le trajet en train, il avait pu se faire un peu d'argent de poche en faisant des courses pour les voyageurs ou en les aidant à diverses tâches, mais son maigre pécule ne suffisait pas à payer un billet pour Kinshasa. Il s'approcha de l'embarcadère où étaient amarrés les bateaux pousseurs, qui convoyaient les barges surchargées tout au long du fleuve jusqu'à Kin.

Embarquer discrètement à bord d'un bateau était bien plus facile qu'à bord d'un train. Les barges alignées formaient comme un village flottant composé de milliers d'habitants vaquant à de multiples activités. On y pratiquait toutes sortes de négoces, de l'hôtellerie à la vente au détail en passant par la coiffure et la confection. Des délits y étaient commis : le vol à la tire, la prostitution, la médecine illégale et bien d'autres choses. Célio n'eut aucun mal à se fondre dans ce vaste microcosme.

Ils quittèrent Ilebo deux jours après l'arrivée du train. Le convoi flottant rejoignit la jonction du fleuve à hauteur de Kwamouth, là où la rivière plongeait dans celui-ci. Puis, apparut Maluku, Kinshasa approchait. Le cœur de Célio se mit à battre plus fort. Il avait réussi. Enfin ils accostèrent au port de Kingabwa. Célio quitta rapidement le quai. Il se renseigna sur l'adresse du père Lolos qu'il gardait précieusement dans une enveloppe en plastique au fond d'une poche. Il dut demander son chemin plusieurs fois. Il ne s'intéressa pas aux immeubles de grande taille qu'il voyait. Le flot des voitures ne l'impressionna pas davantage, il avait une mission à accomplir.

La sentinelle à la grille de la congrégation chassa Célio quand il se présenta. D'ailleurs, le père Lolos n'était pas là. A cette heure-là, il enseignait au séminaire à Kintambo. L'adolescent demanda son chemin encore une fois et s'y dirigea à pied. Quand, enfin, le prêtre le vit, dépenaillé, débarquer au séminaire, le col de sa chemise sale mais soigneusement boutonné, les yeux limpides, il n'essaya pas de comprendre le pourquoi et le comment de sa présence. Il demanda seulement :

— Tu as faim ?

L'adjudant Bamba Togbia s'était dit que décidément il avait eu raison d'attendre trois semaines avant de se présenter une nouvelle fois chez Mbuta Luidi, le sorcier. Car, même si le temps avait joué sur son psychisme en atténuant ses appréhensions, il se sentait encore nerveux. Tout son avenir résidait dans le bâton à brosser les dents, emballé dans un morceau de journal, qui traînait sur le tableau de bord de son véhicule. L'adjudant Bamba répugnait à le garder en poche. Pendant ces jours où il s'était donné le temps de la réflexion, il n'avait pas osé garder le petit bout de bois à l'intérieur de sa maison. Il avait pris soin de l'enterrer, enveloppé dans un morceau de plastique, à une distance respectueuse de ses murs. Non pas qu'il n'avait pas confiance en l'objet que lui avait donné Landu, mais avec la sorcellerie, il valait mieux se méfier. Il avait déjà pris le risque de consulter un sorcier pour un cas personnel, pas question, en plus, de tenter le sort, en ne répondant pas formellement aux exigences de Mbuta Luidi. Sa détermination à acquérir une fonction dans l'armée l'obligeait à nier ses états d'âme. Même si c'était difficile, il devait s'efforcer de demeurer serein. Une espèce de roucoulement se fit entendre, venant du plancher de la voiture. Un coq aux plumes d'un noir de jais, comme le sorcier le lui avait réclamé, gisait là, les pattes solidement attachées, ignorant du sort qui l'attendait.

Bamba était garé non loin de la bicoque de Mbuta Luidi. Il avait choisi d'y aller ce dimanche soir. Le quartier était calme et presque désert mais on entendait tout de même de la musique provenant d'un bar tout proche. Bamba frappa à la porte et attendit une sorte de croassement pour pousser la porte branlante. Comme d'habitude,

Mbuta Luidi était assis sur son casier et, comme d'habitude, il semblait l'attendre, tapi dans la pénombre éclairée par la lampe à pétrole. La nuit conférait à l'antre un aspect plus sinistre encore. Bamba prit place et déposa le coq sur le sol à côté de lui.

— Donne ! dit le sorcier. Bamba tendit au féticheur le petit paquet renfermant le bâton à brosser les dents, autrement dit, l'âme de l'être cher. Mbuta Luidi déballa l'objet. Bamba le cœur battant surveillait son expression.

— Très bien ! dit-il en admirant le répugnant bout de bois, le tournant dans tous les sens comme on le ferait d'un diamant particulièrement pur. L'adjudant se sentit soulagé, mais cela ne dura pas.

— A qui appartient-il ? Dis-moi tout ! Bamba sentit son cœur s'emballer.

— A mon oncle, mentit-il. Le regard de Mbuta Luidi lui fouilla l'âme un moment puis se détendit. Bamba se rassura. L'homme n'avait pas deviné la supercherie, la substitution de l'objet appartenant à l'être cher.

— Donne le corps ! ordonna le sorcier. Bamba se permit même de jouer à celui qui hésite, avant de tendre la volaille à Mbuta Luidi. Celui-ci la soupesa et sembla satisfait, comme si la fortune du vieux soldat dépendait du poids de la bête. Il mit l'animal de côté. Celui-ci ne bronchait pas, comme si tout cela ne le concernait qu'à moitié. Mbuta Luidi prit la même poudre que la première fois et en saupoudra le feu. Les flammes illuminèrent son regard de possédé. Les choses sérieuses pouvaient commencer. Bamba se cramponna mentalement à son casier. Le jeteur de sorts prit la demi-calebasse et commença à remuer les graines sombres en prononçant des paroles inintelligibles. Il reprit les graines, les rejeta, lut la réponse, ne sembla pas satisfait, recommença. Bamba sentait que quelque chose n'allait pas. Le sorcier ânonna encore quelques onomatopées. Il semblait soucieux. Finalement, il prit le coq qui, pour la première fois, exprima de l'inquiétude en poussant deux longues plaintes rauques. Prestement, Mbuta Luidi s'empara d'un long couteau rituel en forme de triangle isocèle. Il pressa la tête du pauvre gallinacé sur le sol, posa la lame sur son cou, mais hésita encore. A la surprise de Bamba, il se retourna vers la droite, par trois fois, cracha violemment par-dessus son épaule, puis sembla s'adresser avec véhémence à un interlocuteur invisible, derrière lui. Quand il interrompit ce qui ressemblait à des paroles de défi, il se pencha vers le poulet, prit son souffle et lui trancha la tête avec un han de bûcheron. Le sang gicla sur le sol un long moment. Quand il fut sur le point de se tarir, le sorcier s'en aspergea soigneusement les mains. Après quelques paroles démoniaques, il prit les deux mains de Bamba et les serra en les maculant abondamment d'hémoglobine. Mbuta Luidi poursuivit encore son monologue dénué de tout sens pour Bamba. Le militaire était impressionné et préférait ne penser à rien ; l'important était de sortir d'ici au plus vite. Ensuite, le sorcier reprit encore une fois sa calebasse et y déchiffra le message délivré par le royaume des ténèbres. Après lecture, Mbuta Luidi rangea la calebasse et rejeta le cadavre du coq dans un coin de la pièce. Le feu, de lui-même, baissa brusquement d'intensité, comme sur l'ordre d'un diable. Bamba sentait bien que quelque chose n'allait pas. Mbuta Luidi avait l'air embarrassé. Il se racla la gorge.

— Ecoute, je ne sais pas ce qui se passe, mais je crois que je devrais passer la nuit sur ton cas. Je ne comprends pas ce qui coince. Ce sont des choses qui arrivent. Je suis obligé d'attendre un renfort des démons pour travailler sur l'objet que tu m'as donné. Je ne peux rien faire pour l'instant et ne pourrai donner de réponse à ta requête que demain. Passe, juste après minuit. Tiens, prends ça, dit-il en lui jetant un chiffon crasseux. Frotte-toi les mains. Il se leva, signifiant que l'entretien était terminé. Bamba n'avait rien à ajouter. Il se leva à son tour, se tourna vers la porte, soulagé.

— Attends ! ajouta le sorcier après réflexion. Ne touche à aucune créature femelle jusqu'à ce que tu viennes me voir demain et sors à reculons, pour ne rien laisser derrière toi.

Cette nuit-là, Bamba dormit difficilement, l'esprit accaparé par ce qui s'était déroulé chez le féticheur. Celui-ci avait semblé agité pendant toute la cérémonie. Pourquoi n'avait-il pas pu l'achever en traitant de façon appropriée le bâton à brosser les dents ? Sa technique mystique lui aurait-elle fait déceler que l'objet n'appartenait pas à un proche ? Qu'arriverait-il si le sorcier s'apercevait de la supercherie ? Serait-il frappé de folie ou, pire, mourrait-il de façon atroce ? De toute façon, pensa-t-il en conclusion, la brosse avait servi, elle devait bien appartenir à quelqu'un, donc il ne devrait pas y avoir de problème. Bamba n'en connaissait pas le propriétaire, alors pourquoi s'en faire ? Malgré sa conviction, sa chambre à coucher lui apparut tout à coup moins confortable. Il se leva au milieu de la nuit, prit une bière entamée qui traînait encore sur la table, la but entièrement. Il sortit ensuite se vider la vessie, en évitant du pied l'endroit où, la veille encore, était enterrée la brosse à dents, puis, il alla se recoucher.

L'adjudant Bamba Togbia, en tant que tortionnaire et homme à tout faire de la République, avait, au cours de sa longue carrière, étudié et appliqué toutes les méthodes inhérentes à sa profession d'exécuteur et d'interrogateur de l'Etat. Il savait l'effet produit par chaque geste posé sur sa victime. Lorsqu'il faisait peur pour soutirer une information à un prisonnier isolé dans une pièce nue, il savait la portée de cela dans le temps. Il connaissait aussi l'état psychologique du condamné à mort dans l'attente de son exécution. Il avait eu l'occasion de l'observer à maintes reprises. Cette nuit, c'était à son tour de vivre l'expérience de l'incertitude et de la crainte. Pour la première fois, il pouvait étudier la situation de l'intérieur et il ne pouvait rien changer à cela. Décidément, côtoyer le monde des ténèbres menait à tout. Après une nuit presque entière passée dans sa quête existentielle, le sous-officier finit par s'assoupir, une petite demi-heure avant que pointe l'aube.

La journée fut dure à cause du manque de sommeil. Après le travail, Bamba dut faire une sieste. Il se réveilla vers 22 heures et se sentit frais et dispos. Un commando comme lui n'avait pas besoin de beaucoup d'heures de sommeil pour être à nouveau d'attaque. Il était détendu. Il prit une douche, acheta une bière chez la voisine, la sirota assis dans son fauteuil, à l'extérieur. Des sapeurs et des sapeuses défilaient dans la rue. Matonge, égal à lui-même, méritait sa réputation de quartier-phare de la ville. Les jeunes gens rivalisaient d'élégance dans des vêtements inspirés des grands couturiers. Là où Hampâté

Bâ et Sartre n'avaient pas réussi, Giorgio Armani, Gianfranco Ferre, Takeo Kikushi et Thierry Mugler avaient, depuis belle lurette, intégré l'inconscient collectif des jeunes Kinois. Le chanteur Papa Wemba, le *kuru*[1], avait dicté sa loi une fois pour toutes. La sape était de rigueur. Bamba se laissa aller à suivre ce va-et-vient bon enfant. A 23 h 30, le carillon de son horloge "made in Shanghai" lui rappela qu'il était temps d'aller accomplir son destin.

Le 4 x 4 tangua dans les ornières qui conduisaient à la bicoque de Mbuta Luidi. Le quartier était désert vu l'heure tardive. A travers le ronronnement du véhicule, Bamba perçut au loin le martèlement sourd d'un tam-tam. Un rythme lancinant se précisait tandis qu'il approchait de chez le sorcier. Il arrêta la voiture dans l'obscurité, non loin, comme d'habitude. Bamba emprunta le sentier. Son cœur s'emballa. Les chants et les battements provenaient de chez le féticheur. Il s'agissait de chants de deuil. Le sang du soldat se figea dans ses veines. Une foule était rassemblée chez Mbuta Luidi. Bamba s'approcha en retenant son souffle. Arrivé plus près, il put constater que les gens étaient agglutinés autour d'un lit planté devant la maisonnette. Un cadavre y était couché. Certains chantaient des cantiques, d'autres bavardaient tout simplement. Comme de coutume, la famille, les voisins étaient venus veiller le disparu. L'adjudant n'osait s'avancer. Il s'adressa à un groupe de jeunes qui plaisantaient bruyamment.

1. Chef, roi.

— *Petit, likambo nini awa*[1] ?

— Vieux, Mbuta Luidi vient de mourir. Le jeune homme continua par une digression sur la bêtise des sorciers qui croyaient défier la mort et qui finissaient comme n'importe qui : la bouche ouverte, à l'horizontale. Bamba ne l'écoutait plus que d'une oreille, il était dans la confusion la plus totale. Qu'en était-il de sa fonction au sein de l'armée ?

— Que s'est-il passé ? demanda-t-il encore.

— Tout ce qu'on sait, c'est ce que les voisins ont rapporté, répondit le jeune. – Ils ont entendu Mbuta Luidi crier. Ils ont d'abord cru qu'il se disputait avec quelqu'un. Il était comme fou, il parlait tout seul. Puis il a été pris de convulsions et il est mort tout de suite après.

— C'est pas tout, renchérit un autre, avant de mourir, il a proféré des imprécations terribles, vieux.

— Des imprécations ?

— Il a parlé d'un bâton magique. L'adjudant crut défaillir.

— Il a dit, vieux, que celui qui lui a donné ce bâton serait maudit à jamais. Que si cette personne s'avisait de s'endormir la nuit, ne fût-ce qu'une seule fois, ne fût-ce qu'une seule seconde, il s'endormirait pour toujours. Ce sera la mort pour lui.

— Vieux, ces sorciers se croient tout permis, on devrait faire comme les Blancs ont fait, les brûler tous, déclara l'un des jeunes. Bamba n'écoutait plus du tout. Pour confirmer ce qu'il venait d'entendre, il devait voir de ses propres yeux le cadavre du vieil homme. Il fendit le groupe de badauds et curieux qui veillaient le corps.

1. "Petit, que se passe-t-il ici ?"

Mbuta Luidi, en effet, les mains croisées sur la poitrine, gisait sur un étroit grabat. Un chiffon blanc noué au sommet de la tête maintenait sa mâchoire fermée. A part son pagne crasseux, on n'avait retrouvé aucun vêtement décent pour le vêtir pour son inhumation. On l'avait par conséquent habillé d'une vieille robe de nuit en nylon rose, à jabot de dentelles, retrouvée dans un coin de sa case et qui avait sûrement servi à jeter un sort jadis. Les yeux écarquillés, Bamba contempla un long moment la dépouille dérisoire de Mbuta Luidi. Il pressentit aussi qu'il ne devait pas s'attarder en cet endroit. L'écho de ce que venait de dire le gamin, "Maudit soit celui qui aura donné le bâton magique" hantait sa conscience. Hagard, Bamba quitta la scène macabre, à reculons, pour ne rien laisser derrière lui. Il aurait bien assez de fantômes contre qui lutter ces jours-ci pour ne pas avoir en plus à se farcir celui de Mbuta Luidi, sorcier reconnu d'utilité publique de Songololo à Mbanza-Ngungu…

V

CONJECTURES IONIQUES

Le lundi, lorsque l'annonce concoctée par Célio passa sur la première chaîne de la télévision nationale, juste avant les informations de 20 heures, Kinshasa crut d'abord à la blague d'un mauvais plaisantin ou d'un jaloux qui avait les moyens de ses rancœurs. Parce que le premier nom qui passa sur l'écran était celui d'un vieux baroudeur de la politique, renommé pour ses divagations sentimentales. L'annonce, qui défilait en lettres lumineuses vertes comme sur les premiers ordinateurs, apparaissait libellée comme suit : "Monsieur Faustin Bolowa, où étiez-vous le 16 décembre dernier à 23 heures ?" L'interrogation n'était pas signée, elle passa pendant onze secondes, accompagnée d'une musique lugubre.

Le lendemain, mardi, une grande partie de la ville fit des spéculations de toute sorte. S'agissant de Faustin Bolowa, on crut à l'histoire d'un rival évincé qui voulait le compromettre publiquement en lui posant une question-piège. Ou peut-être était-ce une de ses énièmes épouses ? On se demanda ce que pouvait bien signifier ce message. Cela avait l'air anodin, mais pas tout à fait.

Un peu avant 20 heures, ce soir-là, lorsque apparut la seconde question : "Monsieur Okito Omba, où étiez-vous le 12 avril dernier à 1 heure ?" on pensa tout de suite à une histoire d'argent.

Okito Omba était un politicien de longue date pour qui la corruption passive et le détournement de fonds étaient considérés comme un mode de vie. La population se perdit en supputations. Devait-on relier ces messages à une affaire d'argent ou à une affaire de femmes ? L'opinion était partagée. Mais le problème n'était pas là. Il fallait que la question adéquate soit posée : mais où étaient donc ces deux messieurs à ces dates-là, à ces heures-là ? Ce même soir, la polémique commença réellement à porter ses fruits. La fonction exponentielle de Célio se mettait en branle comme après un bombardement de neutrons.

Les politiciens mis en cause passèrent une nuit exécrable. L'épouse de Bolowa lui reprocha de l'avoir couverte de ridicule dans tout le pays à cause de sa manie des femmes. Okito eut beau expliquer à la sienne que le douze avril à 1 heure, il avait eu un rendez-vous important où il avait touché une importante somme d'argent, elle ne le crut pas et prétendit qu'il avait sûrement rendez-vous avec cette femme de Kisangani dont ses amies lui avaient parlé.

La journée du mercredi, tout le monde comprit qu'il y avait une manœuvre là-dessous. Mais de quoi s'agissait-il ? Ce soir-là, à 20 heures, juste avant la publicité, on put lire à l'écran pendant onze secondes le message suivant : "Monsieur Mwamba Shambuyi, où étiez-vous le 18 mai dernier à 0 h 30 ?" Mwamba Shambuyi était un jeune loup ambitieux aux dents longues. Il conduisait son parti, le Parti progressiste unifié, d'une main de fer. Pour se propulser, il s'était appuyé sur le président, mais avec le temps, il s'était radicalisé. En Europe, on aurait dit qu'il virait dangereusement à gauche. Il devenait de plus en plus difficile à contrôler. Il était temps de s'en débarrasser. Par contre, son vice-secrétaire général, John Mukalay, avait les qualités qui plaisaient au chef de l'Etat. Là, il s'agissait de déstabiliser le premier pour imposer le second.

On n'était pas encore au cœur de l'opération, la fission venait à peine de se produire et déjà la panique s'insinuait dans les rangs de la classe politique. A qui le tour ? Ses membres savaient qu'ils étaient visés, mais ne comprenaient pas ce qu'on leur voulait et où voulait en venir l'auteur de ces questions de flic. John Mukalay voulut percer l'abcès. Le soir même, il contacta un de ses amis journalistes. Dès le lendemain, un quotidien en vue publia, à la une, une longue interview du trop zélé vice-secrétaire général qui fustigeait les messages apparus à la télévision en jugeant de tels procédés indignes. Qui se terrait derrière cette campagne ? Voulait-on insinuer que le 18 mai dernier à 0 h 30, son patron aurait été à un rendez-vous secret ? Pour y rencontrer qui ? Pour quoi faire ? Recevoir de l'argent ? L'interview provoqua l'émoi dans l'opinion publique.

Le jeudi donc, la ville se trouva scindée en deux camps. Ceux qui approuvaient ces questions, sans comprendre vraiment où elles allaient mener et ceux qui étaient contre, qui considéraient les annonces comme une nouvelle tentative de la part du gouvernement pour distraire le peuple de ses préoccupations. Ce soir-là à 20 heures, les taux d'audience à la télévision furent pulvérisés. On voulut connaître, en primeur, le nom suivant. Lorsque le nom de Floris Dunga apparut en lettres vertes, tous les doutes furent dissipés. Qui ne connaissait l'énergumène ? Tout un chacun savait que l'individu pratiquait la politique par pur opportunisme et n'hésitait pas à aller au bout de son raisonnement. Son parti, le PR, le Parti révolutionnaire, était connu pour son inconsistance. Floris Dunga était célèbre pour avoir un jour, après une réunion de conciliation, publiquement interpellé le président et demandé carrément de lui payer son essence pour le retour. Le président, dans un éclat de rire, avait obtempéré sur-le-champ en donnant des ordres à un collaborateur. Une brèche avait ainsi été ouverte. Le lendemain, vendredi, l'émoi se transforma en cataclysme. Si un individu tel que Floris Dunga faisait partie de la liste, il n'y avait plus de doute, c'est que cette liste reprenait des noms de bénéficiaires des largesses présidentielles. Des vendus et des corrompus, tous ! pensa-t-on. L'idée se répandit comme une traînée de poudre. Dans les buvettes et les ministères, dans les taxis collectifs et devant les *ligablos*, au Beach N'gobila et dans les files à la banque. Elle se répandit dans les esprits, conquit l'opinion publique.

La semaine suivante, ce qui devait arriver arriva. On se posa des questions sur l'auteur de ces messages. Ce ne pouvait être qu'un homme du peuple car il savait poser les questions qu'il fallait. Chacun s'identifia à lui. On l'encensa dans les bars et les lieux de culte. On discuta pour percer la personnalité de celui qui était derrière ces questions fort pertinentes. Un opposant ? Personne ne possédait assez de puissance pour faire passer un tel message sur la première chaîne. Se pourrait-il que ce soit le président lui-même ? L'homme voulait-il s'amender ? Voulait-il se débarrasser de certains, devenus gênants ? En tout cas, chacun y décela une volonté de rapprochement de sa part. On se dit que si le pays était si mal géré, c'est que le chef de l'Etat était mal entouré. Ce qui fut confirmé par un remaniement ministériel adéquat. La lutte contre la gabegie en était la raison invoquée. La population, pour un temps, perçut le président comme une victime de la chose politique et se prit de compassion pour lui. Sa cote de popularité remonta de façon spectaculaire. On crut même à une réconciliation avec le peuple. Cela se répercuta sur les prix. Ils restèrent stables, suivant en cela les fluctuations du cours de la monnaie qui, semblait-il, n'était plus attaché à aucun système monétaire. On aurait dit que ce cours suivait tout simplement l'humeur des opérateurs économiques, qui, par bonheur, était au beau fixe ces jours-là.

La réaction en chaîne impulsée par Célio ne s'arrêta pas là. Elle s'emballa même un peu. Faustin Bolowa se terra chez une maîtresse en attendant que passe l'orage. Personne ne put le joindre pendant plusieurs jours. Lorsqu'il réapparut, ce fut une semaine plus tard, à la télévision, où il fit son mea-culpa.

— Devait-il refuser l'argent qu'on lui offrait ? A sa place, n'aurait-on pas agi de même ? Après tout, avait-il vendu le pays contre monnaie sonnante et trébuchante ? On jugea que non et on lui pardonna à cause de sa grande franchise.

Au Parti progressiste unifié, le vice-secrétaire général, John Mukalay, publia une interview plus longue encore que la précédente, dans laquelle il désavouait son patron Shambuyi Mwamba. Il en appelait à la clairvoyance des militants. Compte tenu de la perspective des élections, le parti ne pouvait se permettre d'héberger un vendu en son sein, fût-il secrétaire général. Il posa la question de confiance. Inutile de faire les frais d'un congrès extraordinaire, Shambuyi Mwamba devait démissionner. Ce qui fut fait.

Okito Omba n'attendit pas qu'on l'en prie. Il quitta ses fonctions au profit de son épouse. On applaudit le geste et on le félicita de son action pour la promotion de la femme. Les protagonistes disparurent pendant un long moment de la scène politique. Le peuple se félicita de tant de transparence.

Célio, assis dans son bureau, pensait à ces jours écoulés. Pour une première opération, le succès avait été exactement celui qu'il avait escompté. La rumeur distillée par ses soins avait fait merveille. La fonction exponentielle avait provoqué la réaction en chaîne prévue, avec l'intensité voulue. Elle avait laminé quelques salopards et le résultat avait été récupéré sur la population. Toujours le même levier. L'émotion. Quelle qu'elle soit. Suscitée par la peur, le sentiment religieux, la menace sur le portefeuille. C'était toujours la même chanson, ce n'était jamais très compliqué. Célio avait réussi à ébranler la mégapole de Kinshasa et cela à partir de presque rien. Depuis quelques jours, Tshilombo le considérait d'un œil neuf. Pendant tout le processus de la campagne de dénigrement, il n'était que peu intervenu, se contentant d'approuver les décisions de Célio. Ils ne s'étaient presque pas vus pendant la semaine de diffusion. Tshilombo ne se manifesta que la semaine suivante, en véritable patron, pour vérifier le travail accompli et, par la même occasion, évaluer les dividendes. Si le but de cette fantaisie télévisuelle était la récupération de l'opinion publique, le jeune conseiller croyait l'avoir atteint.

L'air conditionné répandait une fraîcheur trompeuse. A l'extérieur, l'après-midi caniculaire rendait le vol des oiseaux traînant. A travers la fenêtre, Célio observait une bande de tisserins jaunes et noirs qui construisaient leurs nids au sommet d'un palmier. Plus loin, majestueux, intemporel, le fleuve charriait ses eaux tumultueuses. Des pêcheurs répétaient sur leurs pirogues des gestes immémoriaux. D'un élan puissant et précis, ils projetaient leurs filets au fond de l'onde. La technique était en eux, de la même façon que les mathématiques étaient en Célio. Appliquer une fonction exponentielle sur de la matière humaine avait été un jeu d'enfant. Il fallait dire que l'effort avait été bien moindre qu'avec des nombres, la matière en question étant bien plus explosive que des chiffres. Son regard se fixa un moment sur le fleuve. Son esprit se laissa emporter par les vagues étincelantes filant vers l'embouchure au-delà des rapides. Il pensa à Nana Bakkali. Il aurait aimé être avec elle en ce moment. Ils se voyaient régulièrement mais, malgré son envie, le jeune homme n'avait pas encore envisagé de la revoir dans un autre cadre que professionnel. S'approprier des bribes de bonheur n'était pas encore entré dans ses mœurs. Il était indéniable que, en sa présence, Célio sentait comme une sorte d'apaisement qu'il ne ressentait que rarement. Etait-ce cette lueur désabusée et un peu espiègle dans son regard, qui faisait qu'elle n'avait jamais l'air de prendre au sérieux le poids de la vie, et que, du coup, cela agissait sur lui, rendait les choses plus légères ? Ou bien était-ce cette sûreté en elle qui exacerbait encore plus sa féminité ? Célio n'hésita plus. Il prit son portable et appela.

— Nana Bakkali, fit-elle après trois sonneries. Célio savoura l'effet de la voix suave sur sa moelle épinière.

— Célio Matemona.

— Tiens, monsieur le communicateur. Nos bureaux sont fermés, vous savez.

— Rassurez-vous, je ne vous appelle pas pour le travail.

— Ah ! cela vous arrive quand même de penser à autre chose ? Auriez-vous oublié vos ambitions, monsieur Matemona ? Célio se dit qu'elle ne changerait pas de sitôt. La taquinerie, c'était plus fort qu'elle.

— Pour l'instant, je les ai misées sur un coup de téléphone. Je vous appelle pour vous inviter à prendre un verre, ce soir. Cela vous dit ?

— Pourquoi pas, mais j'hésite. Vous me faites peur, monsieur Matemona.

— Peur, vous, allons donc ! Mais de quoi ?

— Si je pense aux dégâts que vous avez occasionnés à Kinshasa, ces jours-ci, je ne peux vous considérer que comme extrêmement dangereux.

— Avec votre complicité, ne l'oubliez pas.

— Je n'ai été qu'un instrument entre vos mains, vous êtes redoutable, vous savez. Elle aimait s'amuser à le séduire, mais pour une raison insensée, Célio était persuadé qu'elle ne se comportait comme cela qu'avec lui. Quelque chose d'impalpable semblait les lier l'un à l'autre. Leur âge ? Leur détermination devant le travail ? Un effet de miroir, certainement.

— Justement, mademoiselle Bakkali, ne contrariez pas un homme redoutable et dangereux tel que moi et acceptez mon invitation. Elle rit.

— D'accord, donnez-moi le temps de rentrer chez moi me changer. Rappelez-moi en début

de soirée et on se rejoint quelque part. A plus !
Elle coupa la communication. Le silence qui
suivit était ponctué des battements de cœur de
Célio. Sensation bien agréable, se dit-il. Elle
avait accepté son invitation avec enthousiasme
mais il y avait toujours cette ironie dont elle
teintait ses propos dès qu'il était question de
son boulot. Célio balaya le bémol et se dit qu'il
avait du temps à perdre avant son rendez-vous.
Pourquoi n'irait-il pas visiter le père Lolos ?

— Entrez ! Célio venait de frapper à la porte
de Tshilombo. En collaborateur respectueux, il
tenait à le saluer avant de partir et il avait encore
des documents à lui présenter. Celui-ci était assis
derrière son bureau, en manches de chemise.
Angèle, la secrétaire, assise en face de lui, finissait de prendre des instructions.

— Vous êtes sur le départ, Matemona ?

— Oui, boss. J'avais ces quelques documents
à vous montrer, dit Célio en posant quelques
feuillets sur le bureau.

— Merci, Angèle. Laissez-nous, voulez-vous ?
Je crois que nous avons terminé. Vous pouvez
aller, à demain.

— Merci, monsieur, dit la secrétaire en se
levant, esquissant presque une révérence.

— Asseyez-vous deux minutes, Célio, dit
Tshilombo en lui désignant un siège. Il remonta
de l'index la monture de ses lunettes, prit du
recul dans son fauteuil comme pour mieux évaluer une idée.

— Je suis la presse et la rumeur de très près
ces jours-ci et je crois que nous pouvons être
satisfaits du résultat de notre opération. Je crois
que les effets s'en ressentiront pendant quelque
temps encore. La population balance dans le doute,
mais globalement, l'opinion en ce qui concerne

notre conduite du pays est en train d'évoluer. Je voudrais que vous me prépariez un rapport sur la situation. Que vous examiniez la progression de cette sorte de réaction en chaîne, comme vous l'appelez. Prenez votre temps, faites cela au jour le jour. J'attends une évaluation, disons dans deux, trois semaines ?

— Aucun problème, monsieur le directeur. J'ai tous les éléments pour pouvoir analyser la situation. Pour l'instant, nous assistons à quelque chose qui ressemble à la phase de retombée du champignon atomique, laissons faire les choses naturellement. La population a subi l'attaque des neutrons de plein fouet, elle ne peut que pencher en notre faveur.

— Je suis d'accord avec vous, mais vous la connaissez, Célio, et vous savez bien à quel point elle peut être imprévisible. Assez de discours pour aujourd'hui. Vous pouvez aller, je ferme la maison. A demain, dit-il en tendant une main franche. Célio se leva, salua son patron et sortit.

Resté seul, en rangeant quelques documents sur son bureau, Tshilombo essaya d'imaginer l'effet des retombées d'un champignon atomique sur les gens. Dans l'immédiat, se dit-il, surtout après la déflagration nucléaire, ils ne devraient certainement pas ressentir grand-chose ou alors, juste, peut-être, une hausse de la température de l'air ou, à la rigueur, un léger picotement en cas de pluie acide. Les Kinois seraient-ils plus sensibles que le commun des mortels pour ce qui concerne la perception des neutrons ? Rien n'était moins sûr, conclut Tshilombo en suivant à la lettre le protocole de mise hors tension de son ordinateur.

Il avait fallu un peu plus de deux secondes au père Lolos pour reconnaître Célio en ce jeune homme élégant qui avait débarqué un peu plus tôt au séminaire Jean-XXIII. Ioanidès Lolos était toujours heureux de revoir son protégé. A en juger par son allure, sa situation semblait avoir brusquement évolué. Le vieux prêtre avait remarqué le changement, extérieur d'abord. Célio avait perdu ce physique un peu trop sec entretenu par la précarité constante. Sa peau s'était lissée, le teint moins souvent exposé à l'impitoyable soleil était devenu moins brillant, plus mat. Ses traits étaient détendus par la réussite. Son visage avait perdu son aspect anguleux, les angles étaient adoucis par le bien-être. Il était, comme il en avait pris l'habitude, vêtu avec élégance et discrétion d'un costume sombre en lin.

— Enfin ! pensa Lolos, il était temps. Le petit semblait avoir pris son envol. Lolos avait un moment presque désespéré. A trente ans maintenant, Célio n'arrivait pas à trouver sa voie. Le prêtre savait qu'il n'était pas simple pour un jeune de percer, surtout pour quelqu'un comme lui, qui n'avait aucune famille, aucun soutien. Un curé ne pouvait pas grand-chose pour lui dans les domaines susceptibles de l'intéresser. Car le jeune homme, jusqu'ici, n'avait pu se résoudre à accepter n'importe quel emploi. Evidemment, en cherchant bien, il aurait toujours pu se dégoter un travail de gratte-papier dans une entreprise ou un ministère quelconque mais le niveau des salaires et son tempérament l'en avait dissuadé jusqu'à présent, et il avait préféré faire du démarchage philanthropique et vivre de petites transactions au sein du "maquis". Célio préférait sa liberté même si celle-ci ne nourrissait pas vraiment son homme.

Il avait trouvé le père Lolos attablé sur la véranda au bord du jardin intérieur. Le prêtre était seul, occupé à corriger une pile d'épreuves.

— Comment vas-tu, Célio ? Content de te voir. Assieds-toi. Tu bois quelque chose ?

— Volontiers. Des bouteilles de limonade et quelques verres étaient posés sur un plateau. Lolos lui servit une boisson glacée.

— A ta santé ! Tu as trouvé du travail, on dirait. Célio sourit. Cela faisait quelque temps qu'ils ne s'étaient pas vus. Le jeune homme lui relata brièvement les derniers rebondissements de sa vie. Sa rencontre avec Tshilombo, son intégration au bureau Information et Plans, un département dépendant de la présidence de la République. Le vieux prêtre fronça les sourcils

— A la présidence, tu dis ?

— Je travaille dans la communication, répondit-il, laconique.

— Communication, c'est vite dit. A part le mensonge, de quelle communication les gens du président sont-ils capables ?

— Ne vois pas tout en noir, mon père. Je sais ce que je fais. Pour l'instant, j'ai besoin de gagner ma vie et de m'épanouir enfin professionnellement. Je ne peux pas me permettre de rater cette occasion unique. J'y ai beaucoup réfléchi, mentit-il.

— J'espère que tu sais ce que tu fais. Ne crois pas que tu ressortiras intact de cette expérience, Célio. J'espère seulement que tu pourras te préserver. Buvons à ta force de caractère, ajouta Lolos en levant son verre.

De toute façon, il ne pouvait que laisser aller les choses. Lui-même ne pouvait rien pour Célio à ce niveau. La jeunesse n'était pas une période facile. Il est vrai que les vents qui conduisent le destin sont parfois insaisissables. Le prêtre était bien placé pour le savoir. Qui aurait pu prédire que Ioanidès Lolos, le fils de Dimitrios Lolos, anticlérical par conviction, irait un jour prononcer des vœux de fidélité à une congrégation belge ? Personne. Mais la situation qui prévalait à la fin de la guerre en Grèce et partout en Europe avait fait que sa famille était allée chercher refuge en Belgique où, bien plus tard, au désespoir de son père, Ioanidès Lolos, un jour d'égarement, par dépit amoureux, était entré au séminaire à l'âge de vingt ans.

Après le séminaire, il choisit la voie missionnaire. Il voulait voir le monde et on l'envoya au Congo où, en effet, il eut le loisir de se confronter aux doutes et aux souffrances des gens, mais aussi à l'émerveillement au contact de ceux-ci. Il tomba tout simplement amoureux du pays. Et, comme dans tout grand amour, il y était attaché pour le meilleur et pour le pire. Au cours de toutes ces années, il avait côtoyé l'un et l'autre, mais jamais il ne pourrait se résoudre à quitter cette terre qui était devenue la sienne, envers et contre tout, quoi qu'il advienne.

La nuit était déjà tombée lorsque Célio quitta le père Lolos. Le quartier de Bandalungwa où habitait Nana n'était pas loin. Il l'appela pour lui dire de le rejoindre, puis prit un taxi collectif. Ils se retrouvèrent dans un *nganda*[1] près de chez elle. L'endroit était un jardin en plein air, à l'arrière d'une villa privée, où étaient éparpillées des tables basses, occupées par des couples. Une musique afro-cubaine formait un fond sonore assez fort, mais permettait la conversation. La

1. Débit de boisson informel.

voix chaude d'Ibrahim Ferrer incitait même à la confidence. Les femmes présentes étaient belles mais Nana était la plus resplendissante de toutes. Elle était détendue ce soir et portait un large boubou bleu électrique, surmonté d'un turban du même tissu, qu'elle avait noué de façon faussement négligée sur la tête. Les jeunes gens étaient attablés devant des limonades. Comme amuse-gueule, on leur avait servi de la chèvre grillée et des morceaux de foie frits aux échalotes.

— Je me demande ce qui a bien pu vous décider à m'inviter ce soir ? La question prit Célio au dépourvu. Elle avait l'air sérieuse, mais des paillettes brillaient dans ses yeux, comme toujours.

— Pourquoi ? Je n'aurais pas dû ?

— Au contraire, monsieur Matemona ! Au contraire, je l'espérais. Mais je me demandais seulement quand vous parviendriez à franchir le pas.

— Je serais trop timide, d'après vous ?

— Un peu. Vous devriez vous laisser aller davantage. Une chose dont je suis sûre, c'est que si vous avez voulu me voir aujourd'hui, c'est que vous aviez des choses à me dire. Célio était un peu décontenancé de la tournure que prenait leur dialogue. Que pouvait-il lui dire ? Qu'elle lui plaisait énormément, mais qu'il ne savait pas vraiment pourquoi ?

— Oui, peut-être, admit Célio. Je pourrais par exemple vous dire que j'aime votre compagnie. En dehors de cela, j'ai déjà pu apprécier votre travail et cela a été un réel plaisir de collaborer avec vous.

— Je n'accomplissais que ma tâche, je n'ai aucun mérite.

— Peut-être, mais se retrouver responsable d'un département à la Télévision Nationale, si jeune, je ne sais pas, mais vous devez être assez exceptionnelle, non ?

— Détrompez vous, monsieur Matemona. Je vous l'ai dit : je n'ai aucun mérite. J'ai simplement un papa bien placé qui veille aux intérêts de sa fille. Ce n'est pas plus compliqué que cela. L'ambiance dans le jardin était à la gaieté. Les couples disséminés plaisantaient et riaient. La nuit promettait des moments agréables.

— Je vous l'avais dit que vous aviez encore trop de barrières en vous, poursuivit Nana, vous n'êtes qu'un rêveur, jeune homme. Que croyez-vous ? Que mes capacités seules m'auraient hissée à la tête de la régie publicitaire ? Quelle candeur ! Nous n'en sommes pas encore là, monsieur Matemona. Etre femme et jeune de surcroît n'a jamais été un préjugé favorable dans la société actuelle. Et, croyez-moi, je n'éprouve aucun remords à me retrouver à ce poste à la place d'un autre, même si je le dois à des faveurs. Ouvrez les yeux et regardez comment tourne ce monde. Les rapports de forces sont souvent le seul critère qui prévaut dans les mécanismes qui nous gouvernent. Mon patron ne peut pas se permettre de refuser quoi que ce soit à mon père. C'est comme cela que presque tout fonctionne. Prenez les choses comme elles viennent et regardez la réalité en face, vous vous en sentirez mieux, je vous assure.

— C'est ce que je compte faire. Du moins ce soir, répliqua Célio.

— Je l'espère bien. Mais ne me dites pas que vous m'avez invitée uniquement pour me parler de travail encore une fois ? Parlez-moi plutôt de vous. Qui êtes-vous, réellement ? Célio aurait pu lui dire qu'il venait de loin, qu'il savait ce dont elle parlait et que, c'est vrai, les mêmes règles régissaient les événements depuis la nuit des temps et qu'en tant qu'adepte des mathématiques, il était bien placé pour le savoir. Mais, ce soir, il ne voulait pas être pompeux. Les discours métaphysiques, il les réservait pour plus tard.

— Vous avez quelqu'un dans votre vie ? demanda Célio.

— Une femme charmante telle que moi, ce serait faire preuve de malchance que de n'avoir personne. Non, rassurez-vous, rien de sérieux. Je vous attendais, ajouta-t-elle avec un sourire malicieux. Célio se troubla. Décidément, elle possédait l'art de le désarçonner. Il ne contrôlait pas vraiment la situation. Se raccrochant au souhait de la jeune femme, il commença à parler de lui. Pour pouvoir se situer aussi, il y alla doucement. Il tenta de lui expliquer ses conditions de vie après ses études, avant qu'il ne travaille au Bureau. Il évoqua son arrivée à Kinshasa, sa solitude, mais il n'alla pas en amont. Il l'entretint de l'ambition qui l'avait aidé à garder espoir quoi qu'il arrive. De fil en aiguille, elle aussi se révéla. Célio découvrit une femme sensible, friande de la vie, de laquelle il aurait du mal à se séparer lorsque le moment viendrait, plus tard dans la soirée. Il la raccompagna bien après minuit. En la quittant, devant chez elle, son cœur commença à égrener un compte à rebours qui ne s'arrêterait, il le ressentait profondément, que la prochaine fois où il entendrait sa voix au téléphone.

VI

LES COEFFICIENTS DU CHAOS

Gonzague Tshilombo referma le mince dossier, constitué de quelques feuillets, avec un geste de rage.

— Processus électoral, processus électoral. Ils n'ont que ces mots à la bouche. Qu'ils aillent se faire voir avec leur processus électoral ! La colère rendait l'air conditionné presque obsolète. Tshilombo avait des bouffées de chaleur rien qu'en évoquant les mots funestes. Le document devant lui était un mémo émanant de la présidence qui relatait les rapports tendus entre le pays et le monde extérieur, c'est-à-dire les Etats-Unis, l'Union européenne, Amnesty International, l'Amicale des mères porteuses du Limousin et on en passe. On condamnait de toutes parts. Il fallait démocratiser à tout prix, arriver à des élections, en finir avec la brutalité. Le président lui avait fait parvenir ce rapport, non pas qu'il revînt à Tshilombo d'initier une réelle démocratie, mais il lui était suggéré en tout cas de parer au plus pressé, c'est-à-dire gagner du temps. Le chef de l'Etat était en train de négocier des choses très importantes en coulisse et il avait besoin de ce temps. Et la tâche était tout à fait dans les cordes du bureau Information et Plans. Tshilombo n'eut pas loisir d'en penser davantage parce que la porte de son bureau s'ouvrit sans prévenir et

Mme Tshilombo Odia fit une apparition éclatante, suivie de Kapinga et d'Angèle, la secrétaire, un peu confuse. Comme d'habitude, Odia était vêtue avec une extrême élégance d'un pagne, bien serré, jaune, à ramages d'un jaune plus clair. Aux pieds elle portait des escarpins Maud Frizon, jaunes, également. L'or, sur elle, jetait des feux éblouissants. Dès son entrée au Bureau, sa présence avait semé le trouble au sein du personnel, chauffeurs, gardes du corps, etc. En quelques secondes, elle s'était débarrassée d'une liasse de billets, pareille à la déesse de l'abondance.

— Bonjour, mon chéri, je suis venu te faire une surprise, dit-elle, après qu'Angèle eut refermé la porte derrière elles. ▮

— Mais c'est très bien, bredouilla Tshilombo, en se levant pour accueillir ses hôtes. Il était toujours très impressionné par son épouse et la surprise lui était agréable en effet mais son œil, malgré lui, dévia vers la jeune Kapinga qui, comme d'habitude, arborait un air d'indifférence totale à ce qui se passait autour d'elle.

— Bonjour, *semeki*, dit-elle néanmoins.

— Bonjour, Kapinga. Tshilombo leur indiqua un canapé et un fauteuil qui formaient un petit salon dans le bureau. Il commanda par l'interphone quelques boissons rafraîchissantes.

— Chéri, je dois voyager. Je dois aller à Mascate, à Oman, pour quelques jours, commander des congélateurs et des climatiseurs. Tu sais, Zouher, ce Syrien qui m'a appelée l'autre jour, il m'attend là-bas. C'est une commande importante, je dois absolument être sur place. Tshilombo écouta sans sourciller, malgré un léger pincement au cœur. D'un côté, dans son esprit, tout de suite avait germé un scénario d'amant ténébreux la rejoignant là-bas, dans un hôtel au décor des *Mille et Une Nuits* et, d'un autre côté, il y avait son incapacité à refuser quoi que ce soit à sa femme. Incapable de résister à son charme, il ne savait quoi lui dire pour l'empêcher de partir. Tshilombo avait l'habitude d'orchestrer ce genre de dilemme. Il attendit la suite.

— Tu pourrais m'arranger le passeport et le visa ? J'en ai besoin le plus vite possible. Je voudrais partir dans quelques semaines. Evidemment qu'il ferait cela. Il n'avait qu'à envoyer un membre du service du protocole de la présidence et la chose serait réglée.

Les boycotts successifs et l'ostracisme subi par le pays depuis des années avaient complètement bouleversé les relations commerciales. Celles-ci s'étaient désormais développées vers l'Est et non plus vers le Nord comme auparavant. Plutôt vers les Emirats arabes, par-delà l'océan Indien, vers l'Extrême-Orient, la Chine. Vers des pays qui ne faisaient pas de chichis avec leurs visas. La méfiance vis-à-vis du Nord et les marges bénéficiaires beaucoup plus conséquentes étaient devenues des faits tangibles et Tshilombo n'y pouvait rien. Si sa femme devait aller à Mascate, qu'elle aille à Mascate. Il mettrait sa jalousie sous le boisseau si c'était le prix qu'il devait payer, lui, Gonzague Tshilombo, pour qu'elle puisse aller voir ce, qui déjà ? ce Zouher, qu'elle le fasse. Si les affaires, c'était de rencontrer des types avec des belles gueules exotiques, genre prince du désert, eh bien tant pis !

La jeune Kapinga, assise, droite sur son fauteuil avait l'air de s'ennuyer superbement. Angèle entra, tenant un plateau chargé de bouteilles de limonade glacée et de verres. La chaleur audehors, comme d'habitude, était accablante. La secrétaire servit et s'éclipsa. Les boissons pétillantes chantaient dans les verres. Kapinga, le buste revêtu d'un sage chemisier blanc, les genoux serrés dans une jupe moulante bleu marine, buvait en tenant son verre à la verticale, par petites gorgées, tel un colibri. Tshilombo évitait de la regarder. Après la jalousie et la résignation, son esprit versatile avait tout de suite saisi qu'il resterait seul avec sa cousine par alliance pendant plusieurs jours. Une question lui brûla les lèvres.

— Combien de temps pars-tu ?

— Une semaine ou deux ? Il ne m'en faudra pas plus. Mais je te reviendrai le plus vite possible, mon chéri. Dès que j'aurai fini mes trucs.

— Pas de problème, fais comme tu veux, se résigna-t-il

— Prends-moi quand même un visa d'un mois, on ne sait jamais

Odia et Kapinga lui tinrent compagnie encore quelque minutes après s'être désaltérées puis partirent en abandonnant un nuage de parfum capiteux qui laissa Tshilombo confus.

— Célio, vous pouvez venir, s'il vous plaît. En retirant son doigt de l'interphone, Tshilombo récupéra son calme.

— Boss ? Célio était déjà là.

— Vous aimez le croco ? Le jeune homme n'eut pas le loisir de répondre. Laissez tomber un peu le boulot, je vous invite à manger.

Ils se retrouvèrent sous une immense paillote au toit de chaume qui abritait un des restaurants les plus raffinés de Kinshasa, le "Inzia". Tshilombo avait eu raison d'y emmener Célio : les mets étaient délicats, l'atmosphère agréable. Le maître d'hôtel, aussi empressé que discret, et connaissant ses clients, les avait placés à une bonne table, un peu à l'écart. Une musique typique jouait en sourdine. Des plantes vertes disposées un peu partout garantissaient la fraîcheur du lieu. L'endroit était propice pour parler et réfléchir sereinement.

— Lisez ceci. Tshilombo tendit à Célio le mémo de la présidence sur les impatiences de la communauté internationale en matière de démocratie. Pendant que Célio lisait en diagonale, le maître d'hôtel apporta une bouteille d'un chardonnay maturé sur les coteaux d'Afrique du Sud, dans la région du Cap. Le vin glacé à point désaltérait merveilleusement.

Célio, préoccupé par ce qu'il lisait, avait les sourcils froncés. Tshilombo dégustait le délicat breuvage. Après un moment, le jeune homme déposa le document sur la table.

— Qu'est-ce que vous en pensez ? questionna Tshilombo

— Cela semble clair. Le monde veut une évolution en ce qui concerne les droits de l'homme. Ce n'est pas une première, à ce que je sache.

— Oui, mais la situation est différente. Nous devrons peut-être bientôt affronter des échéances électorales. Vous ne vous rendez pas compte, Célio. Nous subissons chaque jour des pressions énormes. La Commission des droits de l'homme de l'ONU doit se réunir dans moins d'un mois à Genève. Ils devraient discuter d'un rapport présenté par la France sur la torture et les détentions arbitraires dans le pays. C'est très mal venu pour l'instant. Le président est en pleine négociation avec le gouvernement américain et un groupe de financiers pour un prêt à verser directement dans le budget de l'Etat. Cette Commission tombe très mal. D'autant plus que les Français, évincés dernièrement d'un contrat portant sur le pétrole des gisements off-shore au large de Moanda, seront certainement très virulents. Le président a besoin de cet argent. Les bailleurs de fonds nous ont fuis depuis longtemps. Tout cela donne du carburant aux troubles sociaux de toutes sortes. Comment voulez-vous démocratiser dans ces conditions ? Le pays est devenu comme un bateau qui fait eau de toutes parts. Rendez-vous compte que nous sommes mis au ban des nations, Célio. Le jeune homme comprenait parfaitement. Pas évident de s'en sortir. A moins de considérer le problème sous un éclairage neuf :

$$x = -y$$

x, c'est eux = $-y$, c'est nous

Ce n'était qu'une vague idée, une vulgaire opération sans véritable portée, mais Célio continua son raisonnement. Etre x positif ou y négatif était-il un état permanent lorsqu'on avait su déterminer le coefficient adéquat avec lequel multiplier x ou y ? Tshilombo continuait à exposer son amertume.

— Toujours là à donner des leçons. Pourtant les Occidentaux ont bien bâti leur puissance sur l'oppression du monde, eux ! Combien de peuples n'ont-ils pas dû opprimer et massacrer avant d'asseoir leur soi-disant démocratie ? On ne bâtit pas sur rien, Célio. Ils le savent pourtant bien. Il y a un prix à payer pour tout. Qu'on nous laisse un peu de temps, bon Dieu ! Le chardonnay rendait Tshilombo bavard. On servit un morceau de la patte avant d'un caïman adulte, accompagné d'une sauce à la pulpe de noix de palme, aromatisée de ngaï-ngaï, un genre d'oseille tropicale. La viande blanche et délicate, pareille à la chair du homard, dégageait un fumet délicieux. Ils l'accompagnèrent de *lituma*, de la banane plantain verte pilée avec quelques gouttes d'huile de palme, le tout enrobé du vin sud-africain. L'instant était rare. Ils dégustèrent un moment avant que Célio ne rompe la longue séquence de cliquetis des couverts.

— Vous savez, boss, tout ça c'est une question d'image. Pour l'instant, la nôtre est négative, je vous le concède, mais si nous ne pouvons pas la changer d'un coup de baguette magique, nous pouvons par contre examiner celle du contradicteur et peut-être influer sur celle-ci afin qu'elle aussi devienne merdique, si pas pire. Moyennant une petite opération mathématique, la chose est tout à fait possible. Tshilombo faillit avaler sa bouchée de travers. Que racontait-il encore ?

— Que voulez-vous dire par "opération mathématique" ?

— C'est juste une idée, boss. Je disais qu'en ce qui concerne l'image, chacun de nous en possède une et cette image varie selon les circonstances de la vie. Aujourd'hui, la nôtre est moche ? Celle du voisin est plus belle ou plus séduisante ? Pourquoi pas ? Mais rien n'empêche que cette image dont le voisin est si fier, cette image dont il tient tant à conserver l'intégrité, ne devienne un jour aussi exécrable que la nôtre, si pas pire. Du coup, qui aura par conséquent l'air plus fréquentable ? Et qui pourra à son tour donner des leçons et pontifier ? Le directeur du Bureau avait arrêté de manger, il écoutait Célio attentivement. Celui-ci poursuivit.

— Vous savez, les Arabes…

Tshilombo eut un coup de déprime passager en pensant à son épouse et à ce fils de pute de Zouher, là-bas, à Mascate. Il n'avait pas aimé l'air enjoué d'Odia lorsqu'elle avait parlé au Syrien, l'autre jour au téléphone.

— Oui, je les connais.

— Les Arabes, ils avaient tout compris. En mathématiques, ils ne concevaient pas les résultats négatifs. S'ils ont exploité le zéro, rien ne devait exister en deçà de celui-ci, c'est ainsi qu'à Bagdad sous le règne du grand calife Al-Mamun, le maître Muhammad ben Musa Al-Khuwarizmi a appliqué la transposition aux nombres et l'a appelée équation, afin que ce qui est négatif devienne positif et vice versa. Pour demeurer dans l'égalité. Et cela, à travers un tout petit processus, boss, tout petit.

— Transposer des événements en politique, cela doit être possible, non ? se demanda Tshilombo, tout haut. Il est vrai que son boulot à lui était, justement, d'influer, non sur les événements, du moins sur les informations les concernant, ce qui aux yeux de l'opinion publique revenait strictement au même. Tshilombo appréciait de plus en plus son repas, d'autant plus que son hôte avait des observations plutôt intéressantes.

— Nous allons sérieusement réfléchir à cette "transposition" dont vous parlez, reprit-il. En attendant, profitons de ces mets. Un peu de vin ? Ils terminèrent par des mangoustans à la chair sucrée et veloutée, suivis d'un café du Kivu. Célio raccompagna son patron jusqu'à sa voiture. Ils ne se verraient plus jusqu'au lendemain. Tshilombo avait décidé que le jeune homme en avait assez fait pour la journée. La Mercedes démarra et quitta le parking du restaurant.

— Adjudant Bamba !

— Hein ? L'adjudant Bamba Togbia, assis à l'arrière du 4 x 4 s'extrayait laborieusement d'un sommeil arrivé en phase profonde. Lorsqu'il ouvrit les yeux, il eut du mal à se situer. Par la fenêtre du véhicule, il capta le visage de Célio, mais de façon très floue. Il lui fallut quelques secondes pour que la mise au point automatique se fasse dans son cerveau. Le manque de sommeil avait complètement détraqué ses fonctions naturelles de veille. Une fois encore, depuis qu'il connaissait la malédiction de Mbuta Luidi, le sommeil l'avait surpris en pleine journée. Il avait de plus en plus tendance, surtout quand ce n'était pas possible, à s'abandonner à celui-ci, à se couler doucement dans ses bras cotonneux, à sentir ses paupières s'alourdir avec délice.

— A vos ordres, patron !

— Où est Landu ? demanda Célio

— Il ne doit pas être loin. Sûrement à papoter quelque part.

— Ce n'est rien, j'ai des amis à voir, je rentrerai par mes propres moyens. Vous pouvez aller, Bamba. A demain.

Célio sortit à son tour de l'enceinte du restaurant et se dirigea vers la parcelle où se trouvaient les "Etablissements Isemanga" et ses amis, à deux pas de là.

— Petit, *nasepeli lokola namoni yo boye. Mwana mobali basekaka ye te, soki akufi naïno te*[1]. Qui aurait cru qu'un jour on te verrait comme ça, sapé comme un ministre, avec de grandes responsabilités ? Petit, je te félicite. Ne regarde pas derrière, continue d'avancer, je te soutiens.

1. "Petit, je suis content de te voir ainsi. On ne rit pas d'un jeune homme s'il n'est pas encore mort." (Proverbe lingala.)

165

— Merci, vieux. Après la bénédiction impromptue de Vieux Isemanga, Célio salua ses amis qui l'accueillirent comme d'habitude, avec des bourrades et des cris. Les jumeaux se précipitèrent pour avoir l'honneur de porter sa mallette.

— Célio, *mobali ya* succès[1] !

— Célio, *nkolo makambo* parmi les *nkolo makambo*[2] ! C'était toujours ainsi. Ses amis devaient à chacune de ses apparitions lui signifier leur admiration en termes exagérés. Se préserver du culte de la personnalité en Afrique est assurément un exercice difficile. Célio balaya les éloges en offrant une tournée générale de brochettes de viande et de boissons diverses, à la grande satisfaction de tout le monde et de Vieux Isemanga en particulier.

— Célio, qu'est-ce que tu crois ? Le jeune homme se retourna et se trouva en présence de Sido. Cela faisait longtemps qu'il ne l'avait pas vue. Il se rendit compte aussi qu'il l'avait déjà oubliée.

— Comment vas-tu, Sido ?

— Tu me demandes comment je vais ? Qu'est-ce qui t'empêchait de venir me voir, tu sais où j'habite, non ? C'est là que tu squattais, il n'y a pas si longtemps. Tu ne t'en souviens plus ? Tu n'es qu'un "squiveur" ! Célio. Elle avait l'air plutôt énervée. La voix de velours, c'était fini. – Regardez-moi, ce type ! Parce que tu as réussi, tu penses que tu es devenu trop bien pour une femme comme moi ? Cela ne m'a pas empêchée de vivre. Je n'ai pas besoin d'un farceur comme toi. Tu n'es qu'un salaud, ne m'adresse plus jamais la parole !

1. Homme à succès.
2. "Patron des affaires parmi les patrons des affaires."

Les admirateurs de Célio intervinrent :

— *Tika biso makelele*[1], Sido ! Profites-en plutôt et bois un sucré avec nous, c'est Célio qui régale. Te fâche pas. Il était occupé avec le président mais il n'a pas arrêté de penser à toi.

— J'ai rien à foutre ni du président, ni de l'argent de Célio, j'ai le mien. Le vieux, donne-moi deux brochettes. J'espère que vous allez vous étrangler avec les vôtres ! ajouta-t-elle gratuitement. En traitant le jeune homme d'esquiveur, Sido exagérait peut-être un peu, parce qu'en général, l'esquiveur est si élégant dans son geste, qu'il est même applaudi par ses détracteurs. On n'était manifestement pas dans ce cas de figure. Néanmoins, comme ces personnages tant vilipendés, Célio accepta son forfait oratoire avec un haussement d'épaules faussement désinvolte.

Pendant que Vieux Isemanga emballait les brochettes, les jeunes gens péroraient sur l'incompréhension des femmes face à l'ascension de l'homme. Après que Sido était partie, ils continuèrent à médire de la gent féminine. Ils parlèrent de toutes celles qui les avaient fait souffrir mais aussi de celles qui, avec abnégation, comprenaient tout, mais qui au dernier moment ruaient dans les brancards juste avant de se barrer. De toute façon, elles étaient toujours punies en se retrouvant nulle part ou pire, dans les bras d'un individu qui, évidemment, ne leur arriverait jamais à la cheville en termes de sensibilité et de performances sexuelles. En évoquant de chimériques vengeances, ils en arrivèrent à parler de celle dont on avait découvert le cadavre mutilé dans un hôtel sordide de Bumbu. Il devait y avoir un homme éconduit derrière ces crimes, estimèrent-ils. D'ailleurs, un

1. "Arrête de faire du bruit."

"homme à la haute stature" était recherché. Tout cela, c'était le gouvernement qui voulait terroriser la population, prétendit le petit Amisi, qui passait par hasard et qui n'y connaissait rien.

— Mais non, dit Richard le Bourgeois, le gouvernement a d'autres méthodes pour terroriser, demandez à Célio, lui, il connaît.

— Comme tu dis, on utilise d'autres méthodes, le satisfit Célio

— Mais, c'est quoi exactement, ton boulot ? demanda Trickson.

— J'analyse des informations, répondit-il vaguement.

— Mais alors, fit Face ya Yézu, pourquoi vous, les gens du gouvernement, qui passez des heures à analyser des choses, ne pouvez rien contrôler, sauf nous, et encore.

— Trop de paramètres, les mecs !

— Des paramètres, on en a tous des paramètres à gérer.

— Des paramètres intérieurs et extérieurs, ajouta Célio, ne voulant pas s'étendre.

— Quel extérieur ?

— Les Occidentaux. Ils sont très forts, vous savez.

— Ils sont forts parce que vous avez des complexes, intervint Vieux Isemanga. Vous manquez de *piscologie* c'est tout. Le Blanc ? C'est tout ce qu'il comprend. Tenez, nous, pendant la guerre 1940-1945…

— Le vieux va encore exagérer, fit remarquer à mi-voix Richard le Bourgeois, connaissant le vieux et ses théories à la noix. Les jeunes trouvaient ses idées suspectes, mais le droit d'aînesse étant ce qu'il était, ils devaient l'écouter et de préférence avec le respect voulu.

— Petits, nous, en 1940 avec les Hitlers devant nous, on ne rigolait pas. On savait que les types

étaient méchants, alors on avait décidé de devenir encore plus méchants qu'eux. Notre problème, pendant les combats, était de faire trois
prisonniers. Pourquoi, trois ? Parce que, petits, on
commençait par torturer le premier en présence
des deux autres. Ensuite, on le tuait méchamment,
et on en faisait manger un bout au second, qu'on
torturait et qu'on tuait ensuite, toujours en présence du dernier qu'on renvoyait dans ses lignes
pour qu'il aille raconter à ses compatriotes ce
qu'il avait vu chez les Congolais de la force
publique. Résultat, quand les Hitlers se trouvaient face à nous dans les combats, c'était tout
de suite la panique puis la débandade. Petits !
Nous, on faisait la guerre *piscologique*. Avec les
Blancs, il faut frapper fort. Frapper fort, ou rien.
La *piscologie* ou rien du tout ! Evidemment, les
propos de Vieux Isemanga en scandalisèrent
plus d'un.

— Vieux, vous étiez mystiques[1] ! Et la Con-
vention de Genève alors ? se hasarda Sera Sera, le
jeune homme de confiance, qui était un garçon
sensible.

— Vous et vos oncles, les Belges, vous ne res-
pectiez rien ou quoi ? Quelle génération ! renchérit Trickson.

— Petit, pour certaines choses, il faut parfois
utiliser les grands moyens. Sans cela, tu crois que
les Belges avec leur façon de se battre pouvaient
se payer la moindre victoire ? Saïo[2], c'était nous.
Tabora[3], c'était encore nous.

1. "Bizarres", "suspects" (langage populaire).
2. Bataille décisive qui vit la défaite des Italiens en
Abyssinie. Saïo tombe le 3 juillet 1941.
3. Le 19 septembre 1916, la ville de Tabora, où se trouvait
le centre de résistance allemand en Afrique de l'Est, tombe
sous l'offensive des troupes congolaises.

— Et alors, cela vous a servi à quoi ? insista Richard le Bourgeois. Est-ce qu'ils vous ont jamais témoigné la moindre reconnaissance ?

— Rien, petits ! Se lamenta Vieux Isemanga. On a versé notre sang pour rien. Cela fait plus de cinquante ans qu'on attend une hypothétique pension d'ancien combattant. Peut-être qu'on aurait dû les abandonner à leur sort ? se demanda-t-il un peu tardivement.

— Vieux, intervint Trickson, mets-leur la pression psychologique et peut-être qu'ils vont finir par cracher. Et l'assemblée de s'esclaffer.

— Bande d'ignorants. Est-ce que vous auriez été capables de faire comme on a fait ? invectiva le vieux. Qu'est-ce que vous connaissez de la *piscologie* des Blancs ? Après ces hautes considérations dans le domaine des sciences humaines, Célio se leva, récupéra sa mallette puis paya sa commande.

— Tu peux garder la monnaie, Vieux.

— Tout fait nombre, petit, remercia Isemanga.

Célio les quitta, et rentra à pied chez lui. Une petite promenade ne lui fit pas de mal. Il avait encore à réfléchir. Donc la communauté internationale s'était liguée contre le pays. "Donnez-moi un levier, un appui et je soulèverai le monde", avait dit un fou. C'est bien ce que Célio comptait faire. Dès ce soir, imaginer un levier et trouver un appui afin d'ébranler un tout petit peu la terre.

Célio s'était réveillé en pleine forme ce matin-là. Ses cogitations de la nuit lui avaient fait entrevoir une possible solution à leurs problèmes. Il était pressé d'exposer à Tshilombo ce que les équations lui avaient inspiré. Il croyait avoir trouvé un levier et l'appui qui allait avec. Pas de quoi faire basculer le globe terrestre, mais assez pour lui imprimer un mouvement, suffisant tout de même, pour déséquilibrer certains sur sa surface. En arrivant au Bureau, il sollicita une entrevue avec le patron. Il fut reçu tout de suite. Il expliqua sa théorie.

— Boss, j'ai réfléchi sur cette transposition dont nous parlions, il y a peu. Supposons que la France soit un nombre x. Que le coefficient de ce x soit pour l'instant positif. Nous pourrions rendre ce coefficient négatif grâce à un incident quelconque que nous pourrions utiliser ensuite pour faire pression.

— Un incident, un incident, c'est vite dit, objecta Tshilombo. Provoquer un incident diplomatique sans raison, vous n'y pensez pas !

— Je pensais plutôt à un événement anodin en apparence qui deviendrait très vite une sale affaire, ici même, sur le territoire.

— Une affaire d'espionnage ? C'est démodé, Célio. Ça ne marche plus. Et puis, que voulez-vous espionner dans ce pays ? Il suffit d'aller sur le Net pour trouver les cartes détaillées de nos grandes villes dressées par la CIA, sans oublier les satellites qui nous scrutent en permanence.

— Non, boss, je ne pensais pas à de l'espionnage, je pensais à pire que ça. Je songeais plutôt à les accuser de déstabilisation.

— Mais enfin, les Français n'ont pas l'intention de déstabiliser quoi que ce soit ici, Célio. Enfin, pas aux dernières nouvelles, ajouta-t-il, inquiet.

— Il ne s'agit pas de plans, boss. Il s'agit de la découverte par nos services d'une action en cours.

— Une action en cours ?

— Parfaitement. Une action commanditée par la France, et mise en œuvre par des ressortissants français dans le cadre d'une vaste opération de déstabilisation. Du terrorisme, quoi.

— C'est grave ce que vous dites là. Des preuves, Célio. Que faites-vous des preuves ?

— Les preuves ? Ce sont des documents, des armes et, un Français. Et comme cerise sur le gâteau, les aveux circonstanciés de ce Français devant les médias.

— Et comment allez-vous vous y prendre pour réaliser tout cela ?

— En ce qui concerne les documents et les armes, ce ne sera pas un problème. Pour le Français, il suffira qu'il corresponde à un certain profil. Il y en assez qui débarquent à Kinshasa pour affaires, ne connaissant rien à l'Afrique, sauf qu'elle est sauvage et cruelle. Pour une fois, ces préjugés vont servir en notre faveur. Quant aux aveux, je pensais à un environnement psychologique adéquat et à l'adjudant Bamba.

Tshilombo commençait presque à éprouver de l'admiration pour le jeune homme. Il avait de l'audace, le petit. Pour l'instant, son plan ne ressemblait à rien mais en peaufinant un peu… C'est vrai que de nos jours, il suffisait de prendre des éléments disparates, de les nommer et de les montrer au public à grand renfort de commentaires pour créer l'illusion. Dans une société asservie par l'image, ce qu'elle représentait était supérieur même à la vérité. Que pouvait Tshilombo devant tant de perte de valeurs, sinon en saisir l'opportunité ? Il adhéra à l'idée.

— Donc, on compromet des Français sur le territoire et on crée le super-incident diplomatique, juste avant la réunion de la Commission des droits de l'homme à Genève. C'est bien, ça ?

— Pourquoi "des" Français, quand un seul suffit ? Un seul, isolé. Pas besoin de recoupements ou de confrontations, dans ce cas.

— Vous voulez dire, mettre la France en assez mauvaise posture pour l'empêcher d'être encore virulente à la Commission et peut-être même susciter une interpellation à l'ONU de notre part ?

— Tout à fait, répondit Célio, la gêner dans ses mouvements. Les Français auront tellement à faire pour se dépatouiller des accusations de tentative de coup d'Etat et de terrorisme, qu'à la Commission ils auront plutôt intérêt à faire profil bas. Il faut que leur ordre du jour soit mis en difficulté.

— Pas bête, Célio. Tshilombo poursuivit : il faudra surveiller les mouvements de tout ressortissant français entrant dans le pays. On tombera bien sur quelqu'un au profil cadrant avec le terroriste-type. De toute façon, dans le domaine du coup d'Etat et de la déstabilisation, la réputation des Français n'est plus à faire. Célio, occupez-vous-en personnellement. Vous pouvez vous appuyer sur toute l'équipe, pour surveiller les mouvements à l'aéroport de N'jili, au Beach N'gobila et au port de Matadi. Tenez-moi au courant. Je veux un rapport quotidien, parce que, au moment voulu, il faudra improviser. Mais cela ne devrait pas poser trop de problèmes. Ne sommes-nous pas des virtuoses ? Mon cher, préparez-vous à interpréter une pièce magistrale devant un parterre difficile : la communauté internationale.

Le bureau Information et Plans tout entier se mit au service de la machine à créer le fantasme. On contacta tous les départements ministériels, services publics ou privés, pouvant être concernés par l'opération. On éplucha toutes les demandes de visa émanant de ressortissants français, pour rechercher le détail suspect qui enclencherait l'affaire. On devint plus pointilleux à l'aéroport de N'djili. Le fret provenant de Paris fut examiné avec attention. Tous les transitaires en douane de la ville furent contactés sans exception. Des listes de conteneurs furent décryptées avec soin, à l'affût de la moindre marchandise à laquelle on aurait pu attribuer une destination militaire. Au Beach N'gobila, à la frontière avec Brazzaville, des hommes furent envoyés en renfort pour mieux scruter le profil des Blancs. Le faciès était désormais le critère. Au port de Matadi, toute cargaison estampillée "made in France" devint louche. Des hommes et des femmes travaillaient sans relâche. Les communications internationales étant déjà sur écoute, le mot-clé désormais était le mot "France". Un appartement, au deuxième étage, en face de l'ambassade du même nom, ayant déjà servi à de basses besognes auparavant, devint quasiment une annexe du Bureau. Le mot d'ordre était discrètement lancé, "Sus aux Français !" Et la date de la réunion de la Commission des droits de l'homme à Genève approchait inexorablement.

Bamba Togbia, garé à même le tarmac de l'aéroport de N'jili, essayait difficilement de garder les yeux ouverts. La vaste étendue de béton renvoyait, tous azimuts, les rayons de soleil qui venaient péniblement se réverbérer contre ses pupilles oppressées. Bamba avait simplement choisi d'être là aujourd'hui. On était samedi et il n'avait rien trouvé de mieux à faire. Comme de toute façon il était de service, il s'était arrangé avec ses collègues pour pouvoir participer à des contrôles à l'aéroport. Ses yeux étaient injectés de sang. Depuis combien de temps n'avait-il plus dormi ? Il ne pouvait le dire. Il lui semblait que depuis la malédiction de Mbuta Luidi, il n'avait plus jamais fermé l'œil. Les quelques minutes de sommeil qu'il pouvait grappiller de-ci, de-là dans la journée ne suffisaient plus. Si seulement ce soleil n'était pas si dur ! Vivement le prochain congé. Les seuls jours où il pouvait dormir onze heures d'affilée, s'il le désirait. Entre le lever et le coucher du soleil, évidemment. La nuit lui était interdite désormais, tout au moins en ce qui concernait le sommeil.

Landu, comme d'habitude, était en train de bavarder avec un mécanicien, concentré sur le train arrière gauche d'un avion ukrainien de provenance douteuse. Bamba se redressa sur sa banquette et se frotta vigoureusement le visage des deux mains, espérant se débarrasser du masque de sommeil qui lui enserrait la face. Un Airbus A310 cargo tout blanc se présentait en bout de piste. L'atterrissage fut bref et précis. Bamba donna un coup de klaxon à l'adresse de Landu et ce dernier quitta le mécanicien qui, perplexe, faisait son possible pour évaluer à la hausse la durée de vie du train d'atterrissage de l'appareil suspect.

Landu sauta dans le véhicule qui démarra aussitôt. L'A310 effectuait son taxi. C'était le vol attendu par Bamba. Il venait de Paris après une escale à Abidjan et Libreville. Quelques passagers, des convoyeurs certainement, et du fret. Un peu de tout. Puisque Bamba n'avait rien de mieux à faire, pourquoi ne pas inspecter un avion ? S'ils ne trouvaient rien de compromettant, peut-être, avec un peu d'intimidation, Landu et lui pourraient-ils extorquer quelque marchandise ? Ainsi, ils ne seraient pas venus pour rien. Les hommes du tarmac et leurs engins s'affairaient sous le ventre de l'aéronef. On posa l'échelle de coupée. Quatre passagers descendirent, l'air content d'être arrivés et chargés de sacs de voyage. Bamba les suivait de loin. Ils se dirigèrent vers l'arrière de l'appareil par où l'on déchargeait le fret. Chacun essayait de reconnaître ses marchandises. L'un d'eux, le plus jeune, semblait être seul, contrairement aux trois autres qui avaient l'air d'être ensemble. Il se dirigea vers un empilement de caisses en contreplaqué d'un peu plus d'un mètre de côté. Bamba sentit son instinct de chasseur le titiller. L'homme portait un sac en forme de grosse saucisse, en toile militaire kaki, un modèle que Bamba connaissait bien. Sa stature plutôt athlétique était révélée par un polo beige moulant. L'homme portait un jeans bleu, bref, il n'avait rien de particulier. Bamba s'approcha, Landu sur ses talons.

— Bonjour, papiers, s'il vous plaît ! Henrik Varlet se retourna, le sourire aux lèvres, pas du tout inquiet. Il n'avait aucune raison de s'inquiéter. Il attendait ce jour depuis si longtemps. A vingt-cinq ans, ce voyage faisait partie du premier vrai contrat qu'il s'était dégoté. C'est vrai qu'il n'avait pas fait beaucoup d'études. Notamment, pour incompatibilité d'humeur avec ses professeurs successifs, à l'école professionnelle. En désespoir de cause, il avait préféré se séparer d'eux avant le terme de sa scolarité. Résultat, la galère et la débrouille. Encore heureux, à l'époque, il habitait encore chez ses parents. La seule chose qui l'avait empêché de craquer avait été le kick-boxing, qu'il pratiquait dans une salle, trois fois par semaine : dans une arène bien délimitée par douze cordes, en compagnie d'autres gars, ils pouvaient tester leur supériorité. Plus tard, un ami l'introduisit dans le milieu des portiers et des videurs de boîtes. Le travail lui plut immédiatement. L'argent facile, la nuit et toute la superficialité qu'elle pouvait offrir. Après avoir acquis une certaine compétence dans le boulot, cela ne lui suffit plus, et il décida de suivre une formation au métier d'agent de sécurité et garde du corps, dans une école spécialisée à Clichy-sous-Bois, dans la banlieue parisienne. Celle-ci dura six semaines qui lui coûtèrent la peau du dos. On lui apprit, à la va-vite, des notions de filature et de surveillance. On lui enseigna un peu de close-combat, des rudiments de criminologie et des bribes d'éthique. Le tout sanctionné par un diplôme ronflant. Heureusement, après cela, il décrocha assez vite son premier contrat. La société Aviex, spécialisée dans la production d'œufs, l'avait engagé comme agent chargé de la coordination et de la surveillance de leur exploitation à Kinshasa. Durée du contrat : un an, salaire très satisfaisant. Il postula et obtint le job, parmi six candidats qui échouèrent pour des questions d'âge, de barèmes et autres déviations tout aussi impardonnables.

Henrik Varlet s'y voyait déjà. Il ne connaissait de l'Afrique que ce qu'il avait vu dans les productions hollywoodiennes. Ses ambitions étaient à la mesure des cieux et des paysages africains, immenses. En guise d'aventure, il ne savait pas encore qu'il n'allait pas tarder à être servi. Et copieusement. Et cela, par l'insomniaque adjudant Bamba Togbia et le première classe Landu, le jeune soldat content et fier de l'être.

— Papiers ! répéta Bamba. Le jeune homme tendit son passeport "Schengen". Landu le fixait, les yeux dissimulés derrière des lunettes noires, son Uzi au bout du bras. L'adjudant s'attarda un peu trop longtemps sur chaque cachet. Il referma le passeport, le huma comme pour y déceler une imperfection, l'ouvrit à nouveau. Il examina les pages à contre-jour comme un diamantaire. Landu, méfiant, palpait les caisses du plat de la main, comme si cela pouvait exploser à tout moment. Une douce brise faisait tournoyer des volutes d'air, tantôt tièdes, tantôt fraîches, rendant la chaleur encore supportable à cette heure, un peu avant midi. Au loin, à la limite de la surface uniforme du tarmac, commençait un paysage de savane marécageuse, planté çà et là de quelques arbres en forme de parasol. Au-dessus, à une altitude vertigineuse, le ciel, d'un bleu lumineux, était parsemé de nuages cotonneux, d'un blanc immaculé, suspendus dans le décor de façon parfaite.

— Qu'êtes-vous venu faire à Kinshasa, monsieur ? questionna l'adjudant.

— Travailler. J'ai un contrat avec la société Aviex. J'ai tous les papiers ici… Bamba n'écoutait plus, son regard était fixé sur le sac de voyage de Varlet.

— Ouvrez-moi ça ! Le jeune homme commençait à s'exécuter, quand Landu le bouscula, et ouvrit lui-même la fermeture à glissière. Ses mains fouillèrent le bagage sans ménagement. Tout à coup, Landu suspendit son geste. Avec un cri d'incrédulité, il extirpa du sac une paire de rangers noires, genre militaire et la balança par terre. La fouille devint vite frénétique, le linge volait. Puis, un objet curieux tomba avec un bruit métallique. Bamba et Landu se figèrent. Henrik Varlet également, mais uniquement par mimétisme. L'objet étrange était une lunette à infrarouge, pour la vision nocturne, fixée sur un serre-tête en métal et en cuir. Bamba et Landu fixaient l'objet tombé sur le tarmac avec un air épouvanté. Varlet ne comprenait plus, cherchant vainement ce qu'il y avait de malfaisant dans l'instrument sur le sol. La qualité de l'air avait subitement changé.

— Ne bougez plus, monsieur ! commanda Bamba. Varlet était trop abasourdi pour esquisser le moindre geste. Bamba s'éloigna, tapota son téléphone portable et parla, le visage grave.

— Patron, je crois que nous tenons le Français suspect, déclara-t-il sans jugement. Il expliqua brièvement la situation. De l'autre côté de la ligne, Gonzague Tshilombo débita une longue tirade, auquel l'adjudant répondit par plusieurs hochements de tête, en regardant fixement Varlet, tenu en respect par Landu. Bamba coupa la communication, tapota à nouveau son portable, donna quelques instructions. Quelques secondes plus tard, des bâtiments de l'aéroport affluèrent en courant des hommes en uniforme et en civil. Les marchandises de Varlet furent entourées par un essaim d'agents des services présents. Les trois autres Européens n'en menaient pas large. Ils se faisaient les plus discrets possible. Ils auraient voulu être ailleurs. On fouilla les marchandises de fond en comble.

Pour Bamba et Landu, les chaussures de marche et la lunette à infrarouge étaient des objets militaires, donc prohibés, point barre. Ces objets étaient maintenant des pièces à conviction. Seul un terroriste pouvait se promener avec de tels accessoires. Pourquoi des lunettes de vision nocturne ? Que voulait-il observer sous nos cieux, ce Varlet ? Et la nuit, en plus. Ses colis devaient certainement cacher d'autres éléments tout aussi bizarres.

— Mon commandant ! cria Landu. Venez voir, on a ouvert les caisses ! Bamba s'approcha. Les caisses ouvertes découvraient de grandes boîtes oblongues en polystyrène. Bamba en ouvrit une, et un panneau percé de deux rangées de trous du diamètre d'un œuf apparut. Il fit signe à Varlet d'approcher. Celui-ci était déjà encadré par deux hommes en uniforme.

— Qu'est-ce que c'est ? demanda Bamba en montrant les boîtes blanches.

— Des couveuses, répondit Varlet, les épaules voûtées.

— Des quoi ? Des couveuses ? Les hommes continuaient à fouiller dans le désordre. Bientôt, l'activité se calma. Au pied de l'Airbus, Bamba regardait autour de lui, perplexe. De toute façon, découverte d'armes ou pas, il fallait mettre le type en lieu sûr, on improviserait plus tard. Il commanda à Landu d'emmener le prisonnier au véhicule. Bamba s'attarda encore un peu autour des caisses, ouvrit une des longues boîtes en frigolite puis souleva le panneau percé de trous. Sous celui-ci, une petite résistance électrique des plus élémentaires, destinée à chauffer l'eau pour incuber les œufs, constituait la seule pièce d'un dispositif sommaire. Bamba l'arracha d'un coup sec, l'examina de plus près. Un sourire se devina sur son visage. D'un geste large, il balaya la boîte de frigolite qui tomba par terre. En ouvrit une autre, arracha le même circuit et recommença l'opération sur d'autres couveuses. Ensuite seulement, il rejoignit le véhicule où Landu avait pris place avec le prisonnier, serré entre deux "bérets verts" qui lui contraignaient les membres et lui forçaient la tête sur les genoux pour un voyage sans visibilité. Après tout, l'Afrique, ce n'est pas seulement de beaux paysages, un peuple chaleureux, il existe d'autres réalités aussi.

Gonzague Tshilombo était aux anges. Enfin, le moment avait sonné. Depuis l'appel de Bamba, il n'avait plus lâché le téléphone. Il avait eu de longues conversations avec certains services et avec le président en personne. Le prisonnier était au secret et toute la stratégie le concernant était prête depuis longtemps, il suffisait maintenant d'appliquer le plan. De préparer la grande mise en scène. Tshilombo comptait sur Bamba et Landu pour rendre le jeune homme malléable. Le rendre apte à confesser des intentions malveillantes, devant les caméras de la télévision. On avait tout le week-end pour lui inculquer son texte. Tshilombo savait Bamba doué pour ce genre de choses. Il ne s'agissait pas d'échouer, la Commission de Genève devait siéger dans quelques jours. Pour Varlet, ce serait certainement le week-end le plus long de sa vie mais Tshilombo préféra ne pas s'attarder aux détails sordides. En attendant, la succursale d'Aviex basée à Kinshasa faisait l'objet de pressions. Son patron, un certain Sébastien Coste, un type grand et maigre, blond, à l'allure de boy-scout, était bien venu accueillir Varlet à son arrivée, mais avait été très vite intercepté dans le hall d'accueil par des agents des services de renseignement. D'autres avaient été envoyés à la ferme, à Mont Ngafula. Ils fouillèrent les installations de fond en comble. Celles-ci étaient composées de vastes hangars abritant les poulets élevés en batterie. Devant l'odeur insupportable de la fiente, les agents ne s'attardèrent pas trop. On n'avait rien trouvé de suspect, évidemment, mais le but n'était pas là. A Coste on avait fait croire n'importe quoi, en lui en disant le moins possible, si ce n'est que son collègue était impliqué dans une vaste opération terroriste. Il eut le droit de rester chez lui à la ferme, mais interdiction formelle de sortir. Son téléphone portable et son ordinateur avaient été saisis. Des militaires, presque un bataillon entier, restèrent pour lui tenir compagnie. Tshilombo recommanda qu'il soit traité avec égards.

Rendre Varlet malléable prit tout de même pas mal de temps. De onze heures et quart, l'heure de son arrestation le samedi, à 6 h 25 le lundi matin tôt, l'heure où il s'effondra complètement. Bamba n'y alla pas de main morte. Dans la voiture, les commandos qui encadraient le jeune Varlet avaient reçu comme consigne de faire mal. Les soudards avaient pesé de tout leur poids sur les ligaments des bras et des épaules. Varlet ne vit rien du boulevard Lumumba. Il ne put apprécier les senteurs de nourriture aux abords du marché Sainte-Thérèse. Il n'eut pas le loisir d'admirer le kaléidoscope bigarré offert par les beautés de Matonge. On ne lui laissa pas la possibilité de connaître le réconfort des sourires éclatants des enfants de Lingwala. On l'obligea à sentir le sol du 4 x 4. A la hauteur de l'Académie des beaux-arts, un peu avant l'école belge, Varlet gémissait en demandant pardon pour un acte qu'il n'avait pas commis. Une envie de pleurer lui vint, mais il réussit à la réfréner.

L'adjudant Bamba Togbia comptait jouer sur deux tableaux : le fantasme qu'ont les Blancs sur la cruauté de l'Afrique, et le sentiment d'humiliation. Dans toute sa panoplie de tortures physiques et psychologiques, ce que Bamba préférait avant tout, c'était l'humiliation. C'est ce qui nécessite le moins d'efforts, pour un maximum de résultats. Plus besoin de s'acharner physiquement sur le supplicié puisque, de toute façon, tout est fait pour que lui-même se prenne pour moins que rien. Il fallait réduire à néant l'estime que l'individu pouvait avoir de soi. Les dommages étaient beaucoup plus appréciables et duraient, y compris lorsque les actes qui conduisaient à l'humiliation avaient cessé depuis longtemps. C'était beaucoup plus efficace que la douleur parce que, au lieu d'en vouloir à l'autre, on s'en voulait à soi-même.

Le véhicule traversa la ville. On emmena le Français vers une de ces nombreuses villas anonymes de la Gombe, non loin du fleuve, qui appartenaient aux services de renseignement. Certains de ces endroits avaient été transformés en cachots clandestins et lieux d'interrogatoire. Lorsque le véhicule passa le portail d'une de ces villas, avant même que le 4 x 4 s'arrête, des hommes en uniforme surgirent de partout, en criant dans une cacophonie monstre : *"Wapi ye, wapi ye*[1] *?"* Les cris firent se dresser les cheveux de Varlet sur son crâne. On lui mit des menottes, on lui glissa une cagoule sur la tête. Il fut extrait de la voiture comme un ballot de paille, agrippé par une douzaine de mains et traîné vers un cachot sans fenêtre, dans lequel on le jeta littéralement.

Lorsque Henrik Varlet percuta le sol, il voulut s'y incruster. Pendant quelques secondes, sa volonté tenta de forcer son corps à l'intérieur même de la chape, assez fort pour que, à une vitesse supérieure à la vitesse de la lumière, il puisse surgir dans un autre monde, plus serein, plus lumineux. L'obscurité totale l'aida un moment dans sa tâche.

Depuis son arrestation, des images fugaces lui avaient parcouru le cerveau. Des hologrammes

1. "Où est-il, où est-il ?"

de terreur avaient défilé sans qu'il cherchât à s'y attarder. Son esprit ne comprenait plus grand-chose. Il était venu remplir un contrat et rien d'autre. Il savait le pays problématique. Il connaissait la violence de ce continent, mais il ne comprenait pas pourquoi lui, le garçon sans histoires, était maintenant impliqué dans une aventure qui le dépassait. On lui avait parlé d'armes, d'un complot, de terrorisme. Les lunettes à infra-rouge, il en avait besoin pour surveiller la ferme la nuit. Ses patrons lui avaient parlé de l'insécurité qui régnait à Kinshasa. Des bandits, en uniforme ou non, qui rançonnaient les quartiers toutes les nuits. Si la raison de sa présence ici était ces lunettes, cela n'allait sûrement pas durer longtemps. Il l'espérait, d'autant plus que son collègue, Sébastien Coste, qui devait l'accueillir à l'aéroport, était sûrement en train de tout arranger pour le faire libérer.

Lorsque la porte du cachot s'ouvrit quelques heures plus tard, Varlet crut que c'était la libération qu'il attendait. On lui remit la cagoule. Il paniqua. Il se débattit inutilement, désorienté. On l'emmena dans un bureau où Bamba et un agent habillé d'un T-shirt blanc, après lui avoir enlevé la cagoule, lui montrèrent des documents soi-disant trouvés dans ses bagages. Une liste de noms d'opposants politiques, des plans, des croquis. Des choses que Varlet n'avait jamais vues. On l'emmena ensuite dans une cour intérieure où, à sa grande stupeur, on lui présenta ses couveuses, accompagnées d'un amoncellement d'armes, de caisses d'explosifs et de gilets pare-balles. L'adjudant lui conseilla d'avouer tout de suite pour ne pas s'attirer davantage d'ennuis. On en avait assez des mercenaires. L'époque était révolue pour eux et Varlet, si besoin était, servirait d'exemple à tous ceux qui seraient tentés par l'aventure.

On le changea de cellule. Une cellule éclairée, cette fois. On le mit en compagnie d'un homme d'une quarantaine d'années qui avait l'air de croupir là depuis quelques jours. L'air terrorisé. Ils engagèrent la conversation. Le détenu lui expliqua qu'il se trouvait là pour des raisons politiques. Il avait peur d'être assassiné. Il lui parla de leur lieu de détention : l'endroit était secret et, officiellement, aucun des prisonniers se trouvant là n'existait vraiment. De là à disparaître…

A intervalles réguliers, on venait chercher le pauvre homme pour interrogatoire. Le type revenait chaque fois, trempé des pieds à la tête, le corps tremblant. L'électricité, disait-il. La première nuit de Varlet se déroula à ce régime, émaillé par des hurlements sourds qui transperçaient les murs et le ramenaient sans cesse à ses tourments.

Comme Bamba s'y attendait, la tension commençait à devenir intolérable pour le jeune homme. La nuit était installée, mais dans la cellule sans fenêtre, éclairée en permanence, il avait complètement perdu la notion du temps. La porte s'ouvrit encore et son compagnon de cellule fut emmené. Il se débattit en criant. Lorsque Varlet se retrouva seul, son esprit déjà sérieusement ébranlé échafauda les pires fantasmes. Il ne comprenait pas pourquoi personne encore, jusqu'à présent, ne s'était manifesté pour le sortir de là. Il n'en pouvait plus, il aurait bien aimé avoir quelque chose à avouer pour arrêter ce cauchemar, mais il n'avait rien. Que voulaient ces types ? Et l'autre qui ne revenait pas.

Lentement, Henrik entra dans un processus d'introspection. Petit à petit, il commença à se rendre compte qu'il ne serait pas à la hauteur de la situation. Pourquoi ses bourreaux ne voyaient-ils pas qu'il n'était rien ? Qu'il n'était qu'une larve. Oui, il se l'avouait, une larve, qui, en fait, n'était certainement pas capable de faire le mal dont on l'accusait. Et, tandis que Varlet était en train de craquer, l'estime qu'il avait de lui-même commençait, lentement mais sûrement, à foutre le camp.

On l'empêcha de dormir. Les faux interrogatoires reprirent. On lui posa les questions les plus saugrenues. On voulut tout savoir sur lui. Ce soi-disant stage de formation en sécurité, c'était pas un camp d'entraînement des fois ? On voulut connaître le nom des gens qu'il fréquentait en France. Tout sera vérifié, dirent-ils. Le manège dura ainsi longtemps. Les interrogateurs se relayaient régulièrement. Ceux qui avaient fini leur service rentraient chez eux se reposer. Varlet, lui, était exténué. Deux jours qu'il n'avait pas dormi. Très tôt, le lundi matin, Tshilombo en personne s'était déplacé. On lui amena un Varlet psychologiquement en loques, moralement cassé. Tshilombo lui mit le marché en mains :

— Tu coopères et tu seras libéré sur-le-champ. Ce n'est pas à toi qu'on en veut. Tu n'es qu'un rouage qu'ils ont utilisé à ton insu. Avec tout ce qui accompagnait tes marchandises, tu ne comptes tout de même pas t'en tirer comme ça ? La France t'a laissé tomber, tu n'existes plus pour eux. Tshilombo lui fit comprendre qu'il était seul face à ses responsabilités.

— Tu sais, lui susurra le directeur, l'ambassadeur de ton pays a été tué ici même à Kinshasa. Par deux balles perdues, pendant les pillages de 1993. Tu as entendu parler d'une enquête ou quelque chose du genre ? Varlet n'avait jamais rien su d'un ambassadeur de France assassiné à

Kinshasa. Sa culture générale n'allait pas jusque-là, mais il crut Tshilombo sur parole.

— Qu'attendez-vous de moi ? s'entendit-il dire.

Tshilombo, comme d'habitude, fut un grand metteur en scène. Dans la cour intérieure, on dressa le décor avec soin. Aux caisses appartenant au jeune Français, on mêla des caisses de munitions en quantité. Debout contre celles-ci, on posa, pour faire joli, quelques kalachnikovs de fabrication chinoise avec la crosse en plastique. On fit discrètement venir un caméraman et un preneur de son. On prépara deux ou trois questions simples, auxquelles Varlet devait répondre, debout devant le décor improvisé. On le fit poser, menotté dans le dos. Il est vrai que son teint était cireux, il avait l'air un peu crispé, mais on ne dut filmer la scène qu'une seule fois, sans répétition. Tout fut mis en boîte rapidement.

— Convaincant, dit Célio en visionnant la vidéo où apparaissait Varlet avouant ses supposés crimes. Gonzague Tshilombo se félicitait du résultat. Dieu merci, il avait fallu moins de quarante-huit heures pour retourner le jeune homme. Il ne manquait plus que des commentaires appropriés et le tour était joué.

— Tenez, boss. Célio posa devant Tshilombo une mince chemise en plastique

— Qu'est-ce que c'est ? Dans la chemise, il y avait le texte qui devait servir de commentaire, pour le journaliste qui présenterait les images, ce soir aux infos de 20 heures. Il y avait également un cliché en noir et blanc, représentant six petits objets tubulaires, photographiés à l'horizontale.

— Des détonateurs, répondit Célio.

— Des quoi ?

— C'est Bamba qui en a eu l'idée. Il a trouvé cela dans les couveuses. Ce sont les résistances électriques qui chauffent l'eau. Photographiées en noir et blanc et en gros plan, on n'y verra que du feu. De toute façon, combien de gens ont déjà vu un détonateur ? Vous en avez déjà vu, vous ? Les yeux de Tshilombo se plissèrent de plaisir. Il avait le sens de l'humour, le Célio. C'est vrai que dans le métier qu'ils pratiquaient, c'était parfois bienvenu.

— Appelez la RTN, il faut que ces images passent aux infos de 20 heures. Rédigez un communiqué, contactez les agences de presse. L'AFP d'abord. Après, il suffira de voir venir. A partir de ce soir, je veux que le président français dorme mal.

— C'est comme si c'était fait, boss.

Tshilombo se montrait présomptueux parce que le président français dormit très bien cette nuit-là. Au Quai d'Orsay par contre, on travailla un peu plus tard que d'habitude, mais le fuseau horaire de Kinshasa étant pratiquement le même que Paris, on n'y passa pas la nuit. Pour l'instant, on estimait que le cas Varlet ne nécessiterait qu'un peu de diplomatie.

Ce lundi soir, lorsque débutèrent les informations de 20 heures, à la mine grave du présentateur et au ton plus dramatique du générique, les téléspectateurs kinois pouvaient déjà pressentir qu'une nouvelle d'importance leur serait communiquée. Dans la liste des titres, on annonça quelque chose d'incroyable. Une vaste opération de déstabilisation du pays venait d'être déjouée par les services de Renseignement. Un réseau bien implanté avait été démantelé et un ressortissant français arrêté. Il semblait que l'Etat français était impliqué. On annonça des images.

Effectivement, les Kinois médusés purent voir un jeune Blanc, un peu stressé, déclarer, apparemment sans remords, être le principal protagoniste d'une opération terroriste sur le sol national. Oui, il avait amené le stock d'armes. Oui, il s'était permis aussi d'importer des explosifs. Enfin, oui, c'était le gouvernement français qui l'avait envoyé. Un lent travelling balaya les armes et les caisses de munitions. En prime, on montra en gros plan, les fameux "détonateurs" surgis tout droit de l'esprit chaotique de Bamba. Cela fit grand effet. Dans les foyers, l'image des six petits tubes en noir et blanc, garnis de fils électriques, était comme la preuve formelle de tout ce que disait le jeune Blanc apeuré. Ces pseudo-détonateurs étaient la signature visible de toute la machination ourdie par les Français. Le petit Blanc pouvait mentir, pas ces objets de forme inconnue. Aux yeux de la population, plus l'objet montré était mystérieux et plus le pouvoir de nuisance du jeune homme augmentait. On trouva son regard particulièrement diabolique. On imagina les cibles potentielles. Il a voulu faire sauter la gare centrale, affirmaient les uns. Plutôt le grand marché, prétendaient les autres. Mais non, c'était l'église kibanguiste un dimanche après-midi qui était visée, pensaient les agnostiques les plus cyniques. Encore la France ! Encore les Blancs ! Que voulaient-ils donc de l'Afrique ? Ne pouvaient-ils pas, une fois pour toutes, nous foutre la paix ? Partout dans la cité, les commentaires allaient bon train. Cette nuit-là, on enregistra une baisse du nombre de clients dans les débits de boissons et une hausse de fréquentation des lieux de prières. Certains craignaient l'ennemi qui rôdait peut-être encore.

Le coefficient très négatif de l'opération de Célio se mit en place petit à petit mais ne commença vraiment à agir que le lendemain aux infos de 13 heures sur France 2. On put revoir Henrik Varlet faire les déclarations impliquant son pays. Un commentateur rappela d'autres faits d'armes de triste mémoire : Greenpeace, le Rwanda, et tutti quanti. Les chaînes internationales prirent le relais. L'information en boucle sur Euronews et sur TV5 enfonça le clou partout en Europe et en Afrique. Les commentaires des Américains sur CNN étaient sans appel. Ce n'est pas comme cela que l'on pourrait promouvoir la démocratie sur le continent. En quelques heures, l'image de la France se dégrada considérablement aux yeux du monde. Le soir, un porte-parole de l'Elysée tenta de minimiser la situation en pratiquant la langue de bois. Puisqu'il n'était au courant de rien, son discours fut forcément hermétique. Le lendemain, les quotidiens s'en mêlèrent. On analysa la politique française en Afrique. Les opinions divergeaient mais tous s'accordaient pour dire que la France était jalouse de ses prérogatives et prête à tout pour pouvoir les conserver. On cita des précédents, de Fachoda à aujourd'hui. Trois jours plus tard, la Commission des droits de l'homme se réunissait à Genève pour, entre autres, examiner le fameux rapport de la France sur la torture et les arrestations arbitraires. Tshilombo resta en contact permanent avec le représentant du pays à la Commission, afin de suivre de près l'évolution du dossier. Les nouvelles étaient bonnes. Les Etats-Unis étaient montés au créneau et avaient proposé d'accorder encore un peu de temps au pays pour pouvoir asseoir des réformes en vue d'élections. La discussion sur le rapport était prématurée. La Chine et la Russie estimaient, quant à elles, que la démocratisation était en bonne voie. La Grande-Bretagne suivit la ligne américaine. La France, handicapée par les événements de Kinshasa, ne put obtenir le soutien de la Belgique, tenue par un agenda secret. Tshilombo apprit que le débat était reporté. Ce qui exerça une influence favorable sur les bailleurs de fonds américains. Un prêt fut envisagé qui se montait à plusieurs dizaines de millions de dollars. Des contrats pétroliers furent discutés. Le président tint à féliciter Tshilombo personnellement. Grâce à lui, l'ambassadeur de France, qui avait sollicité une audience en urgence, avait tenu à réaffirmer la volonté de son pays de poursuivre des relations bilatérales basées sur la confiance et le respect mutuel.

Ce réchauffement des relations ne concernait évidemment pas Varlet. On comptait le garder encore quelque temps jusqu'au moment où l'affaire serait un peu oubliée. En attendant, pendant des mois, on l'abreuva de promesses de libération imminente. Le jeune homme, pour ne pas sombrer dans la démence, fit tout son possible pour conserver le moral. A défaut d'avoir pu conserver son estime de lui-même et ce qui allait avec, c'était la seule chose qui lui restait. Il sentait bien qu'il avait tout intérêt à le préserver et cela, coûte que coûte.

En effet, le cadre était digne de recevoir de si augustes invités. Le grand salon de la présidence de la République offrait son décor de lambris ouvragés faits des bois les plus précieux. Les wenge, les lifaki et autres kambala[1] rivalisaient dans les contrastes, pour mieux souligner les lignes épurées du luxueux décor. Les lustres de cristal lançaient des reflets chauds et moirés sur le linge délicat des convives. La soie des smokings des messieurs rehaussait le chatoiement des organdis et des taffetas, des indigos et des super-wax arborés par les dames, concurrentes en matière d'élégance. Le murmure poli et guindé de début de soirée avait fait place à un joyeux brouhaha ponctué par les éclats de rire et par le tintement plus cristallin des flûtes de champagne s'entrechoquant pour célébrer de probables succès. Les groupes se faisaient et se défaisaient. Célio qui n'écoutait déjà plus que d'une oreille l'exposé d'un directeur de cabinet ministériel sur la difficulté à répartir des frais de mission, observait tout ce joli monde d'un œil neuf. Le président avait tenu à recevoir dignement ses hôtes. Il est vrai qu'il avait des raisons de se réjouir, ces jours-ci. La population lui avait visiblement accordé une période de grâce. Plus de manifestations, peu d'attaques des associations des droits de l'homme, une véritable embellie. Il pouvait pleinement se consacrer à ce qu'il avait de plus cher, c'est-à-dire le rétablissement des relations internationales. C'est ainsi que les tractations pour obtenir un prêt directement versé dans le budget de l'Etat, et non pas sous forme d'aides, étaient en bonne voie. Il ne s'agissait que de quelques dizaines de millions de dollars, mais les petits ruisseaux font les grandes rivières, comme le disait si bien l'adage populaire. Le président avait promis d'apparaître à la fête et tout le monde était impatient. Tshilombo avait tenu à

1. Bois précieux.

amener Célio pour le présenter aux gens qui construisaient et déconstruisaient régulièrement la République. Tous les hauts cadres des ministères, les généraux, les opérateurs économiques et les politiciens les plus influents étaient présents. S'insinuait dans ce biotope l'entourage présidentiel, c'est-à-dire la famille, les amis de la famille, qui essayaient de contrôler vaille que vaille ce troupeau, de la même façon que des loups à qui on aurait confié la transhumance de brebis en belle saison. Parmi les convives, Célio reconnut certaines personnalités à qui il s'était adressé à l'époque où il était dans la philanthropie. Des directeurs de banques et des P-DG qui, étonnés d'abord de le voir là, complètement changé, lui adressaient alors un salut distant. Tshilombo lui avait promis de le présenter au président en personne. Célio attendait de voir. Pour l'instant, son patron, courtisé de toutes parts, savourait son succès. Sa haute stature ne passait pas inaperçue. La monture de ses lunettes jetait plus de feux que toutes les enseignes de Las Vegas réunies. Les hommes lui serraient la main en courbant légèrement l'échine. Les femmes lui susurraient des choses à l'oreille, appréciaient discrètement la coupe de son smoking Armani et avaient chacune un geste caressant pour son avant-bras. Ce soir, il en profitait un peu. Sa femme ne l'accompagnait pas, elle était encore à Mascate.

Les intrigants, sachant qu'il avait l'oreille présidentielle, le prenaient à part pour de courts conciliabules. Les flatteurs s'essayaient à la familiarité en évitant de lui taper dans le dos. Tshilombo, c'était visible, allait de victoire en victoire. Il était aussi craint que respecté, la situation la plus rassurante pour l'homme. On savait qu'il dirigeait un département qui travaillait sur l'information, mais sa besogne restait obscure aux yeux de beaucoup. Qui dit information, et qui ne dit pas radio ou télévision, parle forcément de quelque chose d'inquiétant. Personne ne voulait vraiment en savoir plus sur ses véritables occupations.

— Célio, viens que je te présente. Célio s'approcha de Tshilombo, entouré par quelques messieurs. Il s'agissait de directeurs de services de renseignement divers. Des collègues, mais Célio ne se sentit aucune affinité avec eux. Les présentations faites, il s'ennuya très vite. En fin de compte, le président s'excusa auprès de ses invités, il ne pouvait pas apparaître ce soir : que chacun s'amuse était sa recommandation. Un peu avant minuit, le jeune conseiller décida de laisser tout le monde à sa joie. Quand il sortit, un clair de lune éclairait les jardins bien agencés de la présidence. De loin en loin, les silhouettes sombres de soldats lourdement armés garantissaient la sécurité et le bon déroulement de la fête. Célio ne se reconnaissait pas dans le clinquant et dans la superficialité qui régnaient ici. Il avait tout pour réussir, comme on dit. Il aurait dû se réjouir ce soir, mais le cœur n'y était pas. Il prit son téléphone portable et appela Nana Bakkali. Il était peut-être un peu tard, mais qu'importe, il ne craignait pas de la déranger, il avait besoin de la voir, de se concentrer sur la réalité de sa présence. Tandis que la tonalité d'appel se répétait, il fit abstraction des bruits de verres et des conversations pour s'attarder sur la beauté de la nuit, échappant, pour ce soir, au blues de la réussite.

Le faisceau des phares de la Mercedes avait à peine effleuré le portail de la villa que la sentinelle ouvrit grands les deux battants. Tshilombo se gara devant la demeure endormie. Il avait passé une soirée extraordinaire à plus d'un titre. Les réceptions à la présidence étaient toujours l'occasion de réestimer certaines choses comme, par exemple, son influence et son poids face aux décideurs de la ville. Cela lui offrait aussi l'opportunité de réévaluer sa cote auprès du président. Si celui-ci n'avait pu assister à la réception, il avait malgré tout appelé Tshilombo sur son portable pour lui souhaiter une bonne soirée et lui dire qu'ils se verraient bientôt. Tshilombo ne s'y attendait pas et avait été flatté de l'attention. Le sentiment de puissance, allié aux bulles du Dom Pérignon rosé, l'amenaient à se sentir comme au milieu d'un gigantesque feu d'artifice.

Lorsqu'il franchit la porte de la villa, une musique jouait en sourdine dans le salon. Kapinga était couchée sur le canapé de cuir clair. Elle s'était assoupie devant le grand écran à plasma allumé. Tshilombo, surpris, se demanda s'il devait ou non la réveiller, car la jeune fille dans l'abandon du sommeil avait laissé son unique pagne se défaire et Tshilombo ne savait pas s'il fallait réajuster celui-ci avant de la réveiller ou la réveiller pour qu'elle puisse recouvrir ce qu'il voyait.

En réalité, il ne voyait rien ou presque, mais depuis tous ces jours où ils étaient seuls dans la villa, son imagination avait été mise à rude épreuve. Avec raison, il avait cru prudent d'éviter la jeune fille et ainsi la tentation. Pour sa part, elle n'avait jamais de comportement qui puisse prêter à équivoque. Le matin, elle se levait, il allait la déposer aux cours ; le soir, elle rentrait après avoir passé l'après-midi chez un parent ou une amie. Ils mangeaient parfois ensemble, servis par Félicien, et entretenaient des conversations des plus anodines.

Mais les choses n'étaient pas si simples, car l'esprit de Tshilombo avait sérieusement été troublé depuis ce jour où il avait vu Kapinga nue dans la salle de bains. Les gouttelettes d'eau recouvrant alors son corps, s'étaient, par malice, métamorphosées en des torrents impétueux dont les trombes cristallines avaient complètement ravagé les sens de Tshilombo. Lui qui, chaque jour, s'efforçait au stoïcisme, craignant, en attardant son regard sur elle, de provoquer des raz-de-marée libidineux, avait maintenant les yeux baissés sur elle. Malgré lui, il dut constater que le pagne noué à hauteur de poitrine risquait de tomber à la moindre inspiration un peu brusque. Comme pour mieux le faire adhérer sur elle, Tshilombo retint son souffle. Il eut cependant du mal à détacher les yeux du tissu dont le drapé fou épousait le corps somptueux de Kapinga, couchée sur le dos, une jambe repliée sous l'autre.

Endormie, la jeune fille n'avait plus son visage d'éternel ennui et Tshilombo se sentit ému par la pureté extrême de ses traits. Les fragiles défenses mentales de l'homme le trahirent, et, du coup, son regard délaissa la beauté du visage pour glisser vers l'épaule ronde et soyeuse, dont le teint, plusieurs fois, l'avait bouleversé. La main gauche de la jeune fille reposait en un geste indolent sur le ventre. Son corps immobile avait agi sur Tshilombo comme un leurre. Il se crut à l'abri et se pencha légèrement vers elle, esquissant un geste des deux mains. C'est à ce moment qu'elle respira profondément et que sa poitrine se souleva. Le léger mouvement fit glisser le pagne, découvrant ainsi la lisière nacrée d'un téton sombre. L'information visuelle terriblement précise déclencha en Tshilombo le monde tant de fois évoqué des courbes sans fin de Kapinga, de la chair sereinement généreuse de ses hanches, de l'univers satiné et plein de lumière de l'intérieur de ses cuisses. Pour y échapper, Tshilombo se réfugia à la surface des plis du vêtement formant des méandres innombrables selon un réseau chaotique. Malgré lui, les sinuosités entraînèrent son regard à effleurer son corps, pour un voyage onirique, à travers des paysages empreints d'une paix trompeuse, par des étendues escarpées, aux douceurs pleines de périls. Tshilombo se pencha davantage sur la jeune fille endormie, huma avec gourmandise l'air autour d'elle et s'en imprégna pour mieux s'approprier cette femme. Il se laissa emporter sans savoir, vers les jambes fuselées qui se prolongeaient comme des pistes d'envol de quelque aéronef mytique, mais fut retenu aux confins de son mont de Vénus, qui parfaitement se dessinait, glorieux et agressif, sous le tissu léger du pagne.

Tshilombo perdit pied. Kapinga eut alors dans son sommeil un mouvement, comme pour s'agripper à quelque chose l'aidant à se lever. Elle tendit la main gauche, dont les doigts, machinalement, se refermèrent sur Tshilombo qui soudainement, eut conscience de la forme lourde, irradiant de la chaleur, qui pesait depuis un moment tout contre sa cuisse droite. Au milieu de la voie lactée, avec la fulgurance d'un éclair de lumière blanche, Tshilombo sentit dans un spasme, la main de Kapinga, à travers la soie de son pantalon, serrer son sexe très fort, puis, comme dans un rêve, entendit la voix ensommeillée de la jeune femme demander : – Oh ! *semeki*, vous êtes là ?

VII

LES FRACTIONS RÉPÉTITIVES

Entre-temps, le vent de la démocratisation forcée poussait certains dans le dos. Les politiciens, dépourvus de finances, essayaient par tous les moyens de consolider leurs partis et ceux-ci n'étaient pas nombreux. Soit on obtenait un poste au gouvernement, ce qui garantissait un salaire mensuel et des privilèges, soit on nouait des alliances, soit on se faisait remarquer à moindres frais. On fourbissait ses armes, c'était palpable. On ne savait jamais si processus électoral il y avait vraiment, mieux valait être prêt.

Makanda Rachidi, repu, était couché sur le dos, son ventre proéminent pointé vers le ventilateur pendu au plafond, son sexe ridicule recroquevillé entre les jambes. L'homme se prenait, encore une fois, pour un grand fauve parce qu'il possédait certaines de leurs mœurs. Pour le moment, il essayait de récupérer son souffle et, en même temps, de reprendre bonne contenance avant que la fille ressorte de la douche. Il venait d'accomplir l'acte sexuel en un temps record et il espérait qu'elle mettrait cela sur le compte de son psychisme, accaparé par les choses de la Nation comme il sied à tout homme politique digne de ce nom. De toute façon, il avait payé. Quels scrupules devrait-il avoir ? Il est vrai qu'elle n'était pas une professionnelle. Seulement une étudiante

qu'il avait ramassée grâce à la marque de sa voiture. Le père était fonctionnaire à l'INSS[1], avait-elle
dit, et elle devait payer ses études elle-même.

Si le sieur Makanda affichait des airs de lion des
savanes, et avait comme eux le goût de la chair
fraîche, sa nature profonde était plutôt celle des
hyènes car, pour l'instant, il ne pouvait que se
contenter d'imiter leurs ricanements intérieurs.
Parce qu'en réalité la fille l'avait traité avec le plus
total mépris et ce depuis leur rencontre dans
l'après-midi, jusqu'à son spasme honteux et bref,
dû à deux coups de reins qui l'avaient pris par
surprise. Makanda enrageait que son argent ne
puisse tout acheter. Il avait prévu de passer deux
heures de plaisir avec la fille, mais la séance com-
plète n'avait duré qu'un peu plus de dix minutes,
comme dans les romans des Blancs, et il sentait
bien qu'il ne pourrait plus renouveler quoi que ce
soit. Lui qui avait horreur de s'ennuyer, il était là
maintenant contraint d'attendre seul, dans une
chambre d'hôtel, son rendez-vous avec Gonzague
Tshilombo. Il avait choisi l'endroit pour sa discrétion. Il ne tenait surtout pas à ce que ses contacts
avec les gens de la présidence soient connus. Il
avait sa couverture d'opposant à préserver. C'était
pour l'instant son seul fonds de commerce.

Il attendait beaucoup de sa rencontre avec
Tshilombo. Ils ne s'étaient pas vus depuis longtemps. Leur dernière collaboration avait été des
plus fructueuses. Quelle mise en scène impeccable ! Des manifestants s'affrontant pour défendre leurs idéaux, jusqu'au sacrifice suprême.
L'événement le portait encore. Son influence dans
l'opposition s'était renforcée depuis. Cependant,
plus son parti prenait de l'importance, plus sa

1. Institut national de la sécurité sociale.

structure devenait lourde. Gérer cela entraînait des frais considérables. Encore heureux que la maison de Limete, où était logé le siège du parti, lui appartienne. Les militants étaient de plus en plus nombreux, mais leurs cotisations ne suffisaient évidemment pas. Makanda Rachidi, pour contrôler tout cela, avait des frais administratifs qui ne cessaient de grimper. Chaque jour, il devait débourser des sommes importantes, pour répondre, entre autres, aux sollicitations de ceux qui venaient le visiter. Il devait aussi régulièrement aplanir des problèmes, acheter des confiances. Bref, Makanda Rachidi avait besoin d'argent. C'est pourquoi il avait demandé à voir Tshilombo en tête à tête aujourd'hui. La fille était partie et, en attendant l'heure du rendez-vous, il décida une petite sieste impromptue. Tranquillement, il se laissa hypnotiser par le mouvement des pales du ventilateur découpant la chaleur ambiante en copeaux.

Un peu plus tard, Makanda Rachidi, en compagnie de Tshilombo, était attablé dans le jardin de l'hôtel, aménagé en un labyrinthe constitué de hautes haies pour garantir la discrétion. Les clients étaient assis dans des compartiments qui les préservaient des regards. Les deux hommes avaient à peine trempé leurs lèvres dans leurs verres de bière. Makanda affichait une convivialité excessive, tandis que Tshilombo était, comme d'habitude, réservé. Plutôt crispé, même. Et il avait sans doute de bonnes raisons pour cela. Tshilombo n'avait pas à être là. Il avait plus qu'accompli sa part pour que Makanda soit reconnu comme un opposant véritable, il ne tenait pas à être vu en sa compagnie et à ruiner ainsi tout le travail engagé. S'il n'y avait eu son insistance, jamais le directeur du Bureau n'aurait accepté de le rencontrer et surtout pas dans un hôtel de cette sorte. Tshilombo n'aimait pas ces endroits, ils lui rappelaient des choses qu'il préférait oublier. L'homme expliquait, à grand renfort de gestes, que l'importance de son parti, à l'heure actuelle, l'obligeait à quadriller toute la ville de Kinshasa et à prendre des ancrages en province. Il extrapolait, tirait des plans sur la comète. Tshilombo écoutait patiemment, le menton posé sur le bout des doigts, prenant son mal en patience, attendant la suite. Makanda sauta du coq à l'âne.

— Vois-tu, tout cela n'est possible qu'avec beaucoup d'argent. Le nerf de la guerre, mon cher ! Cela ne changera jamais. Ces gens qui veulent la démocratie, tu crois qu'ils sont prêts à payer de leur personne ? Il faut sortir l'argent. Toujours l'argent ! Tshilombo observait cet homme affichant son mépris pour le cheptel dont il avait la charge. On n'était pas encore dans le vif du sujet.

— Mon parti a besoin d'argent, Tshilombo. Nous nous étendons de plus en plus, et sommes confrontés à des frais de plus en plus lourds. Le président pourrait nous octroyer un subside de, disons, cent mille dollars. Ce type était un gouffre financier, pensait Tshilombo, il ne changerait jamais. Il avait déjà reçu énormément d'argent. Que voulait-il encore ? Leur dernière collaboration avait été un succès, il est vrai, mais cela ne justifiait pas les sommes perçues. Tshilombo préféra tergiverser.

— S'il ne tenait qu'à moi, tu sais bien que ce ne serait pas un problème, mais le président n'a rien prévu en ce qui concerne le financement des partis.

— Fais un effort, Tshilombo. Tu es moi, je suis toi. Le PND doit absolument assumer son rôle. J'ai en quelque sorte reçu un mandat du peuple ! Chacun sait les sacrifices que j'ai consentis pour que ce pays puisse afficher un air radieux. Avec mes partisans, nous avons versé notre sang au nom de la lutte, ne l'oublie pas. Si le peuple me soutient, c'est parce que nous nous sommes sacrifiés pour lui. Il est temps aujourd'hui que le Parti de la nouvelle démocratie prenne la place qui est la sienne et j'ai besoin de toi pour cela. Ecoute-moi bien. Tant que moi, Makanda, je serai vivant, je me battrai avec toute mon énergie pour que ce parti vive. C'est pourquoi je m'adresse au président et à toi. Aujourd'hui, face à l'Histoire, je vous invite à me soutenir, vous ne le regretterez pas. Tu as assez de pouvoir pour faire ce que tu veux. Nous ne sommes plus au temps des coups d'Etat, Tshilombo. A l'heure actuelle, il faut des moyens financiers importants pour prendre le pouvoir. La démocratie, cela coûte cher, tu ne peux pas me laisser tomber. Tu sais d'ailleurs bien que c'est nous, ceux de la base, qui subissons les plus fortes pressions. Les gens nous demandent chaque jour davantage. Tu connais la situation du pays, non ?

— Je suis parfaitement au courant de la situation. Tout est sous contrôle pour l'instant et cela grâce à des gens comme toi, Makanda, je le reconnais. Tshilombo essayait de se faire conciliant.

— Justement ! contre-attaqua Makanda. Reconnais que les partis de l'opposition que je représente sont pour beaucoup dans la paix sociale, je compte sur ta collaboration pour maintenir cette situation dans l'état actuel des choses. Sinon, tu sais bien, tout peut arriver, on n'est maître de rien.

— C'est une menace, Makanda ?

— Non, mais reconnais que la situation est explosive. Entre nous, les gens sont à bout. Ils n'attendent qu'un signal. La conjoncture est telle qu'il suffit d'un rien pour que Kinshasa devienne incontrôlable. Tshilombo percevait parfaitement la menace. Ce type voulait l'intimider. Il oubliait que c'était grâce à lui qu'il se trouvait aujourd'hui à la tête d'un parti plus ou moins crédible. Les événements de Limete y étaient pour beaucoup. De plus, il n'avait reçu que trop d'argent. Tshilombo n'aimait pas qu'on lui force la main et trouvait que cela suffisait.

— Cent mille dollars dans l'immédiat, je ne crois pas, mais j'en parlerai au président, ne me contacte plus. Si un journaliste apprend notre rencontre aujourd'hui, tu es grillé. Je t'informerai dès que la présidence décidera de faire un geste. Makanda sentit la dérobade. Son instinct lui recommandait de ne pas faire confiance à Tshilombo, il connaissait l'homme, il décida de surenchérir.

— Ecoute, oublie le président. Ceci est une affaire entre nous. Si tu utilises les mots qu'il faut, la situation peut très vite se débloquer. Je sais qu'il t'écoute. Et puis, souviens-toi de ce que tu me dois, Tshilombo. Heureusement que j'étais là pour toi, il y a quelques années. Le type faisait maintenant dans le chantage affectif. Son insistance correspondait à son besoin pressant de fric. Makanda était aux abois. La politique était devenue un jeu plus subtil. Jadis, cela faisait une éternité, elle appartenait aux seuls audacieux. Il suffisait de gesticuler un peu, de se montrer opportuniste pour être remarqué par le chef de l'Etat et recevoir un poste et les avantages financiers associés. Cela relevait plus du théâtre que de la politique. Seuls les hommes sans scrupules et ne craignant pas de nager à contre-courant pouvaient réussir. Les temps étaient beaucoup plus durs maintenant. Sans oublier cette saleté de démocratisation avec les élections qui allaient suivre. Tshilombo n'aimait pas la tournure que prenait la conversation, cela devenait trop intime. Concernant ce qu'il devait à son interlocuteur, il estimait avoir payé cash depuis longtemps. Il se leva avec un grand sourire.

— Tu peux compter sur moi. Sois rassuré, je m'occupe de ton dossier. Sache aussi que toi et moi, nous avons encore beaucoup de choses à accomplir. Ne désespère pas. Sur ces belles paroles, Tshilombo lui serra la main, en essayant d'y mettre un maximum de chaleur, puis s'éclipsa très vite, abandonnant Makanda, perplexe.

La population, quant à elle, avait d'autres chats à fouetter. A défaut de pouvoir se mettre les bestioles sous la dent, elle subissait la Faim jour après jour, instant après instant. Le monstre à double tête exerçait sa puissance sur les êtres et chacun de ses cerveaux était programmé pour une fonction précise. Si la première tête détruisait les corps par des procédés quasi mécaniques, la seconde, par contre, dégageait des fluides puissants qui liquéfiaient les esprits, dans une tentative de réduire à néant la volonté du peuple. Malgré cela, les deux cerveaux avaient dû se liguer pour essayer de débusquer le pouvoir qui maintenait le Kinois debout, et que certains appellent la Conscience politique. Le serpent abject trouvait la Conscience politique pernicieuse et fourbe. On ne savait jamais de quoi elle était capable. Elle envahissait les cœurs sans crier gare. Elle tissait des liens pour créer un réseau. Un réseau qui deviendrait vite inexpugnable et contre lequel la Faim ne pourrait peut-être plus rien.

Un réseau est quelque chose d'incontrôlable parce que, lorsqu'une infime partie de celui-ci reçoit une impulsion, elle est automatiquement répercutée au reste du réseau. Plus des étincelles de colère et de révolte se manifestaient à sa surface, plus le peuple devenait solidaire. Des sceptiques mettaient cela sur le compte de l'instinct grégaire, mais un observateur averti tel que le reptile au double crâne savait que c'était à cause de cet être monocéphale nommé Conscience politique que l'on fabriquait des révolutions. Et c'était souvent à cause d'elle que la Faim avait presque disparu de certaines contrées. L'entité multicellulaire se mouvait plus lentement que le monstre immonde, c'est vrai, mais surtout, elle avait besoin de davantage de temps pour arriver à maturité et réellement exercer son influence.

En tant que gardien de la République, l'adjudant Bamba Togbia était aussi sensible à ces épiphénomènes. Assis dans le 4 x 4, son regard errait au bord de la route sur la population qui s'acharnait chaque jour à trouver sa pitance. Malgré les efforts du gouvernement, Bamba savait que les choses n'étaient plus ce qu'elles étaient. Il sentait aux regards portés sur lui qu'un militaire n'était plus craint comme à la belle époque. Les regards vite détournés devant le soldat, c'était fini. On percevait maintenant le défi. De temps en temps même, des éclats de réelle colère. On aurait dit que les gens n'attendaient que le moment propice pour en découdre. Une fois pour toutes, se confronter à la puissance de feu de ces hommes en armes. Bamba sentait dans le regard qu'on portait sur lui qu'on cherchait le prétexte pour l'affrontement. Le peuple, se sachant en surnombre, ne craignait pas pour sa survie. D'autant plus que même si tout avait été fait pour l'humilier et l'anéantir, il subsistait. Les hommes, les femmes, les enfants, les fous même, tous devenaient arrogants. Aucun d'eux ne manifestait plus le respect craintif d'antan. A la moindre occasion, c'était journée ville morte, manifestations, heurts avec les forces de l'ordre. Mais où diable avaient-ils appris cela ? Le militaire craignait pour son avenir. Et en ce qui concernait sa fonction dans l'armée, c'était plutôt mal barré.

Pour l'instant en tout cas, sa principale préoccupation était de rester éveillé. Sa vue lui jouait des tours. Tout à coup, elle se brouillait ou alors subitement devenait floue. Il ne quittait plus les lunettes noires. Les rares fois où il les enlevait, il faisait peur tant ses yeux étaient injectés de sang. Il ne supportait plus l'éclat du soleil. Toute surface réfléchissante était pour lui un supplice. Cela faisait des mois maintenant, et il n'avait toujours pas essayé de braver l'interdit du sorcier Mbuta Luidi. C'était un miracle qu'il ne soit pas encore tombé raide mort, ou devenu fou. Bamba essayait de mener sa vie, coûte que coûte. Tant qu'il ne s'endormait pas la nuit, en théorie il ne risquait rien. L'adjudant recherchait maintenant les tours de garde nocturnes, pour passer le temps. Il s'était mis à fréquenter les bars de plus en plus souvent, en quête d'animation pour rester éveillé. Les nuits passées en tête à tête avec sa radio ou les émissions de télé sur la vie des poissons ne parvenaient plus à le distraire. Il s'était donc mis à boire plus que de raison. En conséquence, ses journées se passaient à gérer des migraines de plus en plus fréquentes et à tenter de contrôler des hallucinations dans lesquelles tous les paysages de Kinshasa semblaient passer sur un DVD mal formaté. Les images se déstructuraient aussi subitement que dégringole un empilement de cubes. Elles ralentissaient sans prévenir. De temps en temps même, dans sa tête, son écran personnel devenait noir, et Bamba perdait toutes les infos précédant le black-out. Il devait faire des efforts inouïs pour se souvenir de ce qu'il disait la seconde d'avant. Quant à ses cahiers, il éprouvait chaque jour plus de difficultés à les tenir à jour. Le manque de sommeil était en train, comme un bogue informatique, de brouiller doucement le cerveau du vieux soldat. La malédiction du sorcier accomplissait son œuvre.

L'adjudant jeta un coup d'œil au première classe Landu. Celui-là même qui lui avait donné le morceau de bois, cause de son malheur. Sous la pression, le jeune militaire avait fini par lui avouer qu'il avait subtilisé le bâton sacrificiel chez Mbuta Luidi en personne. C'est pourquoi le sorcier était décédé. Landu se défendit : ce n'était pas de sa faute si l'histoire avait mal tourné. C'était peut-être vrai, concéda Bamba, mais tout de même ! L'irresponsable avait en plus osé lui suggérer d'essayer de dormir, de tenter de braver la malédiction. Bamba avait dit qu'il essayerait peut-être un jour, mais que, pour l'instant, il n'avait pas encore rassemblé le courage nécessaire. Alors il s'était résolu à rester éveillé quoi qu'il lui en coûtât, nuit après nuit. On l'avait pourtant parfaitement prévenu de ce que la sorcellerie était interdite dans sa famille ! Pourquoi n'avait-t-il pas obéi aux ancêtres ?

Tenant fermement le volant, Landu scandait une chanson de Koffi Olomide dans laquelle le chanteur s'apitoyait sur lui-mêmе, déballant une histoire d'amour où il semblait avoir tous les torts. Ingénument, le jeune soldat accentuait ainsi les maux de tête de Bamba et, par la même occasion, bafouait la candeur de Célio, assis à l'arrière du véhicule.

— Mon commandant, *mboka ebebi*[1] ! Tu te rends compte, mon commandant, que du côté de

1. "Le pays est foutu !"

la clinique universitaire on a arrêté une communauté de miséreux qui récupérait des déchets
hospitaliers pour les cuire et les manger pour
s'assurer des protéines animales ?

— Tu exagères, Landu. C'est la faim qui fait
parler les gens à tort et à travers.

— Mon commandant, c'est la vérité ! Mais il
y a pire. Ne me dis pas, mon commandant, que tu
n'as pas entendu parler des corps de femmes que
l'on retrouve dans les hôtels avec un téton arraché ?
Arraché avec les dents, mon commandant. Tu te
rends compte où en sont les mœurs !

— Là, tu as raison, répondit l'adjudant, le pays
est foutu.

— Et tu crois que c'est quoi, mon commandant ? C'est la galère. Les gens deviennent fous.
On court à la catastrophe.

Le pays allait très mal, en effet, pensait Célio.
A travers les vitres de la voiture, le jeune homme
regardait les gens circuler au bord de la route.
Depuis le début de la journée, il ressentait une
appréhension indéfinissable. La ville entière avait
une autre ambiance, plus lourde. Les gens étaient
peu nombreux sur les avenues mais des attrou-
pements se formaient, l'air de rien. Des conversations se tenaient aux carrefours. Au Bureau,
ils n'avaient pas beaucoup travaillé, le patron
avait congédié tout le monde en fin de matinée.
Les militaires de garde étaient en état d'alerte. On
craignait le remous social. L'opposition annonçait
une journée chaude pour le pouvoir. Il devrait
y avoir des manifestations ou quelque chose du
genre. Démocratie, élections. Les gens n'avaient
plus que ces mots à la bouche. Célio pensait qu'il
s'agissait d'une fausse alerte, mais on remarquait
quand même qu'aux endroits stratégiques, tels
que les ponts et les bâtiments administratifs, un

renforcement de la présence militaire était visible. Pour l'instant, tout était calme. La population et le pouvoir se regardaient en chiens de faïence.

Depuis que Célio avait acquis ce poste, forcément, il était passé par toutes sortes de sentiments. Au début, porté par l'ambition et l'argent, n'ayant de cesse de prouver ses capacités il avait quelque peu négligé les aspects éthiques de son emploi. Aujourd'hui, il était un peu plus mitigé mais considérait qu'à son niveau, il ne pouvait de toute façon rien pour soulager la misère de la population de quelque façon que ce soit. Comme tout le monde, il était obligé d'assister à la dégradation de la situation. L'Etat ne remplissait plus son rôle que de manière symbolique, Célio était bien placé pour le savoir. Chaque jour, le pouvoir d'achat s'amenuisait. Les denrées alimentaires étaient rares et hors de prix. Le système de santé n'existait plus depuis longtemps. Le sida et ses conséquences s'étant ajoutés à tout cela, l'ensemble était devenu ingérable. Les gens ne tenaient plus que par la peau qui les recouvrait. Pour l'éducation, c'étaient les parents qui s'organisaient pour payer le salaire des professeurs. Dans ce contexte, seul Dieu faisait des miracles, et encore, il avait un mal fou à suivre.

Malgré cela, le jeune homme ne se posait pas trop de questions. Il avait une fois pour toutes mis un couvercle sur beaucoup de ses convictions et s'en accommodait parfaitement. La meilleure façon de lutter contre la pauvreté était encore de faire de l'argent. Pour l'instant, il en avait accumulé pas mal. Ses dépenses étaient limitées. Tout était payé par son employeur : loyer, frais de missions. Il ne se déplaçait qu'avec les véhicules de service. Ses goûts restaient frugaux. Il avait investi un peu dans de la sape, c'était normal, il fallait bien paraître un minimum.

C'était très bien tout cela, mais Célio n'aimait pas l'électricité qu'il sentait dans l'air. Il pensa à ses amis du "maquis" et aux Trickson, Sera Sera et consorts. Qu'avaient-ils à perdre, au fond, dans la vie ? Les gens mouraient de la malaria, chaque jour, par milliers. On s'éteignait plus facilement qu'une lampe à pétrole. A force de se faire tirer dessus, la population se croyait devenue invincible devant les balles. Et puis, qu'importait la mort, du moment qu'elle était plus foudroyante que le VIH. Comme tout était bloqué aujourd'hui, Célio se proposa de rendre visite au père Lolos. Histoire de sortir un peu des turpitudes de ce monde.

Dans l'enceinte du séminaire, le décor immuable ne trahissait en rien la détresse et le désordre qui couvaient à l'extérieur. Des séminaristes joyeux ou méditatifs circulaient avec discrétion dans les allées. Célio se dirigea vers le bureau du père Lolos et frappa. Lorsque le jeune homme apparut dans l'encadrement de la porte, le visage du vieux prêtre s'illumina.

— Entre, Célio, entre. Quelle surprise ! Le père Lolos l'accueillit d'une accolade. Il était content de le voir, mais quelque chose semblait atténuer sa joie.

— Ça va, mon père ? demanda Célio.

— Ça va, comme le pays. Son visage redevint grave. C'est une sale journée. Un de nos véhicules a été pris à partie par les étudiants, rond-point Ngaba. Le chauffeur n'a pu le ramener que de justesse. Jusqu'à présent, on n'a encore rien entendu de dramatique, tout a l'air calme dans les quartiers, mais tout peut arriver.

En effet, l'atmosphère de danger était palpable dans toute la ville. Il y avait moins de monde que d'habitude, les gens étaient restés chez eux. Quelques rares véhicules circulaient encore, et tous avaient l'air très pressés d'atteindre leur destination. Le bruit de fond qui recouvrait en permanence la cité avait disparu. On aurait dit que, doucement, tout se figeait. Le ciel lui-même devenait triste. Sur les tas de détritus, les sachets en plastique usagés voletaient comme des oiseaux de mauvais augure. Le soleil brillait mais avec moins d'éclat. Sa lumière semblait plus froide, plus métallique. Ces journées de tension se reproduisaient de plus en plus souvent. Elles n'étaient souhaitées par personne, mais elles étaient nécessaires. Il fallait ces coups de boutoir de la part du peuple. Les gens sortent dans la rue, expriment leur colère, et qu'importe la répression. Ces journées, pense le peuple, font partie d'un processus obligatoire, comme les douleurs de l'accouchement. Mais on sait aussi que plus la fréquence de ces douleurs augmente, plus la délivrance est imminente.

— Que veux-tu, Célio, les gens en ont assez. Il faudra bien que cela explose un jour.

— Le pays est pourri, mon père. Il faudra plus que de la colère pour assainir tout cela.

— C'est la volonté politique qui manque dans ce pays. Pendant longtemps, on a cru que l'opposition allait se structurer et agir, mais regarde comment chacun essaye de tirer la couverture à soi. C'est lamentable. Le père Lolos semblait accablé. Il tournait dans son bureau comme un lion en cage. Célio, assis, le regardait ruminer ses griefs. L'anxiété, brusquement, le faisait paraître plus vieux.

— C'est tout un système, mon père. Je crois que pour sauver ce pays, il faut davantage qu'un homme. Les différents systèmes qui se sont succédé ici ont créé tant de dommages que cela ne s'arrangera pas en un jour.

— Je me doute qu'il s'agit de la tâche de chacun.

Le vieux prêtre avait plus qu'accompli sa part dans le pays. Pour l'instant, il souffrait avec lui. Durant toutes ces années, il avait dispensé le savoir à deux générations. Malgré cela, il se sentait frustré, parce que ses efforts, ainsi que les efforts de ceux à qui il avait enseigné avaient été, à chaque fois, annihilés par la politique, plongeant le pays plus profondément dans l'abîme. Lolos n'oubliait pas les jours heureux, bien sûr, car c'était à leur aune qu'il mesurait les choses, et cela le rendait plus désespéré encore. Quel gâchis ! pensa-t-il. Il poursuivit :

— Les gens sont dans l'impasse. Ils sont bloqués dans les cordes, Célio, et je crains leurs réactions.

Le jeune homme savait la situation périlleuse mais pensait que tout n'était pas encore joué, parce qu'il avait lu la théorie de la limite d'une variable, divulguée par Kabeya Mutombo dans son *Abrégé de mathématique*, qui dit qu'*un nombre* x *passant successivement par une infinité de valeurs a pour limite un nombre fixe* a, *si la différence* a − x *devient et reste, en valeur absolue, inférieure à tout nombre positif fixe* x *donné à l'avance, si petit que soit* x. Tout cela est bien vrai mais juste après avoir défini la limite d'une fonction, l'auteur parlait de continuité. Et là, il est dit qu'*une fonction est continue lorsqu'elle varie par degrés insensibles et ne peut sauter brusquement d'une valeur à une autre*. Effectivement, la lutte en cours n'était pas toujours perceptible par tous, ou pas de la même façon.

— C'est vrai qu'un animal acculé devient dangereux, mon père. Mais il ne s'agit pas ici d'animaux.

L'homme dans la même situation est condamné à trouver des solutions. Je compte sur l'intelligence des gens. Je ne suis pas sûr qu'il s'agisse d'intelligence, d'ailleurs, c'est plus que cela. Je crois plutôt à l'ingéniosité de ce peuple, à son imagination, parce qu'il s'agira de passer par un processus et que dans un processus, ce sont les étapes qui comptent. Et le peuple se doit de rester vigilant pour pouvoir conserver des chances de réussir chacune d'elles. Ces heurts sont destinés à montrer au pouvoir en place que, désormais, le peuple participe au débat et qu'il faudra compter sur lui. Lolos regarda longuement Célio.

— Et toi, Célio, à travers le travail que tu fais, sais-tu à quoi tu participes ?

Célio eut un sourire.

— Ne souris pas ! Regarde où le régime que tu sers a conduit ce pays ! Tout est délabré, à commencer par la population ! Comment peux-tu mettre au service de ces gens ce qui t'a été enseigné ? L'ambition ne justifie pas tout. Jamais encore Lolos et lui n'avaient réellement parlé de ses activités au Bureau. Célio connaissant bien le père, s'ils n'avaient jamais vraiment abordé le sujet, c'est que, quelque part, le vieux désapprouvait. Mais en même temps, ne pouvant pas l'empêcher de gagner sa vie, il n'avait jamais voulu soulever le débat.

— J'ai parfaitement conscience que j'agis contre le peuple. Que travaillant pour la présidence, je contribue à pérenniser tout cela. Mais je suis dans la communication, mon père, je ne suis ni militaire, ni juge, je n'assassine personne. Et puis, au point où nous en sommes, l'individu ne compte plus. C'est la masse qui fera la différence. Crois-tu, mon père, que si je vais manifester avec tous ces gens, j'empêcherai quoi que ce soit ? Je ne crois pas. Je pense plutôt que le peuple dans ce pays a enclenché un mouvement qui est devenu irréversible. Que je travaille aujourd'hui pour la présidence ou pas.

— On est toujours responsable quelque part, Célio. Parce que c'est l'esprit des choses qui compte. Si ton action revêt un esprit qui est en contradiction avec tes convictions, alors abandonne-la. A moins que tu n'en aies plus, fils.

— Ne crois pas cela, mon père. Parmi l'une d'elles, il y a celle de réussir dans cette ville. Elle ne fait pas de cadeau et tu le sais bien. S'il a fallu que je passe par le bureau Information et Plans, dans ma situation, je n'allais tout de même pas cracher sur l'occasion. Le vieux Lolos exhala un soupir.

— Tu veux réussir comme ton patron a réussi ? Ne t'oblige pas à passer par des actes qui vont à l'encontre de ce que tu es, tu risques de te brûler l'âme, Célio. Laisse-moi tout de même te mettre en garde contre ceux avec qui tu travailles. Je vais te montrer quelque chose.

Le prêtre se dirigea vers une bibliothèque qui recouvrait tout un mur. Il se hissa sur la pointe des pieds, et sortit ce qui semblait être un album de photos, recouvert de cuir bordeaux. Il y avait des dates inscrites sur la tranche. Le vieux posa l'album sur la table, l'ouvrit. Il y avait des photos en noir et blanc, représentant des rangées d'élèves, fixés pour l'éternité. Le prêtre tourna les pages et s'arrêta sur l'une d'elles.

— Regarde celle-ci. Sur l'en-tête, il était écrit Lubumbashi 1969-1970. Célio ne voyait pas où Lolos voulait en venir.

— Tu le reconnais ? Lolos, pointait du doigt un jeune homme à lunettes, petit afro, debout au dernier rang, au milieu d'un groupe d'étudiants. Célio ne voyait rien de particulier.

— Regarde bien, insista le prêtre. Célio se pencha et reconnut un certain air arrogant. Son boss, Gonzague Tshilombo, mais trente ans plus jeune. Célio était abasourdi. Comment le père Lolos pouvait-il posséder une photo de Tshilombo ?

— Il n'a passé que peu de temps à Lubumbashi mais ce fut l'année des premières tueries à l'université. Une année noire. Nous avons perdu des étudiants. Ils se sont révoltés, la répression a été féroce. Un grand nombre a été incorporé de force dans l'armée. Il y en avait des centaines, Célio. Des destinées brisées, d'un coup. Certains des meneurs, qui figurent par ailleurs sur cette photo, ont été tués. Et c'est là que Tshilombo a joué un rôle. Parmi les étudiants, le pouvoir a toujours pris soin de placer des indicateurs, qui rapportent tout ce qui se passe sur le campus. Tshilombo était l'un d'eux. A l'époque déjà, il émargeait au budget d'un service de renseignement. C'est grâce à lui que les meneurs purent être identifiés. Célio regardait fixement la photo. Il était vrai qu'il ne se faisait pas trop d'illusions sur la personnalité de son boss. Célio était sûr qu'il avait déjà trempé dans pas mal d'affaires graves, là où il y avait mort d'hommes. Mais savoir qu'à vingt ans à peine il avait déjà du sang sur les mains, laissait à Célio un drôle de goût dans la bouche. Il regarda plus intensément la photo. Il parcourut les visages aux expressions figées. Il se dit que certains, comme lui, poursuivaient alors des rêves et des ambitions immenses. Où étaient-ils aujourd'hui ? Son cœur fit un bond dans sa poitrine. Parmi les étudiants, l'un d'eux retint son attention. Une certaine attitude ramassée. Le visage carré, les traits épais, une peau irrégulière. Célio crut reconnaître Makanda Rachidi, le président du Parti de la nouvelle démocratie.

— Mon père, cet étudiant vous dit quelque chose ? Le père Lolos regarda plus attentivement.

— Bien sûr, c'est Makanda Rachidi. Un élève, si je me souviens bien, plus malin qu'intelligent. Il n'a pas mal réussi dans la politique. Makanda Rachidi et Gonzague Tshilombo suivaient la même candidature au même moment. Troublé, Célio essayait de reconsidérer la nouvelle donne. Makanda, dont les hommes avaient tué Baestro, son ami. Célio essayait de garder son sang-froid. Baestro meurt dans un affrontement opposant ses hommes et les supporters du président. Or c'est Tshilombo qui envoie Baestro et les autres à Limete. Il n'y avait peut-être aucun lien, mais le doute s'était installé.

— Dis-moi, mon père, quelles étaient les relations entre Makanda et Tshilombo ? Etaient-ils proches ?

— Et comment ! répliqua le prêtre. Lorsque les arrestations ont commencé, des étudiants avisés se sont mis à fouiller les chambres du campus pour découvrir des indices, au sujet d'éventuels indicateurs. Si les meneurs de leur mouvement avaient presque tous été arrêtés, c'est qu'un traître figurait parmi eux. Dans la chambre de Tshilombo, ils ont découvert un talkie-walkie. Il a été intercepté un peu plus tard, et pris à partie par les étudiants, qui l'ont emmené, en vue sûrement de lui faire passer un mauvais quart d'heure. C'est sur l'intervention de Makanda qu'il a pu de justesse échapper au lynchage. On ne l'a plus revu à Lubumbashi ensuite.

— Et aujourd'hui, comme à l'époque, ils se retrouvent encore, des deux côtés de la barrière, mais Makanda plus riche de ce que lui doit Tshilombo. Pas mal comme capital.

— Quelque chose ne va pas ? demanda le père Lolos.

— Tu te souviens, mon père de la mort de mon ami Baestro ?

— Oui, bien sûr.

— C'est le Bureau qui l'avait recruté.

— Que veux-tu dire par là ?

— Si, politiquement, Tshilombo et Makanda sont ennemis et que, dans la vie, ils ont des arrangements, peut-être n'y a-t-il pas eu de réel affrontement, ce jour-là ? C'était peut-être une mise en scène ? Jusqu'à présent je me suis contenté de penser que la mort de Baestro n'avait été qu'un accident ou même un dérapage comme il peut en arriver, mais avec le temps, je n'en suis plus si sûr.

— Reste calme, Célio. D'après toi, ils se seraient entendus pour créer cet horrible incident. Et les victimes, Célio ? Non, c'était sûrement le hasard. Il y a peut-être eu mise en scène, mais quelque chose a dérapé, et ton ami est mort. Et puis, quel intérêt avaient-ils à faire tuer ton ami ?

— Quel intérêt ? Tu te souviens du bruit autour du drame ? S'il y a eu quelque chose, je le découvrirai bien.

— Ne t'emballe pas, Célio. Et même, si tu découvres un complot, que pourras-tu ? Ce sont des gens puissants. Quoi que tu puisses trouver, tu ne pourras que constater et te taire.

— Baestro n'avait rien demandé à personne. J'étais là, le jour où il est parti mourir. Il ne voulait même pas y aller, à ce soi-disant meeting. Connaissant Tshilombo et Makanda, je ne peux plus croire que c'était un accident.

— Qu'est-ce qui t'arrive ? Tu avais l'air satisfait de ton emploi, il y a à peine cinq minutes. Et si tu n'avais pas vu la photo, Célio ? Ne laisse pas les doutes t'empoisonner l'existence. Ton ami Baestro est mort et rien ne pourra le ressusciter. Il n'y a peut-être aucune vérité à découvrir. Entre-temps, si tu veux la paix de l'âme, confie-toi à ta conscience.

Après les deux heures passées chez le père Lolos, on aurait dit que des nuages étaient venus assombrir le ciel, que le soleil, n'appréciant pas la violence, était allé voir ailleurs, ne laissant que ses rayons les plus blafards. Il n'en était pourtant rien. Ce n'était qu'une illusion due à l'imminence du danger. Le véhicule bleu marine filait à grande vitesse à travers des rues qui s'étaient encore vidées de leur population. Pour sentir la température, Célio avait demandé de faire un détour par le quartier de Bandalungwa. Visiblement, la tension était montée d'un cran. A certains carrefours, des jeunes brûlaient des pneus. Plus loin, des grappes de soldats nonchalants occupaient les ronds-points, le doigt sur la gâchette. Les rôles étaient distribués pour commencer la tragédie en plusieurs tableaux. Les acteurs étaient assez nombreux pour y passer la journée. La pièce avait été répétée à maintes reprises, les comédiens étaient prêts, mais on hésitait encore à entamer le premier acte.

Dans le véhicule, Célio broyait du noir. La conversation avec le père Lolos l'avait perturbé. Il regardait au-dehors, mais ne voyait rien, absorbé par ses doutes. Le jeune Landu était surexcité. Il aimait ce genre de situation, il aimait l'électricité qu'il y avait dans l'air. C'étaient des instants où il espérait se réaliser. Malgré la vitesse, il évitait avec adresse les nombreux nids de poule. Dans sa tête d'aventurier, il imaginait le champ de bataille, des trous d'obus. Bamba, taciturne comme d'habitude, restait impénétrable derrière ses lunettes noires. Le 4 x 4 parcourut les larges avenues. Tous les véhicules qu'ils croisaient roulaient à la même allure pressée. Chacun avait hâte d'arriver chez soi. Les commerçants, par prudence, avaient fermé leurs échoppes. Les petits marchés étaient complètement déserts. Quelques rares *ligablos* délivraient un service minimum. La voiture emprunta l'avenue Kasa-Vubu, roula à travers Bandal, doubla Matonge et, par l'avenue Bokassa, rejoignit la ville. Partout, ce n'étaient que de rares passants pressés, des groupes massés, gérant leur nervosité, ou bien, au contraire, des militaires en pelotons, en attente. Des volutes menaçantes s'élevaient des pneus qu'on brûlait. Ils débouchèrent en trombe sur le boulevard du 30-Juin, quand le décor brusquement s'obscurcit, car une foule immense occupait le large boulevard.

Des manifestants chantaient des chants de conquête. On voulait les urnes et rien d'autre. Les poitrines se soulevaient pour exprimer vigoureusement la colère. Des banderoles étaient déployées avec des revendications claires : des élections libres et cela sans tarder ! Le peuple était déployé en phalanges guerrières face à la soldatesque. Les banderoles et les drapeaux battaient l'air comme des oriflammes de victoire. Chacun était prêt pour un combat médiéval, au corps à corps, haleine contre haleine. Des chants gutturaux faisaient vibrer l'atmosphère, la rendant aussi instable que la nitroglycérine.

Ils étaient des milliers. Pour minimiser, les autorités, plus tard, diront qu'ils n'étaient que quelques centaines. Ce sera un mensonge. Ils étaient venus de partout à travers la ville. Il y avait, comme l'écriront certains journaux, des désœuvrés et des voyous. Bien sûr qu'ils étaient venus ! Ils avaient tenu à venir, et en masse encore. Ils avaient des revendications sérieuses à formuler et tenaient à l'exprimer haut et fort. Le désœuvrement ne nourrissait pas son homme et l'état de voyou n'était pas viable longtemps, donc, ils en avaient marre. Il y avait les étudiants, évidemment. Ils étaient là en tant que précurseurs de tous ces mouvements de foule. De plus, excédés par les années blanches, ils n'avaient plus rien à perdre, ils étaient là pour organiser les combats, s'il y avait lieu. Il y avait des mères de famille qui en avaient assez de devoir déployer l'impossible chaque jour pour nouer les deux bouts, et de voir quand même leurs enfants mourir du kwashiorkor. Il y avait même des fonctionnaires de l'Etat. L'Etat qui n'avait plus rien d'une mère protectrice et nourricière. L'Etat qui avait renoncé à ses responsabilités. De cette trahison, ils étaient venus se venger. Beaucoup n'avaient encore jamais désobéi à l'autorité. Parmi eux, un employé de l'INSS avait pris sa décision, parce qu'il ne pouvait plus décemment élever ses enfants. Il avait donc mis sa plus belle cravate, et pris le chemin du boulevard du 30-Juin, et advienne que pourra. Sa fille, une étudiante, douée pourtant pour les études, était rentrée avec une nouvelle paire de chaussures, et ce n'était pas lui qui lui avait donné l'argent pour les acheter !

Devant le mur humain, Landu dut freiner.

— Plus moyen d'avancer, patron. Célio habitait à côté. Pour accéder à l'entrée de son immeuble, le véhicule devait se frayer un chemin sur les abords du boulevard parmi les manifestants.

— Patron, on devrait faire demi-tour. Bientôt le choix ne fut plus possible, car la foule entourait déjà le véhicule, et toute manœuvre devint impossible, sauf, peut-être, à grands coups de klaxon, une folie. Personne ne semblait leur prêter attention. Dans la voiture, Bamba et Landu essayaient de passer inaperçus. Entourés par la multitude hostile, ils n'en menaient pas large.

— Essaie d'avancer, doucement. Reste sur les côtés, conseilla Célio. Le véhicule s'ébranla lentement, en tremblant au rythme de ses gros cylindres. A l'extérieur, la clameur s'amplifia tout à coup. La foule ne constituait plus qu'une masse unique, décidée et prête à tout. De l'intérieur du véhicule, les voix ressemblaient au bruit du ressac contre les rochers. Régulièrement, les mains et les corps qui touchaient la tôle du 4 x 4, produisaient des détonations sourdes et inquiétantes. Des visages se penchaient sur les vitres. L'immeuble de Célio n'était plus qu'à vingt mètres. Landu comptait passer devant, prendre la rue tout de suite à droite, déposer le jeune conseiller et déguerpir le plus vite possible, loin de ce piège. Les visages étaient de plus en plus curieux et des mains formaient comme des coquilles autour des visages.

— *Bango wana*[1] ! cria quelqu'un. Alors les détonations sur la carrosserie devinrent des explosions, mais au rythme d'une violente averse de grêle. Landu fit rugir le moteur pour impressionner, mais en vain. Sa dégaine, celle de son collègue et le costume trop impeccable de Célio les avaient trahis. Les manifestants avaient tout de suite flairé que des ennemis se trouvaient dans ce véhicule, à la cylindrée un peu trop importante pour être honnête. Des mains s'abattirent sur la carrosserie, s'agrippèrent aux poignées des portières.

1. "Ce sont eux !"

La foule se couchait carrément sur le capot. Les occupants de la voiture craignirent que les vitres ne volent en éclats.

Entre-temps, à la tête de la manifestation, en face de la gare centrale, du côté soldats, l'autorité avait décidé de réagir et de prendre ses responsabilités. Des transports de troupes s'étaient mis en branle, ainsi que deux blindés légers. Les militaires avaient commencé à tirer. La masse compacte des manifestants tint pendant quelques secondes, puis le bloc se disloqua. Ce fut la débandade. Les soldats sautaient des véhicules et fondaient sur la foule à coups de crosses. D'autres, l'arme en joue, tiraient dans le tas, carrément à hauteur de poitrine. Pendant ce temps, les blindés tentaient de prendre tout ce monde en tenaille. La situation devint confuse et la scène si bien agencée éclata en mille morceaux. Dans le désordre apparent, les manifestants essayaient d'isoler des hommes en armes. On vit l'un d'eux, qui essayait de se protéger des jets de pierres, se faire arracher son fusil. En quelques secondes, son uniforme fut en lambeaux et il ne dut la survie qu'à l'intervention de ses collègues. Les militaires se trouvant trop près de la foule hésitaient à tirer, redoutant de se faire lyncher, car la colère des manifestants était à son comble. Plus loin, un groupe de soldats, dos à dos, essayait de repousser une tentative d'encerclement de la part de civils, dont certains, armés de bouteilles de pétrole, tentaient de les en asperger, pendant que d'autres tenaient des allumettes pour y mettre le feu. Des fanfarons, aux premières loges, avaient enlevé leurs chemises devant le canon des armes. Ils désignaient leur poitrine du doigt pour défier la soldatesque. Certains des combattants avaient ceint leur front d'un bandeau de tissu de couleur rouge. Rouge comme le sang de ceux qui vont mourir. Contre le fer et le feu, les manifestants se devaient d'être grandiloquents. Il fallait clairement exprimer sa détermination.

Malgré leur courage certain, ils durent se replier vers les rues adjacentes, poursuivis par les véhicules militaires. Loin derrière, au milieu des émeutiers, Landu, essayant de se frayer un passage en force, conduisait de la seule main droite, la gauche occupée par son mini Uzi. Cela n'impressionna apparemment personne. La vitre arrière avait éclaté et Bamba pointait son arme vers l'ouverture, pour empêcher les manifestants furieux d'approcher de trop près. Le véhicule dépassa l'immeuble de Célio, se dégagea, prit tout de suite à droite, en roulant sur une plate-bande puis dans un crissement de pneus, fila tout droit, sans demander son reste, en tanguant dangereusement.

Célio se réveilla en sursaut. Il avait fait un mauvais rêve. Ce n'était pas étonnant avec ce qu'il avait vécu la veille. La foule. Elle pouvait être dangereuse quand elle s'y mettait. Surtout lorsque la politique était en jeu. Ses pensées, tout naturellement, le conduisirent à Baestro et à son meurtre commis dans des circonstances presque analogues. Cela le ramena à la conversation de la veille avec le père Lolos. Son ami avait peut-être été tué dans la confusion mais Célio n'était plus sûr du tout que son trépas avait été le fruit de la seule colère des hommes de Makanda. Si quelque chose avait été manigancé pour le conduire à la mort, Célio tenait absolument à le savoir. Le jeune homme se leva et se dirigea vers la salle de bains. Une douche, un bon petit déjeuner et il verrait déjà plus clair. L'eau froide le débarrassa des visions de la nuit. Quand il sortit de la douche, il savait exactement ce qu'il allait faire. Tout d'abord, aller voir mère Bokeke, la tante de Baestro et de Gaucher. Il voulait entendre de ses propres oreilles l'histoire saugrenue selon laquelle Gaucher était retourné au village. C'était la dernière version qu'elle avait donnée à tout le monde, au sujet de la disparition du neveu survivant. Peu après la mort de Baestro, on ne l'avait subitement plus vu, mais Célio l'imaginait mal rentrer chez lui au fin fond de la forêt équatoriale. Quand on avait connu la lumière électrique, l'obscurité de la forêt faisait peur. Gaucher devait encore être en ville. Où ? Célio comptait sur mère Bokeke pour le lui révéler.

Le respect de la hiérarchie et l'éducation ont ceci de bon : ils permettent dans les relations difficiles de continuer à se parler, les yeux dans les yeux, sans trop d'états d'âme, ou du moins de pouvoir le prétendre. Depuis que Célio en savait un peu plus sur son patron, il posait sur lui un œil bien différent. Et de savoir aussi qu'il avait peut-être devant lui un des responsables de la mort de son ami l'obligeait à réprimer un rictus de dégoût. Assis face à Gonzague Tshilombo, le front barré de deux rides de préoccupation, il s'efforça de rester stoïque.

— Voyons un peu, Célio, au sujet de ces émeutes. Cela faisait longtemps qu'on n'en avait pas eu de cette ampleur. Il y a eu des tirs et des blessés graves à Kalamu, deux morts sur le boulevard, six à N'Jili, et là aussi des blessés. Recherchez toutes les informations utiles, analysez la situation. Je croyais l'opposition calmée pour un temps, mais il semble qu'elle ait voulu nous prouver quelque chose en organisant cette manif. Je n'aime pas cela, je veux tout savoir. Faites le nécessaire. Pourquoi ces manifestations et pourquoi maintenant ?

— La faim, murmura Célio.

— Comment ?

— Non, rien, boss, je pensais tout haut. Célio se leva, prit quelques documents à sa disposition, puis sortit.

Le jeune homme s'enferma dans son bureau et se plongea dans son travail, pour ne pas trop penser. Mais à force d'analyser des rapports concernant les émeutes de la veille dont l'une dans laquelle il avait failli laisser sa peau, il déprima. Un peu avant midi, il préféra sortir prendre l'air, c'est-à-dire aller manger une brochette chez Vieux Isemanga et, par la même occasion, faire un brin de causette avec mère Bokeke.

Célio, apparemment, n'était pas le seul à vouloir prendre l'air, car devant le *ligablo* de Vieux Isemanga, il y avait deux ou trois employés travaillant dans le coin et la secrétaire qui n'était plus harcelée sexuellement, vu que, depuis longtemps maintenant, elle était tombée amoureuse de son trop généreux patron. Les jumeaux Mboyo et Boketshu n'avaient pas été à l'école ce jour-là et, comme d'habitude, ils se disputèrent pour pouvoir porter la mallette de Célio. A cause des événements de la veille, beaucoup s'étaient abstenus de venir travailler. La sécurité n'était pas assurée. La circulation était fluide et les commerces, pour la plupart, fermés. Seuls les fonctionnaires, les plus en vue, se sentaient obligés de venir au travail, sous peine d'être accusés de faire le jeu de l'opposition.

Les conversations, bien sûr, tournaient autour des émeutes. Célio écouta un peu, on ne sait jamais, peut-être pouvait-il glaner quelques informations pertinentes pour son rapport. Les jeunes n'étaient pas présents. La parcelle de l'ONG était quasi déserte. Il est vrai qu'après des journées de grève, des journées ville morte ou des manifestations comme celle de la veille, il était vital de sortir chercher de quoi manger. Car pour le Kinois, gagnant sa subsistance au jour le jour, accomplir une journée de lutte sociale sans syndicat équivalait à une journée de congé sans solde, doublée d'un jour de jeûne volontaire. La Faim, qui avait le sens de l'humour, appréciait ce genre de situation. Mais le prix de la liberté et de la démocratie était jusqu'à présent quelque chose que l'on ne pouvait négocier avec elle.

Devant sa bicoque, mère Bokeke Iyofa était en train de balayer la surface de terre battue. Tout était net et les ustensiles de cuisine bien rangés. Les fauteuils de jardin en plastique blanc étaient entassés les uns sur les autres. Le banc était posé à la verticale contre le mur. Des bûches froides, dans un coin, témoignaient que la journée commençait maigre. Il semblait que la mère, depuis ce matin, n'avait même pas préparé le thé rouge et sucré, sans lait, où l'on trempe de délicieuses tranches de pain sec. Les garçons étaient donc partis en chasse.

— *Mbote mama, simba naino oyo*[1].

— Hé ! Merci, *mwana na ngai*[2], dit mère Bokeke, en acceptant des deux mains les billets que Célio venait de lui tendre. Sa journée était sauvée. Grâce à l'argent, les enfants pourraient

1. "Bonjour, mama, prends un peu ça."
2. "Merci, mon fils."

manger ces jours-ci. Il faut dire que ce geste, à Kinshasa, était tout naturel. Celui qui n'avait pas beaucoup donnait à celui qui n'avait rien. Du coup, Dieu merci, de petites sommes pouvaient ainsi passer de mains en mains et cela uniquement grâce à la générosité de chacun. On ne se posait pas de questions, on remerciait, voilà tout.

— Célio, *mwana na ngai, vanda. Sango boni*[1] ? Célio prit un des fauteuils en plastique et s'installa à l'ombre de la petite maison. Ils s'entretinrent de banalités. Le jeune homme tourna autour du pot pendant un long moment, puis lâcha sa question.

— *Sango boni na Gaucher*[2] ? Mère Bokeke, ne s'y attendant pas, se troubla quelques secondes.

— Ah, mon fils ! Depuis que mon neveu est rentré au village, il ne m'a même plus fait signe de vie. Ce n'est vraiment pas bien de sa part. Est-ce qu'on oublie sa tante à ce point ? Célio ne fut pas dupe une seconde. Il connaissait les talents de grande comédienne de la mère. Il décida de prêcher le faux.

— C'est vrai, mère. Avec ces jeunes, dès qu'ils ont découvert les lumières de la ville, pris l'avion…

— L'avion ? Quel avion ? Gaucher n'a jamais pris l'avion de sa vie. C'est même moi, ta maman, ici présente, qui lui a payé le billet du bateau.

— Pourtant, quand il est parti, n'était-ce pas l'époque où le fleuve était interdit de navigation ? Mère Bokeke se souvenait de quelque chose, en effet. Il y avait eu une longue période où le poisson

1. "Célio, mon fils, assieds-toi. Comment vas-tu ?"
2. "Comment ça va avec Gaucher ?"

fumé, qui provenait en grande partie de l'Equateur, avait atteint des prix exorbitants. Mais était-ce avant la mort de Baestro ou après ? La mère était en pleine confusion. Célio en profita.

— Mère, je sais que tu as de bonnes raisons de cacher la présence de Gaucher à Kin. Je sais qu'après le décès de Baestro, ça a dû être dur pour toi.

— Ah ! Mon enfant, quel malheur ! Pourquoi viens-tu me rappeler ces choses pénibles ? Vous savez tous que je souffre d'hypertension, que je suis cardiaque. Pourquoi me rappelles-tu ces choses ? Aie pitié de moi, mon fils. Les lamentations de mère Bokeke en auraient ébranlé plus d'un, mais Célio tint bon.

— Mère, si je te parle de ces choses terribles, ce n'est pas pour te peiner, j'ai besoin de rencontrer Gaucher. J'ai besoin de savoir ce qui s'est réellement passé ce jour-là.

— Ne réveille pas le grillon qui sommeille, mon fils !

— Je ne réveille rien, mère. Il se fait que j'ai appris certaines vérités sur le grand patron de ces gens qui ont tué Baestro. Le type s'appelle Makanda Rachidi.

— Tu crois que j'ignore le nom de cette hyène qui s'est repue du cadavre de mon neveu ?

— Justement, mère ! J'en ai appris beaucoup sur lui. Mais j'ai besoin de connaître les circonstances exactes de la mort de Baestro. Seul Gaucher est capable de me le dire. Mais toi-même, mère, ne veux-tu rien savoir ? Veux-tu continuer à vivre dans l'ignorance ? Avec le poste que j'occupe actuellement, je suis en mesure de mener une enquête approfondie. Mère, fais-moi confiance. Baestro était plus qu'un ami, il était un frère et tu me connais depuis assez longtemps.

Tout ce que je veux, c'est savoir la vérité, rien d'autre.

— Mboyo, laisse ton frère ! cria soudainement mère Bokeke. Les jumeaux étaient en train de s'empoigner, se secouant mutuellement. L'un des deux tenait en l'air un livre que Célio identifia comme étant l'*Abrégé de mathématique* de Kabeya Mutombo. Il se précipita pour sauver son bien.

— C'est lui qui l'a pris le premier ! accusa Boketshu

— C'est pas vrai, c'est lui ! rétorqua son double. Les garnements avaient sorti le bouquin de la serviette de Célio et se disputaient le droit de le lire.

— Vous n'avez pas honte de fouiller dans mes affaires ? Je vous confie ma mallette et vous trouvez le moyen de tromper ma confiance ?

— On veut devenir comme toi, tonton Célio, répondirent les jumeaux. – On voulait juste connaître tes secrets. Célio fixa avec attention les gamins : ils n'avaient pas l'air de plaisanter. Statistiquement parlant, le jeune homme savait qu'il ne devrait pas être surpris par leur déclaration, cela pouvait arriver, mais l'intérêt indéniable des deux morveux pour l'ouvrage de Kabeya Mutombo et les mathématiques le laissa bouche bée, quelques secondes. Il manqua tout à coup d'arguments à leur asséner. Il leur adressa un blâme succinct tout en récupérant ses affaires. Mère Bokeke attrapa chacun des enfants par une oreille et, à grands cris, en profita pour leur inculquer le sens du respect dû aux aînés.

— Mon fils, ajouta-t-elle à l'adresse de Célio, je te révélerai ce que tu as besoin de savoir. Tu feras, alors, ce que tu dois faire, je te fais confiance.

VIII

LA PROLIFÉRATION DES NEUTRONS

Un nom, jamais personne ne devrait le quitter. C'est le nom qui façonne l'être. C'est lui qui fait l'homme. "Gaucher" n'était qu'un surnom. Mis en valeur au fil du temps, il est vrai, mais si en changeant de nom on espère changer de destin, par ce geste on s'expose aussi à perdre une grande partie de soi-même. C'était la réflexion que venait d'entamer Gaucher, assis sur un banc devant son *ligablo*. Car Gaucher ne s'appelait plus Gaucher. Lorsqu'il avait été libéré par Bamba, il avait filé tout droit chez son oncle et n'en avait plus bougé. Il avait tout fait pour ne plus apparaître en ville. Avoir échappé par deux fois à la mort l'avait rendu craintif et discret. Il ne quittait plus guère Masina. Et surtout, il ne voulait plus entendre parler de l'affaire de Limete. Il ne voulait plus réfléchir à la mort de son frère Baestro. Quoi qu'il ait pu se passer, Gaucher avait peur de remuer les souvenirs. D'ailleurs, il n'y pouvait plus rien. Bamba lui avait dit de disparaître. Comme promis, il était devenu presque invisible à la surface de Kinshasa. S'il y était venu pour régner, depuis le drame, il n'aspirait plus qu'à la citoyenneté la plus anonyme. Dans ce but, Masina convenait parfaitement. Parmi sa population à la densité la plus élevée de la ville, il était comme un anchois dans un banc de sardines, invisible. Première chose, il s'était débarrassé du surnom trop voyant de "Gaucher" pour revenir à son prénom originel, Donatien, comme s'obstinait encore à l'appeler son oncle. Heureusement qu'il avait changé cela en "Dona", tout de même moins ringard. Personne ne le connaissant dans le quartier, c'était ainsi qu'il se présentait. Essayant de se consoler, il était allé consulter un vieux dictionnaire dans la partie consacrée aux noms propres, espérant trouver un personnage illustre qui portât le même prénom que lui. Pas même un pape ! En cherchant beaucoup, il avait fini par y trouver Donatien accolé au nom d'un marquis, soi-disant divin, taulard invétéré et sadique de surcroît. Exit le prénom.

Mais à franchement parler, entre Dona et Gaucher, en ce qui concernait l'image, il y avait un fossé que le jeune homme ne parvenait pas à combler. Le surnom de "Gaucher", au moins, apportait assurance et panache en toutes occasions. En plus, seuls des durs qui n'en avaient pas l'air le portaient. Des boxeurs redoutables, un enfant gangster dénommé Billy the Kid. Dans sa vie, le surnom fameux compensait avantageusement son physique un peu maigre. Depuis qu'il s'appelait Dona, tout lui paraissait plus terne. Il ne se passait plus rien dans son existence. Gaucher coulait simplement des jours paisibles.

Au début, évidemment, au moindre 4 x 4 bleu marine dans le quartier, c'était la panique. Un soldat des plus insignifiants, au regard un peu appuyé et il avait envie de rentrer sous terre. L'aurait-on retrouvé ? se demandait-il sans arrêt. Au fil du temps, il finit par se rendre à l'évidence : personne ne s'intéressait plus à lui. Mais retourner à la Gombe était totalement exclu. Depuis plus d'un an qu'il vivait à Masina, cela commençait à lui peser. Venir du village pour l'aventure et se voir obligé de se terrer au fin fond d'un quartier périphérique, quelle misère ! Pour ce qui concernait la misère, Gaucher exagérait peut-être un peu. Il est vrai que sur le plan matériel, le jeune homme ne se débrouillait pas trop mal. Il est vrai aussi qu'il n'était pas parti les mains vides. Il avait amené avec lui tout son capital, en l'occurrence, une veste imitation Versace (avec broderies et véritables étiquettes), un pantalon Yohji Yamamoto, et une paire de chaussures à triples semelles J. M. Weston. Au commencement, ce ne fut pas facile. Habiter avec son oncle, son épouse et trois enfants en bas âge dans un deux pièces, il en avait l'habitude, mais son isolement forcé le maintint dans un total dénuement financier pendant au moins trois semaines. Son oncle, chômeur de longue date, ne pouvait le dépanner en rien. Si, tout de même. Il lui prêta un vieux pantalon, un T-shirt jaune à l'effigie du héros d'une marque de bière célèbre et une paire de tongs bleues en plastique que l'on appelle communément "la gomme". Gaucher, dit Dona, put alors nettoyer ses vêtements, les repasser soigneusement et les exposer devant la parcelle pour la mise en vente. Il espérait en tirer facilement dans les deux cents dollars et se lancer dans les affaires. La veste fut estimée à cent vingt dollars. Elle ne partit pas tout de suite parce qu'il s'agissait d'une veste de prestige et qu'il n'était pas donné à n'importe qui de la porter. Pressé par le temps et la faim, au lieu des cent vingt dollars escomptés, le jeune homme dut la proposer finalement à cent dollars. Le client marchanda si bien qu'il l'obtint pour soixante. Le pantalon affiché à quarante dollars, en désespoir de cause, fut vendu à vingt dollars. Le preneur des Weston, sous le prétexte fallacieux que la semelle n'était plus l'originale depuis longtemps, rabattit le prix à l'extrême jusqu'à trente dollars, au lieu des cinquante espérés. Le tout lui rapporta donc à peine cent dix dollars. Ce qui lui permit tout de même d'acheter deux fardes de cigarettes, au prix de gros, qu'il pouvait revendre à la pièce, atteignant ainsi les cent pour cent de bénéfice. Avec le reste de l'argent, il put acquérir de la marchandise de première nécessité telle que du lait en poudre, du papier toilette, des bougies, de la crème pour le corps et d'autres petites denrées. Il installa le tout sur une table basse et débuta ainsi ce qui devint plus tard les "Etablissements Dona".

Gaucher ne voulut pas tergiverser avec la fortune. Pour s'attirer la clientèle, il offrit, à chaque enfant qui achetait chez lui, un bonbon qu'il fabriquait lui-même dans une vieille casserole, avec du sucre de Kwilu-Ngongo et des colorants. Comme il était de coutume d'envoyer ses rejetons et même ceux des autres faire les courses, son *ligablo* devint très vite populaire dans le quartier. Il utilisa une partie de son bénéfice pour investir dans des planches de récupération avec lesquelles il fabriqua un kiosque qui faisait cent quatre-vingts centimètres de haut sur cent vingt de large qui attira encore plus de monde. Ce qui lui permit d'augmenter son stock. Certes, les affaires allaient bien, il se faisait plus de dix dollars par jour, une fortune. Il avait même pris un peu de poids. En plus, il avait maintenant la considération de son oncle, toujours chômeur de longue durée. Mais l'argent n'était pas tout. Gaucher concédait aussi que "Etablissements Dona" faisaient plus sérieux que "Etablissements Gaucher" qui sonnait plus comme l'enseigne d'une salle de boxe ou un repaire de mauvais garçons qu'autre chose, mais que n'aurait-il pas donné pour pouvoir encore entendre son ancien pseudo. Pour se sentir revigoré, avoir une autre perception de lui-même. Etait-il condamné à l'anonymat et au profil bas, à jamais ?

— Gaucher ! En prononçant son nom, Célio savait qu'il allait le surprendre, mais à ce point, jamais. Lorsque Gaucher entendit le nom, il se tourna avec un regard terrifié et, dans un mouvement de recul, du banc sur lequel il était assis, il tomba à la renverse.

— *Mwana maï,* comment[1] ? demanda Célio en se précipitant pour l'aider à se relever.

— Comment tu m'as trouvé ? criait Gaucher, presque hystérique.

— Du calme, t'emballe pas. Laisse-moi t'expliquer, le rassurait Célio. C'est ta tante qui m'a donné ton adresse.

— Quoi, ma tante m'a trahi ?

— Tout de suite les grands mots. Assieds-toi, je t'explique.

— Dans la voiture là, c'est qui ? Gaucher venait d'apercevoir la voiture dans laquelle était venu Célio, avec Nana au volant.

— C'est ma copine. T'en fais pas, elle ne sait pas qui tu es.

Après avoir parlé avec mère Bokeke et finalement pu obtenir l'adresse de Gaucher, Célio avait demandé à Nana de l'y conduire. Ils avaient choisi un dimanche après-midi comme pour aller visiter un parent particulièrement apprécié.

Célio expliqua à son ami pourquoi il avait besoin de connaître les circonstances exactes de la mort de Baestro. Il lui parla de son boulot

1. "Comment vas-tu, mon pote ?"

avec Tshilombo, ce qui étonna Gaucher. Il avait bien remarqué à l'allure de son pote et à la qualité de sa copine que quelque chose avait changé dans sa vie depuis son départ. Gaucher connaissait les activités du Bureau, puisque c'étaient ses hommes qui les recrutaient, lui et les autres, pour les rôles de figuration. Célio lui dit tout ce qu'il avait appris chez le père Lolos en ce qui concernait ses affinités avec Makanda Rachidi. Le fait que les hommes de Tshilombo et Makanda s'affrontent était tout à fait normal puisque qu'ils appartenaient logiquement à des camps opposés. Mais Célio avait besoin de connaître tous les détails. Comment s'était déroulé l'affrontement ? Après beaucoup de réticences, point par point, Gaucher lui retraça l'après-midi funeste. Leur départ de la Gombe, leur changement de direction vers Limete. Les femmes qu'on avait fait descendre au rond-point Matonge. Le rassemblement devant le siège du parti de Makanda Rachidi. A l'affrontement proprement dit, Gaucher cala un peu. L'émotion était palpable dans sa voix. Il parla de l'officier, un major. Du cri de ralliement, *Mokili ebende*. Du major ayant donné l'ordre de tirer. Il raconta le coup de baïonnette qu'avait reçu Baestro. Il décrivit ensuite leur course folle vers l'hôpital. D'une voix basse, en détachant chaque syllabe, il relata ensuite la lente agonie et la mort de son frère dans l'armoire métallique, aux soins intensifs, à l'hôpital général. Célio et Gaucher étaient devenus silencieux. Tous deux étaient plongés dans leurs souvenirs. Gaucher se souvenait que Baestro ne voulait aller nulle part ce jour-là et qu'il avait tout fait pour le persuader de le suivre. Dans la tête de Célio, des paroles, des situations se matérialisaient. Baestro était bien mort, mais son esprit pouvait encore recréer des images vivantes et précises dans la tête des gens qui l'aimaient.

Gaucher raconta alors comment il avait été enlevé par Bamba et Landu, et comment l'adjudant, sur une intervention divine, l'avait épargné au dernier moment. Célio comprenait mieux maintenant pourquoi son ami était obligé de se terrer. L'histoire sentait mauvais, ne fût-ce que parce qu'on avait voulu faire disparaître Gaucher. Tout était suspect de bout en bout. Le changement d'itinéraire. Ce major. Comme par hasard, un officier supérieur de faction au siège d'un parti politique, alors qu'un caporal eût suffi comme chef de poste. Faire descendre les femmes démontrait la préméditation et le danger de l'affaire. Tshilombo était-il impliqué ? Tel était le propos qui préoccupait Célio en ce moment. Le jeune homme quitta Gaucher un peu plus lourd de questions et de nostalgie.

La traversée de Masina et N'jili se fit dans le silence. En passant par Limete, devant le siège du parti de Makanda, Célio ne put s'empêcher de jeter un regard vers l'innocente villa. Nana respectait son silence. Elle conduisait avec concentration et ses pensées allaient à Célio. Elle était encore surprise de la relation qui s'était tissée entre eux. La chose s'était déroulée de façon progressive, par des voies détournées. Elle ne se souvenait pas qu'il ait jamais badiné ou usé d'autres circonvolutions pour la séduire. Les choses s'étaient passées tout naturellement à travers leurs nombreuses conversations, jusqu'à ce qu'il atterrisse finalement dans son lit. Si elle avait été très vite attirée par lui, elle ne savait pas vraiment pourquoi. Peut-être quelque chose de pur qu'il avait gardé dans le regard. Elle savait aussi qu'elle craquait à cause de son côté "passion contenue". La seule chose un peu compliquée pour elle était de se faire à son passé un peu torturé. Nana se demandait ce qu'il était venu faire à Masina. Il lui avait seulement dit qu'il était à la recherche d'un ami qu'il n'avait pas vu depuis longtemps. Comme Célio ne conduisait pas, elle était bien obligée de l'accompagner. Elle pensait qu'il ne lui avait pas dit toute la vérité, et vu son silence actuel, il était visible que la rencontre l'avait plus que troublé. Ce n'était certainement pas une affaire familiale, Célio ne possédant pas de famille, à ce qu'elle sache. Cela ne semblait pas avoir de rapport avec son travail non plus, quoique. Il ne lui avait pas dit grand-chose, mais le fait de l'emmener montrait qu'il lui faisait quand même confiance. Il parlerait certainement en temps voulu, elle verrait bien. Il n'avait peut-être rien à lui dire pour l'instant.

— Dépose-moi chez moi.

— Chez toi ? Tu ne viens pas à la maison ? Je voulais te garder près de moi, aujourd'hui, dit Nana.

— Je crains de ne pas être de très bonne compagnie.

— Ne dis pas n'importe quoi. Elle balaya l'argument en tournant le volant délibérément vers Bandalungwa où elle habitait. D'ailleurs, avec l'humeur qui est la tienne pour l'instant, je préfère décider pour toi. Quand tu es comme ça, tu ne fais rien de bon et, en plus, tu ne dis que des bêtises.

Elle l'emmena chez elle et le prit complètement en mains. Elle lui demanda d'allumer le feu du barbecue pendant qu'elle apprêtait des poissons et des morceaux de poulet. Plus tard, se concentrant sur les temps de cuisson, il oublia quelque peu ses soucis et se surprit même à rire devant l'éternelle impertinence de Nana. Ils mangèrent et burent tard. Dans la chaleur de la nuit, on entendait la musique provenant des alentours, mais Célio et elle, derrière les hauts murs, préféraient guetter, les yeux dans les yeux, leurs élans et leurs perceptions, pour s'en nourrir et s'en délecter égoïstement.

— Pourquoi on ne s'enfermerait pas indéfiniment ici pour oublier ce qui se passe au-dehors. Faire durer le rêve, faire en sorte qu'il ne s'arrête jamais.

— Les rêves et la réalité ne sont pas si éloignés l'un de l'autre, Nana. Il y a d'abord les rêves puis vient la réalité.

— C'est pas dans ton manuel que tu aurais pêché ça ? Comment s'appelle-t-il déjà ?

— Ne te moque pas de moi, c'est la vérité, je t'assure. Le temps se prolongea dans les conversations animées et les rires qui se firent, petit à petit, plus rares au fil de la nuit. La voix de Nana devint rauque et basse. Célio était à nouveau silencieux mais pour d'autres motifs. Les étoiles par discrétion s'étaient retirées très haut dans le firmament, afin de garantir au couple l'intimité qui sied à de tels instants. Nana savait qu'elle avait ouvert une brèche dans le cœur de Célio. C'est pourquoi ce soir, après que la fraîcheur de la nuit les eut obligés à rentrer, elle avait décidé de prendre tout son temps, de rassembler toute son attention, afin de combler ce vide qu'éprouvait son bien-aimé, et qui faisait que Célio se sentait oppressé à chaque fois qu'il posait le regard sur elle. Avec des baisers et des paroles tendres, elle comptait lui redonner l'énergie vitale dont il aurait besoin, lorsque le soleil, demain, poindrait à l'horizon.

Malgré l'air conditionné qui rafraîchissait l'atmosphère, Célio crut bon d'ouvrir en grand les fenêtres de son bureau, pour faire entrer en larges trombes l'air relativement frais montant du fleuve. Des jacinthes d'eau filaient en aval, comme sur un gigantesque tapis roulant. Célio se sentait mal entre ces murs. Un temps, il avait été fier de travailler au Bureau et à la présidence de la République. L'honneur était insigne, mais lui laissait à présent un goût de charogne dans la bouche. Il se demandait, entre sa personne et son travail, lequel des deux provoquait en lui le plus de dégoût. Il lui fallait absolument se sortir de cette situation. Pour dissiper l'amertume, il se concentra sur le large fleuve au-delà de la terre.

Quand il avait accepté ce travail, Célio se l'était imaginé facile. Il s'était dit que côtoyer l'abject n'aurait aucune incidence sur lui. Il avait pensé à tort que l'argent allait mettre une sourdine sur sa conscience. Avec cette affaire Baestro qui se compliquait, la sourdine ne fonctionnait plus du tout. Célio n'était tout simplement pas bâti pour ce genre de boulot. Pauvre naïf ! Où avait-il la tête ? Aurait-il perdu de vue qu'à la cour du royaume des salauds, l'esquiveur n'y était que le fou ? En réfléchissant, il se rendait compte aussi qu'il ne pouvait se permettre de quitter son emploi du jour au lendemain, et surtout pas attaquer de front un type aussi puissant que Tshilombo. La ville serait trop petite pour lui ensuite pour espérer la moindre chance d'exercer quoi que ce soit. En même temps, il avait une envie folle de défier son boss et le système qui le nourrissait. Tshilombo avait délibérément sacrifié Baestro, Célio en était sûr maintenant.

En intégrant cet emploi, le jeune homme avait seulement espéré souffler un peu. Ne plus vivre en permanence avec la dalle au fond du ventre, ne plus tirer le diable par la queue. Et voilà que Tshilombo venait de casser son rêve, jusque-là sans turbulences, le remettant encore une fois en sursis. Célio le haïssait aussi pour cela. Depuis quelques jours, il évitait de le croiser. Il tardait à rédiger le rapport sur les pourquoi et les comment des dernières manifestations. Le jeune homme savait aussi que la situation professionnelle de son patron n'était plus aussi stable. L'opposition, en organisant ces émeutes, l'avait touché personnellement. Le président lui reprochait de n'avoir pu prévoir et, surtout, éviter les fâcheux incidents. Compte tenu de la propension du chef de l'Etat à remplacer ses collaborateurs, Tshilombo n'en menait pas large et Célio voulait le voir dans une situation plus difficile encore. Il voulait le voir anéanti. L'esprit du jeune homme, accaparé par la colère et le ressentiment, l'imaginait déchiqueté, mis en pièces par ses soins.

En même temps, Célio se riait de lui-même. Jusqu'à nouvel ordre, il n'était qu'un obscur conseiller d'un service plus obscur encore. Personne ne le connaissait. Sa profession le forçait à rester discret. Que pouvait-il entreprendre contre le puissant Gonzague Tshilombo ? Célio n'était qu'un orphelin. Un laissé-pour-compte depuis la prime jeunesse, craché par la société, comme un noyau impropre à la consommation. Il n'avait rien ni personne sur qui compter pour se venger d'une façon ou d'une autre. Tshilombo pouvait, d'une seule injonction, l'envoyer aux oubliettes *ad vitam eternam*. A part le père Lolos et Nana, qui le réclamerait ? Célio ne se sentait pas non plus l'âme d'un martyr. Il se voyait mal se tenant debout devant le puissant personnage, l'accusant et lui signifiant son mépris. Son impuissance le faisait bouillir. Il ne prit pas la peine de calmer sa colère pour pouvoir réfléchir, ne voyant pas ce qu'il pourrait entreprendre contre l'assassin de Baestro. En dépit de tout, il ne comptait pourtant pas le laisser s'en tirer comme cela. Mais pour l'instant, il n'avait que le temps pour lui.

Debout devant la fenêtre ouverte, Célio humait l'air puissant chargé de l'odeur d'humus. Par intermittences, on entendait le clapotis de l'eau venant lécher la terre. Des variétés d'oiseaux aux coloris invraisemblables accomplissaient de gracieuses figures aériennes, à la chasse aux nombreux insectes. Telle était donc la règle universelle ? pensa Célio. Les plus grands mangeaient-ils systématiquement les plus petits ? Aux yeux de gens comme Tshilombo, Baestro et tous ces infortunés n'étaient-ils que des insectes ? Certes, Célio et lui avaient été complices dans les opérations menées jusqu'ici, mais le jeune homme préférait nettement s'attaquer à des opposants pourris, par exemple. Perturber les Français avait été un plaisir, mais il anticipait d'un très mauvais œil le chemin où pourraient le mener, dans le futur, les opérations du bureau Information et Plans. Pour y échapper, il ne lui restait qu'une seule alternative, c'est-à-dire accomplir l'opération délicate qui consistait à scier la branche sur laquelle il était assis, tout en essayant de limiter au maximum les dégâts lors de la chute.

Assis dans son large canapé, Tshilombo feignait de lire un magazine. L'oreille tendue, il essayait de capter des bribes de la conversation qui semblait tant amuser Kapinga et Odia, occupées à rincer quelques couverts dans la cuisine.

Cette joie l'étonnait un peu car depuis pas mal de temps – exactement depuis son retour de Mascate où elle était restée plus d'un mois –, son épouse était encore plus froide et distante que d'habitude. Que trafiquait-elle exactement avec ce Zouher ? A moins que cette garce de Kapinga lui ait révélé des choses ? C'est vrai qu'il aurait mieux fait de rester tranquille et de se surveiller, mais cette fille l'avait comme ensorcelé. Après l'épisode de cette fin de soirée où elle s'était laissé aller quelques secondes, il avait commis l'erreur de frapper à sa porte le lendemain soir. Elle l'avait repoussé et il avait eu le mauvais goût d'insister. Peut-être avait-elle tout dit à sa femme ? Etait-ce la raison pour laquelle elles s'étaient toutes deux murées dans une réprobation muette ? Odia y allait tout de même un peu fort ! Il venait de lui remettre un crédit documentaire de quarante mille dollars pour ses investissements et c'était ainsi qu'elle le remerciait ? Tshilombo enrageait mais n'osait cependant poser aucune question au sujet de cette indifférence, de peur de soulever un lièvre. Compte tenu des ennuis qu'il avait au Bureau, le moment était mal choisi pour une scène avec elle. Tshilombo se sentait fragilisé et c'était justement en de tels moments qu'il avait besoin d'affection. Devant l'indifférence générale, il préféra quitter la villa et aller travailler un peu, ce n'était pas le boulot qui manquait. Au moment où il sortait de sa demeure, les deux femmes lui adressèrent un salut distrait et continuèrent leur conversation comme s'il n'avait été qu'une ombre. Il se dit que ça lui était indifférent, mais le rire qui éclata juste après qu'il avait franchi la porte lui fit tout de même un pincement au cœur.

— Tu as vu sa tête ?

— Grande sœur, tu exagères. Il va finir par entrer en dépression.

— C'est tout ce qu'il mérite ! Tu te rends compte qu'il s'est permis de te harceler ! Toi, ma propre cousine !

— C'est toi qui m'as dit de le provoquer un peu, tu oublies ?

— Je ne pensais pas qu'il allait mordre si vite. Je voulais seulement, comment dire, le mettre dans une situation difficile. Je le connais assez pour savoir qu'il est incapable de résister à certaines choses. Odia ne savait pas à quel point elle avait tort, car elle n'était pas au courant de tout. La jeune fille évidemment ne lui avait pas parlé de l'épisode sur le canapé, le soir où il était rentré de la soirée à la présidence, révélant à son aînée uniquement le fait que Tshilombo, tout excité, avait frappé à sa porte un soir et qu'elle l'avait chassé comme un malpropre. Pour elle-même, elle gardait en mémoire le souvenir de la chaleur et du gabarit scandaleux du membre de son beau-frère, qu'elle avait tenu en main pendant quelques délicieuses secondes. Puis, elle ne savait plus comment, elle l'avait eu en bouche. Un court instant seulement parce qu'elle n'avait pu s'empêcher d'émettre un gémissement qui lui avait fait peur d'aller plus loin. A cause de la rigidité du membre, tandis que Tshilombo serrait les dents et maîtrisait ses instincts, elle eut des difficultés à le replacer là où il était, sous le tissu de soie du smoking Armani.

— Tu vois comme il file doux ces jours-ci ? Il se sait coupable. J'aime lorsqu'il est dans cet état. Il n'ose plus rien me refuser. Prends-en de la graine, Kapinga. Bientôt, toi aussi tu seras mariée. La pression. C'est la seule façon de les tenir. C'est tout ce que ces salopards méritent. Toi, continue à jouer l'outragée. Plus de sourires, sauf, bien sûr, pour lui demander de l'argent. Elle déposa quelques fourchettes sur le plateau en inox de l'évier. Ma fille, tu dois apprendre dès maintenant comment traiter les hommes. Si tu es trop gentille avec ton mari, il te négligera pour prendre plus tard des maîtresses plus jeunes. Je lui ai offert ma jeunesse pendant que lui se pavanait en ville. Gonzague Tshilombo par-ci, Gonzague Tshilombo par-là. Je passais mon temps à me morfondre à la maison en attendant monsieur. Aujourd'hui, je ne joue plus, Kapinga, je suis devenue lucide.

— Pourtant tu n'as pas l'air de t'en tirer trop mal, avec un si mauvais mari.

— Parce que j'ai la tête sur les épaules. Parce que je ne rêve plus. Tu ne peux pas savoir comme je lui en veux. Cet homme m'a fait perdre toutes mes illusions, tout mon romantisme. Je ne crois plus en l'amour, Kapinga.

La jeune femme observait sa cousine, une serviette à la main, en train de s'essuyer les doigts d'un geste délicat. Elle considéra sa beauté, se demandant s'il était nécessaire de déployer tant de manœuvres pour contrôler un mari. La jeune femme se dit qu'elle avait encore beaucoup à apprendre sur les turpitudes de la vie conjugale.

La Mercedes gris métallisé descendait en silence l'avenue Nguma. Les mains sur le volant, Tshilombo ne parvenait pas à se détendre comme d'habitude. Il voulait en finir avec cette opposition désordonnée. Tout particulièrement avec Makanda Rachidi. L'homme n'avait pas respecté les termes de leur accord. Tshilombo aurait dû prendre ses menaces au sérieux. Sur trois foyers importants des échauffourées, il y avait chaque fois ses militants en masse. Partout, ils avaient fait en sorte de perturber les manifestations et de les faire dégénérer. Evidemment cela avait vite tourné à l'émeute. On déplorait trop de morts et ce n'était vraiment pas le moment. De plus, le président n'était pas content du tout, jamais il ne lui avait parlé sur ce ton. Tshilombo était obligé d'agir au plus vite. De museler l'opposition, en usant de la force s'il le fallait. Et d'abord, éliminer Makanda. Avec tout l'argent que cette canaille avait perçu, qu'est-ce qui lui prenait de ruer dans les brancards au moment où on avait le plus besoin de lui ? Tshilombo comptait le lui faire payer très cher. Il avait sa petite idée là-dessus. Grâce à Célio, d'ailleurs. Ce petit avait une façon de penser remarquable. Ça l'amusait de l'entendre lui parler de son univers mathématique. Tshilombo n'y comprenait pas grand-chose, mais il aimait assez. Parmi toutes ses théories, il trouvait le monde de la physique quantique particulièrement fascinant. C'était quoi déjà ? Un monde peuplé d'entités infimes et presque fantomatiques ? Tshilombo avait appris que la physique quantique décrivait un monde étrange où la matière qui constitue notre univers semble bien localisée dans l'espace mais qu'en réalité elle est étendue quelque part. Tshilombo adorait ce "quelque part". Le "ici" et le "là-bas" n'y ont plus aucun sens. Les particules élémentaires ne sont pas des points tangibles, mais sont comme des sortes de fantômes de particules. Lorsqu'on veut mesurer la position de l'une d'elles avec précision, l'information sur sa vitesse devient tout à coup incertaine. Lorsqu'on veut calculer sa vitesse, c'est sa position qui devient floue. Il existe même dans cette théorie un principe que l'on appelle le principe d'incertitude. Quelle poésie ! Tshilombo trouvait cela fabuleux. C'était tout un programme. La théorie le troublait parce que quand l'essence même de la matière nous échappait comme un mirage, il était facile de sombrer dans l'irrationalité. Et comment connaître une vérité dans des conditions pareilles ? La particule élémentaire ne parcourt plus un chemin précis, mais une trajectoire possible. Ce n'est plus un objet, c'est un nuage invisible et insaisissable qui néanmoins influence le milieu qui l'entoure. Lorsque l'on mesure une particule, une autre particule est automatiquement influencée. Dans ce monde, tout ce qu'on peut savoir de la particule, c'est qu'elle peut se trouver à un endroit donné, à un moment donné, et c'est tout. Stupéfiant !

Dans son esprit tordu, Tshilombo avait vite perçu le bénéfice qu'il pourrait tirer d'une telle théorie. Il voulait transposer cet état de fait sur l'armée nationale qui, justement, ressemblait à un vaste champ quantique où rien n'était clair et délimité. Tshilombo tablait sur la fragilité de la chaîne de commandement dans l'appareil militaire. Trop de ramifications. Trop de services, non connectés entre eux. Tout le monde voulait donner des ordres. On ne savait pas qui commandait quoi. Tshilombo comptait mettre une partie de cette armée au service de l'opposition et, tout spécialement, de Makanda Rachidi. Il voulait de plus en plus de militants ? Eh bien, le Bureau allait lui en fournir. Tshilombo jubilait déjà. Il allait impliquer Makanda dans un des nombreux complots contre l'État, ou supposés tels, qu'avait connus le pays depuis son accession à l'indépendance. Le politicien voulait la reconnaissance ? Tshilombo allait l'y aider et ensemble, ils écriraient l'Histoire. Il comptait faire de Makanda Rachidi une figure révolutionnaire, puisque telle était sa conviction. Il voulait devenir le leader incontesté de l'opposition ? Le bureau Information et Plans allait satisfaire ses ambitions.

Arrivé sous les arbres bordant les usines textiles Utexco, Tshilombo se sentait déjà plus confiant. Il franchit un rond-point, tourna vers Petit Pont. Sur l'avenue de la Justice, dont le nom sonnait comme un signe, il se dit que si sa vie conjugale n'était pas parfaite, comme toute vie conjugale sans doute, sa vie professionnelle lui apportait, par contre, des satisfactions qui lui permettaient de faire abstraction de pas mal d'aléas. Il s'étonnait lui-même et le monde l'émerveillait. Chaque jour il se présentait à lui sous des horizons fabuleux. Tshilombo aimait cet univers quantique qui échappait totalement aux lois régissant les choses ordinaires. L'indépendance serait-elle le facteur indispensable pour atteindre l'excellence ? Sommes-nous contraints, pour réaliser les plus grands desseins, de nous libérer de certaines règles ? De vivre au-dessus des lois ? Tshilombo en était intimement persuadé. Cette fois-ci, il voulait marquer les esprits. Mettre au point quelque chose qui laisserait des traces durables.

Son objectif premier était de stopper Makanda, et cela une fois pour toutes. Il fallait aussi réfréner chez quiconque toute velléité d'entreprendre quoi que ce soit contre ce gouvernement, comme ça avait malheureusement été le cas avec les émeutes des jours derniers. Il allait diaboliser l'opposition et traumatiser la population. Ils voulaient de la violence et des méthodes radicales ? Tshilombo comptait bien les leur servir, à tous.

Lorsque la Mercedes passa l'entrée du Bureau, les gardes en faction saluèrent le boss d'un garde-à-vous impeccable. Tshilombo ne perdit pas de temps. Il convoqua tout de suite Célio. Après lui avoir indiqué un siège, il passa à l'ordre du jour.

— Croyez-vous que l'opposition serait tentée par un coup d'Etat ? Célio, un peu surpris par la question, mit quelques secondes avant de répondre.

— Pour finir devant le peloton d'exécution ? Je ne crois pas. De plus, ce n'est pas vraiment dans la culture du pays. On préfère toujours la palabre à la force, vous savez.

— Eh bien, nous allons démentir ce préjugé. Célio se braqua intérieurement, mais s'efforça au calme. Dans quel traquenard moral ce type allait-il encore l'embarquer ? Avant qu'il puisse penser plus loin, Tshilombo l'invita à se lever, et le dirigea vers le petit salon qui occupait un espace du bureau. Sur la table basse était posé un ordinateur portable. Ils s'installèrent dans le canapé, le patron mit l'appareil sous tension. Il cliqua sur la souris à plusieurs reprises et une image se matérialisa sur l'écran à cristaux liquides. Tshilombo chercha la bonne orientation pour obtenir l'angle qui offrait de meilleurs contrastes. On vit une foule confuse et des soldats. Le son était exécrable, mais on pouvait entendre des détonations et des cris. Le directeur du Bureau, consciencieux, avait veillé à ce que certaines scènes des manifestations soient filmées. Les deux hommes regardaient en silence. Tshilombo cliqua plusieurs fois. Ils purent voir les émeutes dans différents quartiers de la ville.

— Vous ne remarquez rien ? demanda le boss.

— A part le chaos…

— Regardez plus attentivement, là ! dit-il en déplaçant le pointeur vers un coin de l'image. Des soldats étaient concentrés sur un groupe de manifestants particulièrement récalcitrants.

— Regardez ces banderoles. Regardez encore, insista-t-il, en faisant défiler les images plus rapidement à l'aide de la souris, sautant les séquences. Célio dut se rendre à l'évidence : chaque fois, dans les phases les plus violentes, des militants du Parti de la nouvelle démocratie de Makanda Rachidi étaient partie prenante. Célio essayait de rester de glace. Le salaud pour moitié responsable de la mort de Baestro se rappelait encore à son souvenir.

— Vous voyez ces voyous ? Ce sont des hommes du PND. C'est à Makanda que l'on doit cette journée d'émeutes. Il a tout fait pour rameuter ce monde. Nous savons, d'après nos services, qu'il y a eu d'âpres discussions entre les ténors des grands partis. Le principe des manifestations pacifiques avait été accepté par tous, mais malgré la neutralité que l'on attendait de lui, Makanda les a trompés et a fait en sorte que les manifestations se déroulent de la façon dont elles se sont déroulées. Les images que nous possédons en sont la preuve. Sur tous les foyers de violence, ses hommes étaient présents. Huit morts officiellement, le gouvernement ne peut pas se le permettre pour l'instant. Ce type doit disparaître définitivement de la scène. Je vais m'arranger pour qu'on n'entende plus parler de lui pendant très longtemps.

Sur ce point, Célio et Tshilombo étaient bien d'accord. Le jeune homme aurait donné cher pour voir cela. Il semblait que l'amitié entre Makanda et Tshilombo avait fait long feu. Les loups se dévoraient entre eux. Célio se voyait bien abattre le survivant, le cas échéant. Il ne savait pas encore bien comment, mais il ne tenait pas à ce que Tshilombo lui échappe. En attendant, il lui était de plus en plus pénible de se retrouver face à son patron. Il ne pouvait pas faire autrement, il ne lui restait qu'à assumer.

— Makanda veut nous mettre la pression. Je le connais assez pour savoir où il veut en venir.

— Jusqu'à quel point le connaissez-vous, boss ? Célio posa la question le plus innocemment possible. Il avait essayé de ne pas faire transparaître son ressentiment. Tshilombo s'arrêta de parler. La tête un peu penchée, il observa Célio. Qu'est-ce qui lui prenait à ce morveux de poser des questions ?

— C'est notre boulot de connaître nos adversaires, répondit-il, mais aussi de pouvoir prévoir ce qu'ils sont capables de faire. Après avoir visionné ces images, croyez-vous qu'un individu comme Makanda Rachidi hésiterait vraiment à organiser un coup d'Etat, s'il en avait l'occasion ?

— Pourquoi pas ? répondit Célio sans vouloir s'avancer.

— Vous vous souvenez de notre conversation sur l'univers quantique ? J'ai beaucoup réfléchi à ce monde étrange et à première vue imprécis. Nous allons appliquer cette théorie de l'incertitude à l'armée nationale. Nous allons détacher une partie de cette armée nébuleuse, et la mettre à la disposition de Makanda. On ne lui dira rien, bien entendu. Mais il l'apprendra assez vite.

— Comment allez-vous procéder ? Vous allez soulever quelques officiers et mettre le feu à la ville ?

— Certainement pas. Vous savez qu'ici on travaille en finesse. On ne persuade que ceux qui veulent être persuadés. Je ne sais pas encore concrètement comment cela va se passer, mais comptez sur moi, j'ai mon idée là-dessus. Laissez-moi vous faire écouter quelque chose. Tshilombo se leva, prit sur son bureau ce qui semblait être un minidisque. Il se déplaça vers une chaîne musicale posée sur un meuble, brancha le petit appareil, appuya sur des boutons, et une voix aux basses tremblotantes se fit entendre, par des haut-parleurs dissimulés dans la pièce.

"J'ai en quelque sorte reçu le mandat pour parler au nom du peuple. Chacun sait les sacrifices que nous avons consentis pour que l'avenir de ce pays puisse afficher un air radieux. Nous avons versé notre sang. Au nom de la lutte, nous nous sommes sacrifiés !"

Un frisson parcourut l'échine de Célio. Il avait reconnu Makanda Rachidi. Celui-ci avait fait assez d'apparitions à la radio et à la télévision, pontifiant sur la meilleure façon de mener la politique, pour que Célio puisse l'identifier. Il trouva que sa voix était bien moins assurée que d'habitude. Sa diction n'était pas aussi parfaite et il y avait comme de la détresse dans cette voix. Ce qu'il disait, par contre, était de la même veine que d'habitude.

"Il est temps aujourd'hui que le Parti de la nouvelle démocratie prenne la place qui est la sienne. Tant que moi, Makanda, je serai vivant, je me battrai jusqu'au bout pour que ce parti …"

— Je l'arrête là, dit Tshilombo, interrompant le flot de paroles.

— Dois-je comprendre que cet enregistrement servira au coup d'Etat ? Pourtant, en soi, ce qu'il dit là n'a rien de subversif

— Tout dépendra du contexte dans lequel ces paroles seront prononcées, Célio. Imaginez cela pendant un coup d'Etat en direct à la télévision, suivant un synopsis développé par nous. Célio imaginait très bien.

— Mais à la télévision, un coup d'Etat suppose des scènes, des images. Si Makanda n'apparaît pas, personne ne croira à son implication.

— Ne vous en faites pas pour cela. Des images, il y en aura. De très mauvaise qualité, il est vrai, mais comme toutes les images filmées dans l'urgence, celles qui font l'Histoire.

Le bureau Information et Plans, bien évidemment, était équipé du matériel humain nécessaire à toutes sortes de manipulations, mais les moyens techniques ne manquaient pas non plus. Célio et Tshilombo observaient, par-dessus l'épaule d'un jeune informaticien, comment celui-ci, sur un écran d'ordinateur, découpait des petits rectangles de couleurs, pour les réaménager à sa guise. Le jeune homme toucha quelque chose sur le clavier, et une barre verticale se mit à défiler par-dessus les rectangles colorés. La voix caverneuse de Makanda se fit entendre, représentée en rose dans l'environnement informatique. Elle remplissait la pièce. Le débit lent forçait à l'écoute.

"Nous avons en quelque sorte reçu le mandat pour parler au nom du peuple. Chacun sait les sacrifices que nous avons consentis pour que l'avenir de ce pays puisse être radieux. Nous avons versé notre sang. Au nom de la lutte, nous nous sommes sacrifiés. Il est temps aujourd'hui que le Parti de la nouvelle démocratie prenne la place qui est la sienne. Je me battrai jusqu'au bout. Face à l'histoire, je vous invite à me soutenir, vous ne le regretterez pas. C'est un coup d'Etat !

En ce jour, je m'adresse à vous pour que vous me souteniez, c'est un coup d'Etat !"

— Bravo, dit Célio. Mais où diable avez-vous trouvé cela ?

— Ce n'est rien. Il ne s'agit que de copiés-collés d'une conversation qu'on a eue lui et moi. J'avais pris soin de l'enregistrer, c'est tout. C'est sûr que la qualité du son a besoin d'être améliorée mais on y arrive. Sur les instructions de Tshilombo, le technicien cliqua plusieurs fois. Avec des filtres, des générateurs d'effets et toutes sortes d'outils virtuels, la voix de Makanda fut corrigée. On supprima les crachotements et autres interférences. On augmenta le son. La voix prit une teinte métallique, mais l'opérateur diminua la réverbération, fit deux trois opérations subtiles et, bientôt, on eut l'impression que Makanda parlait juste à côté. Toute cette opération prit beaucoup de temps. L'informaticien bascula ensuite d'un logiciel à l'autre et des images du politicien apparurent à l'écran. Des images provenant de la RTN, la chaîne nationale, le représentaient assis derrière un micro, dans un studio de télévision. Célio voyait déjà le piège se refermer sur Makanda. Par images interposées, Tshilombo allait l'inviter à un coup d'Etat en direct à la télé. Carrément. Tout était là. Il y avait les images, il y avait le son, il ne manquait plus que le public. Célio trouvait Tshilombo machiavélique, mais pourquoi lésiner sur les moyens, quand on pouvait les utiliser à outrance et surtout quand on avait toute latitude d'en abuser ?

Après un coup pareil, Makanda aurait du mal à se remettre. Le président n'en ferait qu'une bouchée, c'était couru d'avance. Célio ne voyait pas comment il pourrait s'en tirer. Déjà, à ce stade-ci de l'opération, son sort était scellé. Les images, une fois de plus, allaient accomplir leur œuvre de sape. Pauvre siècle où l'esprit des choses ne comptait plus. Seules les apparences étaient prises en considération. Un peu de son virtuel, un succédané d'images et le tour était joué. On parvenait ainsi à tromper le spectateur le plus averti. L'imagerie de synthèse, genre vidéo-game, était la référence visuelle. Avec des images de cette qualité, Makanda aurait beau affirmer n'avoir jamais participé à quoi que ce soit, personne ne le croirait. Célio imaginait le programme télé interrompu brusquement, le tumulte, les uniformes. La mise en scène de Tshilombo allait glacer le sang de plus d'un et cela tiendrait tout le monde tranquille pendant quelque temps. L'opposition comme la population. Célio observait les images sur l'écran et se dit que, bientôt, Makanda Rachidi n'aurait pas plus de consistance que celles que l'on était en train de retoucher devant lui. Le jeune technicien les isolait et les façonnait digitalement, selon les directives du patron du bureau Information et Plans. Accentuant les ombres, jouant avec celles-ci, les animant autour de Makanda numérisé, pour faire croire à une intense activité qui ressemblait furieusement aux préparatifs d'un coup d'Etat. L'image imprécise, couplée au son approximatif, avait encore de beaux jours devant elle pour mentir aux peuples. Après quelques clics patiemment dosés, après quelques coupés-collés et autres tours de passe-passe, le miracle se produisit devant Tshilombo et Célio. Là, devant eux, les lèvres de Makanda Rachidi se mirent à prononcer les paroles qu'on lui prêtait à cet instant précis. Au moment où cela risquait de ne plus être tout à fait synchrone, Makanda baissait miraculeusement la tête. Le génial technicien manipulateur avait pris soin de repérer les séquences d'images idéales, où Makanda, à un moment donné, penchait la tête pour lire son texte. Derrière lui, des ombres bougeaient, fugaces et très floues. On ne voyait rien, mais on croyait tout voir. Comme bruit de fond, on n'entendait rien de précis, mais les interjections et autres sons étouffés préenregistrés, et représentés par de petits rectangles de couleur verte sur l'écran de l'ordinateur, indiquaient qu'il y avait peut-être lutte autour de Makanda. Les sons indéterminés rendaient l'individu et son discours plus ignobles encore, et ses intentions encore plus louches. Ce qu'il dira ne comptera plus. Ce que le téléspectateur voudra saisir, c'est ce qui se passe autour du comploteur. Il voudra identifier les cris, les paroles inintelligibles, déchiffrer les ombres pour pouvoir confondre d'éventuels complices. A la façon qu'avaient ces ombres de bouger, on pouvait aisément supposer que Makanda et ses sbires étaient prêts à mettre le pays à feu et à sang et à commettre le pire.

En réquisitionnant ces séquences à la RTN, Tshilombo avait bien insisté auprès du P-DG pour chercher parmi celles qui jamais n'avaient été diffusées ou montées du fait de leur piètre qualité. Tshilombo savait que c'est dans les bêtisiers des chaînes de télé que l'on découvre la véritable nature de l'homme et de la femme, leur côté spontané et essentiel. Tshilombo avait choisi, parmi ces archives, des images de Makanda, l'air un peu égaré, transpirant légèrement, de sorte que l'on pouvait, de manière sous-jacente, percevoir de l'inquiétude et de la fourberie sur ses traits ; des ingrédients que l'on retrouve aisément dans tout mauvais coup. En observant l'homme politique, même ses partisans seraient persuadés qu'il avait toujours été un traître. Comment avaient-ils été trompés si longtemps par un individu arborant un visage pareil ? On n'écoutera même pas ce qu'il aura à dire. Son expression parlera pour lui, ou plutôt contre lui. Personne ne prendra en considération son message de révolte du peuple et d'avenir glorieux pour le pays. Sa mine trempée de sueur exprimera juste le contraire. On est dans la merde, penseront les gens. Qu'est-ce que c'est que ce mec ? Même pas capable de garder son sang-froid dans un moment où il dit prendre ses responsabilités. Comment se fier à un type même pas foutu de se poudrer un peu le visage avant de passer à la télé ? Quant aux représailles que le gouvernement ne tardera pas à exercer à l'encontre de la population, le peuple préférera ne même pas y penser.

Ils travaillèrent tard, ce soir-là. Le personnel du Bureau avait déserté les lieux depuis longtemps. L'ordinateur reconstituait une réalité puissante à partir de morceaux épars et inconsistants. Les trois hommes étaient silencieux. On n'entendait que le cliquetis de la machine et la voix caverneuse de Makanda Rachidi revenant en boucle, inlassablement, répétant pour un show unique mais qui, logiquement, devrait rester dans les annales. Lorsque Tshilombo, Célio et le jeune informaticien sortirent des bureaux à une heure avancée de la nuit, la lune à son premier quartier éclairait le jardin du Bureau comme l'intérieur d'un théâtre d'ombres. Dans le ciel, son œil unique veillait discrètement sur la République.

IX

LA TRAJECTOIRE DE KEPLER

Il n'était pas aisé de côtoyer le monde des ténèbres. Vraiment, ce n'était pas évident de vivre dans l'univers oppressant de la sorcellerie. Tel était, une fois de plus, l'amer constat que se faisait Bamba Togbia, assis dans son salon, compulsant un de ses rapports. Mais pour celui qui savait attendre, rien n'était impossible. Il lut quelques lignes, mais dut poser le cahier sur ses genoux, parce que les caractères se brouillaient et devenaient flous. Bamba porta les mains à ses tempes, tentant de calmer la pression sanguine sur ses globes oculaires. Une douleur atroce irradiait à partir des arcades sourcilières, vers tout le dessus du crâne. A chaque mouvement des yeux, des éclairs blancs se déclenchaient dans sa tête et dans son champ visuel. Les lettres avaient tendance à se brouiller. Du fait de ses insomnies, les objets subissaient des distorsions invraisemblables. Bamba essayait chaque jour de s'adapter à la situation et chaque jour, cela demandait plus d'efforts. Il avait le sentiment que bientôt il n'y arriverait plus, qu'il allait finir par s'endormir et, par conséquent, mourir.

Depuis combien de mois maintenant ne dormait-il plus, luttant sans cesse contre le sommeil, essayant de déjouer la malédiction qui l'empêchait de fermer l'œil la nuit ? Il ne pouvait le dire. Cependant, depuis la veille, depuis que le patron Tshilombo l'avait convoqué dans son bureau, il avait repris espoir. Pas au point de se débarrasser de la condamnation contenue dans les dernières paroles du sorcier, mais le boss lui donnait la possibilité d'envisager une action qui le dégagerait de ces tourments diaboliques.

Gonzague Tshilombo l'avait tout de suite entretenu de la confiance qu'il avait en lui et avait évoqué des opérations qu'ils avaient entreprises ensemble. Il voulait, cette fois-ci, non seulement offrir à l'adjudant une mission exceptionnelle, mais aussi lui donner l'occasion de prendre un petit congé avec une prime de deux mille dollars pour qu'il puisse pleinement profiter de sa famille. L'opération serait un peu délicate et il serait plus prudent, pour lui et pour tout le monde, qu'il aille ensuite prendre l'air, loin de Kinshasa, disons, pendant deux ou trois mois, en attendant que tout se calme. L'argent lui permettrait d'envisager d'éventuels projets. Pour cette raison, Tshilombo avait besoin d'un homme de confiance. Le cœur de Bamba battait la chamade. Il resta concentré pour entendre la suite, mais son esprit continuait à réfléchir, très vite. Deux mille dollars, ce n'était pas mal. Cela représentait vingt fois sa solde mensuelle, mais il avait une autre idée au sujet de l'argent. Quant au congé, il en avait besoin : il pourrait ainsi revoir sa famille, là-bas dans l'Ubangi[1], à des cours d'eau de Kinshasa et de cette malédiction qui le tenait à sa merci et lui pourrissait la vie. En entendant le mot "prime", le cœur du sous-officier s'était emballé. Son esprit déréglé par le manque de sommeil s'était mis à échafauder des combinaisons. Bamba savait une

1. Région du Nord-Ouest du Congo.

chose : seuls l'eau et les prières, à en croire certains, empêchent les maléfices d'agir. Pour détruire le pouvoir d'un gri-gri, après des incantations appropriées, il est nécessaire de verser de l'eau dessus, pour lui supprimer tout pouvoir de nuisance. De fil en aiguille, dans les méandres de son cerveau, l'adjudant s'était mis en tête que s'il mettait quelques cours d'eau, le fleuve et pourquoi pas l'océan Atlantique, entre lui et le lieu où le sorcier avait jeté le sort, il avait des chances de se sortir de la situation où il se trouvait. Mais pour cela, il avait besoin de beaucoup plus que deux mille dollars.

Pendant tous ces mois d'insomnie, il avait chaque jour réfléchi à la façon d'échapper à la torture qui lui était infligée et voilà que le Bureau, spécialement Tshilombo, lui offrait l'opportunité de fuir l'emprise de la sorcellerie. Evidemment, il disparaîtrait s'il fallait disparaître. Bamba ne manifesta pas sa satisfaction. Soldat jusqu'au bout des ongles, son visage resta de marbre. D'ailleurs, la règle stipulait que le militaire ne devait jamais sourire. Sauf le 20 du mois, jour du paiement de la solde.

Il écouta les instructions. C'était simple. Avec un ordre de mission en bonne et due forme, il devait, avec Landu, tout d'abord réquisitionner le peloton de soldats qui gardaient le pont Matete. L'endroit, considéré stratégique en temps de crise, comme ces temps-ci, était en permanence protégé par un détachement d'une douzaine de soldats, qui se relayaient nuit et jour. Bamba devrait leur ordonner de le suivre à la radio-télévision nationale pour prendre le contrôle du lieu. Tshilombo dit tout cela sur le ton de la conversation, comme lorsqu'on envoie un gamin vous faire une course. Le vieux soldat, qui en avait entendu d'autres, attendit la suite. Il fallait investir les studios, diffuser ensuite une bande vidéo que Tshilombo comptait lui remettre au moment opportun. Après tout cela, le première classe et lui devaient quitter les lieux en laissant les soldats sur place, venir au Bureau et recevoir leur prime. Après, il ne leur resterait plus qu'à quitter la ville. Bamba avait écouté sans broncher mais au moment où il aurait dû répondre "A vos ordres !", il prit sa décision. Pour la première fois de sa vie, l'adjudant Bamba Togbia, entre les quatre murs du bureau, se permit de parler sans détour à un supérieur hiérarchique. Ne prenant pas la peine de tourner autour du pot, au garde-à-vous, il expliqua à son patron les choses qu'il savait sur lui. Il lui apprit qu'il n'avait pas les yeux en poche et qu'il avait découvert certaines vérités le concernant. Il lui dit tout. D'une traite, il lui révéla les preuves qu'il avait de ce qu'il disait. Tshilombo ne parut pas étonné des propos du soldat ou, du moins, ne le manifesta pas. L'adjudant lui dit que deux mille dollars ne suffisaient pas à ses projets et qu'il avait besoin de beaucoup plus. Il lui proposa un marché en échange de son silence. La conversation dura longtemps. Lorsque Bamba sortit du bureau de Tshilombo, n'eût été sa qualité de soldat, on aurait pu lire un sourire de satisfaction sur ses lèvres.

Cet épisode remontait à quelques jours maintenant. Ce matin, Tshilombo l'avait convoqué et lui avait dit que le grand jour était arrivé. Il lui avait répété les instructions. Il lui avait aussi remis dix mille dollars en billets de cinquante et de vingt et lui avait recommandé d'aller se reposer. L'heure était enfin venue pour Bamba d'entrer en action. Il vida un grand verre d'eau pour recouvrer sa pleine conscience. Il avait dormi toute l'après-midi, mais comme d'habitude, il avait l'impression de n'avoir fermé l'œil que quelques minutes, tant son corps et son cerveau étaient exténués. Heureusement, bientôt tout cela serait fini. Il rassembla ce qui lui restait d'esprit et se dit qu'il était prêt. Dans un sac, il avait réuni quelques biens. Il ne comptait évidemment plus remettre les pieds ici. Bamba jouait son va-tout. Son anxiété n'avait cessé de croître jusqu'à ce moment.

Depuis le jour où il avait avoué à Tshilombo tout ce qu'il savait sur lui, ils ne s'étaient plus parlé, sauf ce matin, lorsque le patron l'avait appelé pour lui dire que le jour de l'opération était venu et lui avait remis de l'argent. Bamba avait maintenant sur lui dix mille dollars ! Son discours avait persuadé le boss et, des deux mille dollars de prime initiale, la somme était montée à vingt mille, comme par magie. Il avait reçu la moitié ce matin. Il n'avait pas eu le choix, il lui fallait ces vingt mille dollars. Tshilombo devait encore lui remettre les dix mille dollars restants une fois la mission accomplie. Désormais, Bamba et lui partageaient le même secret et Tshilombo non plus n'avait pas eu le choix. Il ne lui restait plus qu'à payer. Maintenant que l'action était imminente, l'adjudant se sentait plus apaisé. Prendre d'assaut la Télévision nationale n'était vraiment pas un problème pour lui. Cela allait plutôt le détendre. C'était facile mais il s'agissait de travailler en finesse. Se dégager et profiter ensuite du fruit de son travail. L'adjudant Bamba Togbia se leva, lissa son uniforme neuf, ajusta son béret vert, se regarda dans un miroir pour voir l'effet des deux barrettes d'or qu'il portait sur les épaules. On l'avait promu lieutenant, pour l'occasion, histoire de lui conférer plus d'autorité. Le soldat contrôla une dernière fois son pistolet Glöck et se saisit de son vieux M16 qui était sur la table. Il jeta un coup d'œil à la pile de cahiers d'écolier et sortit de la maison sans même mettre le cadenas. S'il s'attendait à une surprise de la part de Tshilombo, il comptait lui en réserver une aussi. Bamba avait laissé les cahiers bien en évidence. Si quelque chose devait lui arriver, son patron ne s'en tirerait pas non plus. Tout dépendrait de la personne qui trouverait les cahiers en premier. L'adjudant comptait sur la chance, ou la malchance, c'était selon. On ne pouvait pas tout contrôler. Il prit place dans le 4 x 4, démarra et roula en direction de la résidence du première classe Landu.

Lorsque Bamba lui avait révélé qu'il avait enquêté sur lui, et qu'il savait des choses qu'il valait mieux ne pas divulguer, Tshilombo n'avait pas paru étonné. Il avait calmement écouté et quand l'homme avait commencé à lui parler d'argent, il n'avait pas marchandé, ni tergiversé sur le montant que son subalterne exigeait. Bamba était sûr que Tshilombo allait accepter ses conditions. Il le tenait, mais d'un autre côté il connaissait le personnage pour être retors et malin : si son chef avait accepté si vite les propositions, c'est que, certainement, il comptait jouer une dernière carte. Bamba se demandait simplement laquelle.

Au bord des avenues, c'était encore une fois la cohue de fin de journée. Certains ayant gagné leur vie, rentraient pressés, se dirigeant tout droit comme l'oiseau qui ramène la becquée au nid. D'autres avaient déjà envahi les terrasses des bars et des *nganda* où l'on consommait la bière accompagnée de viande de chèvre grillée. La musique bien évidemment ponctuait toute cette agitation. En fin de journée, malgré l'exercice de survie quotidien, la tension retombait un peu. L'euphorie due à la victoire sur la faim ou la résignation à une nuit le ventre creux ressemblaient à une trêve où tout était suspendu. Les pensées de Bamba le conduisirent au jeune Landu. Etait-il la carte que Tshilombo comptait jouer ? Le première classe devait-il le supprimer à la fin de l'opération ? Tshilombo lui avait dit de prendre Landu avec lui. Le peloton du pont Matete ne suffisait-il pas ? Bamba décida de ne pas se poser trop de questions à ce sujet, mais son esprit l'entraînait malgré lui.

"Après tout, c'est à cause de ce jeune crétin que je me trouve dans la situation dans laquelle je suis", pensa-t-il, en se souvenant du bâton à brosser les dents. Pourquoi avait-il fallu qu'il aille chercher la brosse à dents du féticheur, ce petit con ? Car c'était bien à cause de l'objet que toute la machinerie s'était malencontreusement grippée, jusqu'à provoquer la mort de Mbuta Luidi et entraîner la malédiction en cours. Que pouvait dire Bamba devant tant de légèreté ? Pourquoi Landu devait-il l'accompagner, d'ailleurs ? Après avoir mûrement réfléchi à la question, son cerveau handicapé par le manque de sommeil accumula pas mal de griefs à l'encontre de son subordonné.

Lorsque Bamba arriva chez lui, le jeune soldat était fin prêt lui aussi, vêtu d'un uniforme neuf. Le béret vert vissé sur le crâne et les lunettes noires complétaient sa tenue. Il sauta dans l'habitacle, son Uzi à la main. Ils démarrèrent aussitôt en direction de la route des Poids Lourds, celle qui menait tout droit vers le pont Matete. En chemin, Bamba donna les consignes à son adjoint puis adopta l'attitude muette et concentrée de l'homme d'action doublé de chef des opérations.

Pour une fois, Landu ne fut pas loquace. En fait, il n'avait pas prononcé un seul mot depuis qu'ils avaient quitté sa maison. Bamba remarqua que Landu transpirait beaucoup à la lisière du béret. Ce n'était pourtant pas la canicule ce soir. Il semblait tendu. L'adjudant se rendit compte, à cet instant seulement, qu'à part terroriser la population, Landu n'avait encore jamais mis sa personne en réel danger dans le cadre de sa profession. Cette opération était pour lui un peu comme un baptême. On ne rigolait plus. Les conséquences risquaient d'être mortelles. Bamba, intérieurement, se réjouissait de voir son subordonné souffrir à son tour des affres de l'incertitude. On ne reconnaissait plus Landu l'intrépide, le jeune chien fou, toujours prêt pour le mauvais coup. Ici, on travaillait pour des raisons politiques, et dans ce domaine, tout pouvait arriver. C'était encore moins clair qu'un champ de bataille. On devenait facilement le jouet de quelqu'un avec des intentions cachées. On était comme une marionnette. On n'était pas vraiment libre de ses mouvements. Bamba, par contre, avait appris depuis longtemps à jouer avec les ficelles auxquelles sont suspendus les pantins. Il savait concilier avec l'apesanteur. Se laisser porter, mais toujours garder un peu de lest, pour pouvoir se dégager au dernier moment. Comme dans ces avions – il avait vu ça à la télévision – qui grimpent puis piquent brutalement, et on entre alors dans cette phase particulière où tout ce qui est à l'intérieur flotte, échappant à la gravité. Surfer sur la vague du commandement, mais tout faire pour s'éjecter de là, si ça tourne mal. C'est ainsi qu'il avait survécu, étant jeune encore, aux combats pendant la rébellion muléliste des années 1960. Avec la même méthode, il s'était extirpé d'une embuscade des éléments des FAPLA[1] en Angola. Les sables du désert n'avaient nullement entamé sa clairvoyance, face aux Katioucha du colonel Kadhafi, dans la bande d'Aozou, au Tchad. Qu'aurait-il fait sans son poignard et cette vertu, lorsqu'il avait été coincé, en pleine nuit, par des hommes des troupes du FPR, du côté de Byumba, au Rwanda, en 1990 ? Tout cela à une époque, lointaine maintenant, où le pays officiait comme le gendarme de l'Afrique et où lui-même agissait partout comme un fer de lance.

Landu était loin de toutes ces réalités. Pour lui, tout cela n'était que des faits d'armes, comme il en aurait lu dans une de ses bandes dessinées. Il est vrai que l'opération d'aujourd'hui, consistant à investir les bâtiments de la télé, faire un peu de cinéma dans les studios et décrocher, n'était pas très compliquée, encore fallait-il décrocher à temps. C'est-à-dire avant l'arrivée de la cavalerie, autrement dit, de l'armée. Il s'agirait de travailler au chrono. Parce que se faire prendre avec les pseudo-mutins rendrait les choses beaucoup plus complexes. Le temps de donner des explications et tout pouvait arriver. Le cerveau de Landu, petit à petit, prenait conscience du poids de la responsabilité, conjugué au fardeau de l'appréhension, génératrice des fantasmes les plus fous. Ils arrivèrent au pont Matete, où, effectivement, un peloton d'une douzaine de soldats était stationné, afin de garder ce verrou stratégique de la capitale.

Les soldats, en reconnaissant les galons de Bamba, se mirent instantanément au garde-à-vous. La position n'était pas parfaite, mais Bamba s'en

1. Branche armée du MPLA (Mouvement pour la libération de l'Angola).

contenta. Le chef de poste, un sergent, se présenta. Bamba lui tendit tout de suite l'ordre de mission, qui stipulait que lui et son peloton devaient impérativement suivre le lieutenant porteur de la présente, et se mettre sous ses ordres. Il leur expliqua qu'ils avaient pour mission de neutraliser des éléments inciviques dans les installations de la RTN et de sécuriser celle-ci. Ils devaient empêcher toute incursion armée ou autre à l'intérieur desdits bâtiments. Les hommes demandèrent pourquoi ils avaient été choisis pour une telle tâche. Bamba répondit que les ordres étaient les ordres, mais qu'une prime était prévue, qu'il s'empressa d'ailleurs de leur distribuer en dollars. Il en fila vingt à chacun. Il profita de son avantage pour envoyer chercher un casier de bouteilles de soixante-quinze centilitres de bière, que chaque soldat siffla rapidement pour se donner du courage. Ensuite, ils réquisitionnèrent un bus rouge écarlate au sigle de Coca-Cola, qui revenait vide d'une tournée. Le chauffeur fut éjecté sans ménagement et c'est ainsi que l'on put voir une bande hilare de bérets rouges, semblables à des pères Noël grotesques armés jusqu'aux dents, s'adonner à ce qui ressemblait à une tournée promotionnelle, une veille de fêtes de fin d'année.

L'équipage, précédé du 4 x 4 bleu marine, arriva bientôt devant le complexe de la chaîne nationale. Les hommes bondirent du bus rouge et certains se déployèrent autour des bâtiments. Le grand hall de la réception fut investi sans opposer de résistance. Les talkies-walkies des deux agents de sécurité furent confisqués. On les pria de s'asseoir sur le sol, les mains sur la tête. On leur intima aussi l'ordre de se taire. Tous ceux qui étaient présents furent considérés comme des suspects potentiels, jusqu'à nouvel ordre. Bamba ne disposait que de peu d'hommes, mais il put les utiliser à bon escient. Trois soldats tinrent la réception, sous les ordres de Landu, toujours aussi nerveux et muet. Il prit ensuite l'ascenseur en compagnie du reste des hommes jusqu'aux studios situés au douzième étage. Ce fut la surprise, mais les employés et les journalistes en train de travailler, voyant surgir les hommes armés comprirent tout de suite de quoi il retournait. On gesticula beaucoup, on poussa des cris, mais quelques ordres hurlés par le faux lieutenant rétablirent aussitôt le calme. Tout le monde dut se coucher par terre. Bamba avait besoin d'un caméraman.

— Qui est caméraman ici ? Un type leva timidement le doigt. Un des soldats l'escorta pour aller chercher son instrument de travail. Entretemps, le faux officier leur expliqua qu'ils avaient pour mission de sécuriser le site. On craignait un coup d'Etat, et ils étaient là pour mettre de l'ordre.

— N'ayez pas peur ! rassura-t-il. On lui indiqua les studios A et B, les studios principaux. Suivis du caméraman, les hommes de Bamba firent irruption dans les deux locaux, simultanément. Dans le studio A, on passait un feuilleton nigérian à l'eau de rose, qui depuis des mois, à la même heure, scotchait des millions de Kinois à leur téléviseur. Très bien, se dit Bamba, c'était le bon moment. Il n'avait pas de temps à perdre. Il tendit une cassette au réalisateur attablé devant des consoles. Il déposa la caméra sur le sol et la fit brancher directement sur la table de contrôle. On lui avait dit de faire quelques images en direct : des bottes de militaires suffiraient. Il lui fallait agir rapidement. Il donna des consignes, c'est-à-dire diffuser la cassette, en la précédant d'images en direct prises par la caméra qu'il venait de faire brancher. C'était facile comme tout, le réalisateur se dépêcha.

— Attendez-moi là ! ordonna le faux lieutenant, en laissant l'équipe technique sous la garde de ses hommes. Bamba emprunta l'ascenseur qui descendait un peu trop lentement à son goût. Au-dessus de lui, la vidéo dont il ignorait la teneur était en train d'être diffusée à l'échelle nationale. Il se moquait de son contenu, mais savait qu'elle allait causer des dégâts d'une façon ou d'une autre. Depuis toujours, on ne faisait appel à lui que pour mettre le bordel.

Bamba ne croyait pas si bien dire. Dans les foyers, l'immense frustration due à la brusque interruption du feuilleton fit place à la stupéfaction, quand les bottes militaires et le visage de Makanda apparurent à l'écran. Les téléspectateurs prirent immédiatement la mesure de la situation. Encore un coup d'Etat ! Et qui serait encore une fois voué à l'échec ! Qu'allait-on encore inventer pour leur rendre la vie difficile ? C'était la confusion dans les chaumières. Au niveau des responsables de l'Etat, les téléphones portables firent leur office. On s'interpella pour savoir ce qu'il en était, si la Nation, c'est-à-dire eux-mêmes, était en danger. Parmi les membres des états-majors des partis de l'opposition, l'effet fut plus dévastateur encore. On se fabriqua des alibis en vitesse, au cas où on aurait à se disculper d'une complicité quelconque. On se cherchait déjà des arguments pour se dédouaner de l'éventuel amalgame. Mais qu'est-ce qui lui prenait à Makanda de tenter un coup pareil ? D'autant plus que tous se doutaient qu'il mangeait à tous les râteliers, surtout à celui du président.

Quelle ingratitude ! Certains préparaient déjà des communiqués pour condamner le geste anti-démocratique.

Dans l'armée, on ne perdit pas de temps. Parmi les plus hauts gradés de la Nation, certains suivaient eux aussi le feuilleton nigérian. Ils furent, comme tout un chacun, interrompus dans la délectation de l'intrigue, qui atteignait à cet instant un paroxysme, car le nom du père biologique du bébé de l'héroïne, allait, enfin, être dévoilé. Et c'est avec d'autant plus de diligence que des contacts furent établis illico, au plus haut niveau de la Sécurité nationale, et ce dès qu'apparut Makanda Rachidi, accompagné de son discours subversif. A la vitesse de l'éclair, des troupes furent dépêchées au siège de la Télévision nationale, afin d'encercler les bâtiments, et de réprimer dans le sang, s'il y avait lieu, l'audacieuse tentative de putsch.

L'ascenseur avait déposé Bamba dans le hall d'entrée. Les employés étaient toujours assis au sol, tenus en respect par les "bérets rouges" et Landu qui scrutaient l'extérieur par les parois de verre, près de la porte d'entrée. Bamba traversa le hall en trombe, le M16 au bout du bras.

— On décroche ! L'adjudant avait prononcé ces paroles à l'adresse de son coéquipier sans presque desserrer les dents. Il sortait déjà du bâtiment, pour se diriger vers le 4 x 4 garé près du bus aux couleurs de Coca-Cola. Landu le suivit d'un pas rapide, parcourut les derniers mètres à reculons. Il dut se dépêcher car Bamba était déjà au volant. Pressé, le jeune soldat contourna le véhicule, ouvrit la portière du côté passager et prononça les premières et dernières paroles de sa journée.

— Mon commandant, on a r... !

— Raté, petit ! et dans un nuage de sang, la balle de calibre 9 mm, du pistolet de Bamba, atteignit Landu au menton, lui pulvérisa les dents, et beaucoup de matière osseuse, jusqu'au cervelet qui se désintégra. Le première classe tomba en arrière, les bras en croix, exhalant un râle interrogatif. Bamba prolongea son mouvement et tira à lui la portière du véhicule. Il était à peine redressé sur son siège qu'il démarrait sur les chapeaux de roue.

Le 4 x 4 parcourut une centaine de mètres lorsqu'il dut brutalement se rabattre sur le côté pour laisser passer un convoi de transports de troupes, suivi de quelques blindés, qui roulaient à tombeau ouvert, vers les bâtiments de la chaîne nationale. Le sous-officier prit tout de suite à droite en direction de la Gombe et du bureau Information et Plans. Il n'avait plus qu'à toucher son argent. Le prix de son silence et de sa tranquillité. Ensuite, il irait se faire voir ailleurs, loin de là, sous des cieux plus cléments pour un type maudit par un sorcier à la rancune posthume mais tenace.

— Tu ne m'auras pas ! Tu ne m'auras pas comme tu as eu tous les autres ! Ta dernière carte vient de sauter, Tshilombo. On ne roule pas le vieux Bamba. Je sais tout et tu vas payer ! Le soldat parlait tout seul. Les relents de cordite emplissaient l'habitacle du véhicule et Bamba en inspira un grand coup. L'odeur âcre et capiteuse de la poudre lui monta à la tête, et dans l'état dans lequel il se trouvait, cela lui fit le même effet que s'il avait inspiré de la cocaïne, il pétait les plombs.

— Ce n'est pas ce petit con de Landu qui aurait pu stopper Bamba, le grand guerrier silencieux.

Tout ce qui te reste à faire, c'est de me donner les dix mille dollars restants, Tshilombo. Dix mille dollars pour t'éviter les ennuis. L'homme continua à parler en proie à son cauchemar, plus tout à fait maître de son cerveau, ou de quoi que ce soit, d'ailleurs. Le véhicule traversait la nuit sans se préoccuper des lampions qui brillaient partout dans l'obscurité, comme des yeux d'espions faisant de l'excès de zèle.

Pourtant les aspirations de Bamba n'étaient pas démesurées. Elles n'étaient en rien exceptionnelles ou farfelues. Ce que le soldat voulait par-dessus tout, c'était être, un jour, à une certaine hauteur et, de là, sentir la brise du soir lui caresser le visage. Boire sa bière, après une journée satisfaisante, assis, calme, paisible, à une certaine altitude. Pas très haut, non. Il ambitionnait seulement de se construire une véranda à, disons, un mètre du sol. Une terrasse qui serait les fondations de la future maison qu'il comptait se construire près de Gemena, dans l'Equateur. Le vieux soldat voulait une vaste demeure avec plusieurs chambres à coucher pour ses enfants et d'éventuels visiteurs. Les fondations en question devaient être en pierre de taille. Le toit, lui, serait aéré spécialement, pour qu'il y fasse frais, même les jours les plus chauds. Cette maison, il comptait la construire lui-même. Il avait d'ailleurs les plans dans sa tête depuis longtemps. Cette maison, pensait Bamba, serait bâtie au milieu de la petite plantation de café qu'il comptait acquérir du côté de Bokuda. Pas très vaste non plus, juste quelques hectares, mais assez pour subvenir à ses besoins toute l'année et même lancer d'autres affaires. Le café était une denrée sûre, c'est ce qu'il y avait de mieux, avec des hauts et des bas certes, mais l'un dans l'autre, on s'en tirait toujours. Sa femme pourrait lancer un petit commerce, s'il elle en avait envie. Avec vingt mille dollars, il ne voulait plus la priver de quoi que ce soit. Bamba, d'ailleurs, comptait lui acheter quelques pagnes et des bijoux dès qu'il arriverait à Brazzaville. Des vêtements pour les enfants aussi et du matériel scolaire. Des feutres de toutes les couleurs. Il lui fallait encore passer au bureau, prendre l'argent, aller au village des pêcheurs au bord du fleuve, louer une pirogue, traverser vers Brazza dans la nuit et aller prendre un verre au "Crédit a voyagé" qui ne ferme jamais. De là, rejoindre l'Equateur par le nord. Facile, surtout avec vingt mille dollars.

Le 4 x 4 roulait à vive allure sous les frondaisons de la Gombe. L'absence d'éclairage public rendait fantomatique le décor aux alentours. Le portail du Bureau apparut bientôt sous la lumière crue des phares. Bamba donna deux coups de klaxon brefs. Les battants s'ouvrirent avec diligence. Le lourd véhicule s'engouffra dans le jardin. Au moment où Bamba voulut couper le moteur, quelque chose dans l'attitude de ses collègues le fit hésiter. Le jardin grouillait de militaires. Ils étaient plus nombreux que d'habitude. De plus, il n'en reconnaissait aucun. Mais le détail qui mit l'alerte dans son esprit fatigué fut que chacun des hommes arborait une arme bien en évidence. Parmi ceux-ci, l'adjudant identifia un type qui faisait partie de la garde rapprochée du président, un bourreau. Bamba passa en marche arrière et fit rugir le moteur puissant du véhicule. Au moment où la voiture bondit, une rafale fit voler le pare-brise en éclats. Le lourd engin percuta le portail de tôle, ainsi qu'une partie du mur. Sous le choc, le moteur cala. Bamba, le M16 dans le poing gauche, arrosait par la brèche laissée par le pare-brise. Presque en rampant, rapide comme un rat, il glissa vers l'arrière, ouvrit la portière et se retrouva dans la rue. Le 4 x 4 faisait pour l'instant écran entre lui et les hommes qui voulaient le tuer. Le fusil d'assaut sur l'épaule, le canon dirigé vers l'arrière, il se mit à courir droit devant lui. Il arrosa. Un chapelet de détonations retentit et s'égaya dans l'atmosphère nocturne, démultiplié par l'écho.

Bamba n'entendait que son souffle et la cadence rapide de ses pas. Il était sûr qu'ils étaient encore après lui. Il bifurqua brusquement vers des broussailles et l'abri que pourrait lui offrir la végétation des berges du fleuve. Ses bottes de combat pataugeant dans l'argile ne le ralentirent pas. Maintenant qu'il était au milieu de la végétation, il put entendre ses poursuivants casser des branches derrière lui dans leur progression. Il lui semblait aussi qu'il les distançait. Bamba ne pouvait plus utiliser son arme de peur que les flammes qui sortent du canon ne le trahissent. Sa poitrine brûlait mais il continua d'avancer le plus silencieusement possible. Le seul avantage qu'il avait sur eux était que, certainement, ils connaissaient son expérience et hésiteraient à se montrer trop téméraires. Au clapotis de l'eau qu'il entendait sur sa droite, il pouvait se repérer. Dans sa course, son pied accrocha une racine et il tomba dans la boue comme un arbre qui s'abat.

Etrangement, lorsque le soldat voulut se relever, il ne put le faire. Sa poitrine était en feu. Son corps était engourdi. Tous ses membres étaient lourds comme du plomb. Bamba cligna des yeux plusieurs fois pour se situer dans la nuit, mais son regard ne rencontra qu'un ciel immense et noir piqueté d'étoiles. Il pensa que sa position n'était pas appropriée. Il fallait se lever et continuer.

Les autres étaient encore derrière lui. Il voulut chercher son fusil qui était tombé mais ne parvint pas à bouger. Il se rendit compte aussi que ses oreilles n'entendaient même plus le concert des crapauds, omniprésent dans la nuit. Tout baignait dans un silence feutré et menaçant. Voilà maintenant que ses paupières devenaient lourdes. Ce n'était surtout pas le moment de s'endormir, bon Dieu ! Dans une de ses poches, l'adjudant avait encore près de dix mille dollars. Sa main chercha l'argent. Au contact de l'uniforme, le vieux soldat sentit quelque chose de poisseux et de familier entre ses doigts : du sang. Et ses paupières qui se fermaient malgré lui. Surtout ne pas s'endormir, pensa-t-il, avec angoisse. La malédiction. Je dois faire attention à la malédiction. Dormir, mais plus tard, pas la nuit. Le sorcier Mbuta Luidi l'a bien dit. Il faut traverser le fleuve maintenant. A cause de l'eau. Pour échapper à la malédiction. Surtout ne pas dormir. Avant que ses yeux ne deviennent vitreux, sa jambe droite fut agitée de spasmes violents et Bamba doucement, en grinçant des dents, glissa vers le sommeil éternel et la mort, comme le lui avait promis Mbuta Luidi, le sorcier le plus revanchard que l'on ait connu, de Songololo à Mbanza-Ngungu.

Cette nuit-là fut une de ces nuits dont les Kinois étaient coutumiers, c'est-à-dire que toutes les tensions étaient au maximum et chacun était suspendu aux événements, attendant que passe l'ombre de la mort. Le sommeil, dans ces moments-là, ne compte plus. Pour se rassurer mutuellement, on préfère se réunir, mais les conversations ne passent qu'au second plan, parce qu'il faut garder l'oreille attentive pour pouvoir capter les intentions du moindre coup de feu dans le lointain. Chaque rafale doit être interprétée. Chaque calibre qui tire doit être identifié. Tout le monde sait que cette nuit, les coups de feu ne sont destinés qu'à maintenir la peur au sein de la population, mais chacun espère quand même que les détonations éparses ne vont pas se muer en crépitements plus intenses et plus continus. On converse à voix basse mais on ne s'intéresse pas vraiment à ce qu'on dit, parce que, dans ces cas-là, l'esprit, lui, essaie d'être ailleurs. On pourrait dire qu'il cherche à atteindre les limites du voyage astral. Ne plus être là pour échapper à l'angoisse. Chaque minute qui passe est comme une victoire sur la peur et sur soi-même.

A partir des images diffusées vers 21 heures, la ville était soudain entrée en léthargie. Chacun était rentré tout droit chez soi. Les rues s'étaient vidées en un clin d'œil. On s'était barricadé et on avait éteint les lumières. Des jeunes gens faisaient le guet aux coins des rues. On était dans l'expectative et prêt à toute éventualité. Que voulait Makanda et son coup de force ? Nous mettre dans les problèmes ? se demandait le peuple. Les images avaient été interrompues brutalement et, depuis, personne ne savait rien de ce qui se passait. La population était dans le brouillard le plus total. Personne ne croyait au succès de l'opération mais on se posait des questions. Qui était derrière Makanda ? Les Américains ? Les Français ? Les Belges ? Parce que, pour avoir le courage de faire cela, il fallait au moins avoir une puissance étrangère derrière soi. Et les militaires, qui étaient-ils ? Des garnisons s'étaient-elles soulevées ? Les protagonistes de l'affaire avaient-ils déjà été arrêtés ? On ne savait rien. Kinshasa vécut cette nuit dans la peur que le lendemain puisse être un autre jour mais en pire.

Le lendemain pourtant, rien de notable n'advint sauf que l'on manqua de pain toute la matinée car les porteuses de pain ne prirent pas le risque d'aller se ravitailler cette nuit-là. Les mamans qui vendaient des beignets doublèrent leur chiffre d'affaires. A partir de 6 heures, la radio officielle n'émit que de la musique en continu. A la télévision, une mire anonyme et sans expression maintint le suspense jusqu'à 9 heures. A cette heure, enfin, le premier communiqué émanant de la présidence déclara que des insurgés avaient tenté de commettre un coup d'Etat en s'emparant de la Radio télévision nationale, mais que la tentative avait échoué grâce à l'intervention héroïque des Forces armées. Des arrestations avaient été opérées et d'autres étaient en cours. Il faudrait attendre la suite de l'enquête. La population pouvait continuer à vaquer à ses occupations, la situation était sous contrôle.

Les premiers quotidiens sortirent avec du retard compte tenu des événements mais, dès midi, le nom de Makanda Rachidi et le mot "insurgés" s'étalaient sur toutes les unes. On s'arracha les numéros. On voua Makanda aux gémonies. Libérée de la peur de la nuit, la population déversa sur lui toute sa haine. On se lâcha. On affubla les putschistes de qualificatifs plus ignobles les uns que les autres. Qu'avait-il voulu faire, l'infâme crapule ? Devenir président de la République ? Par un coup d'Etat ? Un corrompu comme lui ? Les gens espéraient bien qu'on l'avait arrêté. A 13 heures, les infos exaucèrent leur désir en annonçant la capture de Makanda Rachidi sur la route du Bandundu. L'odieux personnage allait être présenté à la presse aux infos de 20 heures. Douze de ses complices, tous des militaires, avaient été arrêtés. Ils étaient actuellement entendus dans les locaux des services de Sécurité. Le bilan était de deux morts dans les rangs des mutins. Le gouvernement promettait d'apporter toute la lumière sur cette affaire.

L'opposition, de son côté, ne fut pas en reste. Elle condamna à l'unanimité. Se rallia à la légitimité. Chaque chef de parti, avant la fin de la journée, s'était fendu d'un commentaire. Toute action brutale était bannie du jeu démocratique, déclaraient-ils. On renia les anciennes alliances. Certains allèrent même jusqu'à exiger un châtiment exemplaire. Le siège du Parti de la nouvelle démocratie fut investi par les forces de l'ordre. Les militants n'étaient pas fous, aucun d'eux n'était venu. On trouva les locaux vides. La tendance, au sein du parti, ces jours-ci, était de se terrer en attendant des jours meilleurs. La résidence privée de Makanda fut perquisitionnée.

L'homme, au cachot à l'heure actuelle, vivait le début de sa déchéance. Evidemment, cela ne rachetait pas ses multiples trahisons, ni la mort de Baestro. Célio ne ressentait aucune satisfaction, même s'il avait de tout cœur espéré la chute de l'homme. Il n'en retirait qu'un goût d'amertume. D'autant plus que, d'après les informations, il y avait deux morts et plusieurs arrestations d'innocents. La machination de Tshilombo avait comme d'habitude fonctionné à merveille. Ce qui était déplorable, c'était que, dans le piège, les soldats allaient payer aussi.

A chaque fois qu'il avait agi dans le cadre de son travail, Célio s'était évertué à ne pas considérer les éventuelles victimes collatérales, comme ce jeune Varlet dans le coup monté contre la France. Cette fois-ci, les soldats arrêtés risquaient plus qu'un petit séjour en prison. Déjà il y avait deux morts à déplorer. Makanda valait-il cela ? Il faut dire que Tshilombo n'avait pas fait dans le détail. La vague d'arrestations lancée depuis la nuit avait ratissé large. A l'heure actuelle, il devait sûrement être à la présidence en train de recevoir des félicitations et discuter comment tirer le meilleur avantage de toute la situation.

Célio décida de ne pas rester au bureau et se donna congé pour le reste de la journée. Il prit sa veste suspendue au dossier de son fauteuil puis quitta la pièce. La porte du secrétariat était ouverte et Angèle était absorbée par son ordinateur.

— Dites-moi, vous n'avez pas vu l'adjudant aujourd'hui ?

— Comment, vous ne savez pas ? Célio fronça les sourcils. Landu et lui ont été tués cette nuit. Son cadavre a été découvert non loin d'ici. Quant à Landu, on l'a retrouvé devant la RTN. Ils ont probablement été tués par les mutins, on n'en sait pas plus pour le moment. Célio eut un vertige et dut s'appuyer contre le chambranle de la porte. C'étaient donc eux, les deux morts qu'on avait annoncées. Comment cela avait-il pu se produire ? Célio ne connaissait pas tous les tenants et aboutissants de l'opération, mais il ne voyait pas comment les deux soldats avaient perdu la vie.

— Merci, Angèle, je ne savais pas. Au revoir. Si le patron passe, dites-lui que je ne viendrai que demain.

A l'extérieur, les gardes en faction n'étaient pas les mêmes que d'habitude. Le 4 x 4 bleu marine n'était pas là non plus. Célio interpella un des chauffeurs et se fit conduire chez lui. Il regardait, par la vitre de la voiture, la vie qui avait repris ses droits. En ville, les activités tournaient au ralenti mais cela allait. La peur de la nuit s'était évaporée. La sécurité était revenue mais Bamba et Landu étaient morts. Célio ne parvenait pas à s'en convaincre. L'information n'arrivait pas vraiment à son cerveau, tout comme le paysage qui défilait devant ses yeux ne réussissait pas à atteindre sa rétine.

A travers la baie vitrée du dixième étage, les bruits des klaxons et des moteurs des voitures lui parvenaient étouffés, ce qui lui donnait l'impression d'être en dehors du monde. Son appartement devenait, alors, un cocon dans lequel il cherchait refuge. Ainsi, Tshilombo avait sacrifié les fidèles Bamba et Landu ! Pourquoi ? Que s'était-il passé exactement ? Célio avait été mis au courant de la réalisation des images, de leur livraison par Bamba, mais pour le reste, il ignorait l'essentiel. On ne lui avait même pas signalé le déclenchement de l'opération. Depuis qu'il avait eu la révélation de la collusion entre Makanda et Tshilombo, il éprouvait de plus en plus de mal à se mêler de ce qui se passait au Bureau. Qu'y faisait-il d'ailleurs, à part tenter de maintenir des équilibres qui par essence étaient instables ? Tout comme dans la danse *ndombolo* qui décrit la précarité des conditions de vie des Kinois. Les pas de cette danse miment celui qui pose le pied sur une planche flottant sur le fleuve, planche qui sous le poids de l'individu s'enfonce inexorablement dans l'eau, ce qui oblige le quidam, pour survivre, à poser l'autre pied sur une planche voisine qui à son tour sombrera, et ainsi de suite. C'est un mouvement qui n'en finit jamais. Et tout cela, en tentant de garder le sourire. La situation ne lui convenait plus. Il passa l'après-midi à tourner en rond dans son appartement. Nana l'appela pour lui donner des nouvelles. A la RTN, la journée avait été chargée, vu les événements de la nuit. Elle voulait le voir en fin de journée. Célio lui dit qu'il ne bougerait pas, qu'elle pouvait passer après son travail. Elle lui trouva une drôle de voix.

— C'est ce remue-ménage qui me met à rude épreuve.

— Je sais. Je serai là en fin de journée, dit-elle, et elle raccrocha.

Nana passa vers les 18 heures. Elle insista pour qu'il vienne chez elle, le trouvant plutôt déprimé. Célio ne résista pas et se laissa emmener. Elle prit directement l'avenue Kasa-Vubu qui, comme d'habitude, était fort animée. Les gens rentraient chez eux, un peu plus rassurés que ce matin. Les périls étaient loin maintenant. Célio se laissait conduire. Les vitres ouvertes, il savourait sur son visage l'air frais du soir. Ils dépassèrent le pont Kasa-Vubu et suivirent la courbe de l'avenue. Avant le rond-point de Matonge, Célio eut une inspiration. Une fois ou deux, il était venu ici.

— Tourne à gauche ! dit-il en indiquant la rue Kanda-Kanda, là où se trouvait le domicile de Bamba.

Célio s'était parfois demandé comment pouvait être la vie d'un individu tel que l'adjudant, si taciturne, tout entier dévoué à son travail. Avait-il des loisirs ? Que faisait-il en dehors du boulot ? Célio savait que sa famille habitait Gemena, mais vivait-il complètement seul ? Quelqu'un, à Kinshasa, se devait-il d'être tenu au courant de son décès ? Ses voisins ne devaient-ils pas savoir ? Ils stoppèrent devant une petite maison bien entretenue, où ne brillait aucune lumière. Le jeune homme sortit de la voiture et entra dans la parcelle qu'occupait, seule, la maisonnette. Il constata très vite que le cadenas n'était pas mis. Il poussa la porte et entra. A l'intérieur régnait une chaleur étouffante, à cause du manque d'aération. Célio ferma la porte derrière lui et chercha l'interrupteur. Le petit salon meublé sommairement apparut à la lumière. Sur une table, des cahiers d'écolier étaient posés bien en évidence. Dessus, une boucle d'oreille en or, qui représentait le profil de la reine Néfertiti. Célio, par curiosité, prit un des cahiers, tourna les pages du bout du pouce et lut. Des bribes de phrases, d'abord anodines, prenaient de plus en plus de consistance au fur et à mesure de sa lecture. Cela ressemblait à des rapports de flic. Bamba avait été formé comme officier de police judiciaire et cela se remarquait. Au détour d'une page, Célio sentit comme une décharge électrique dans sa moelle épinière : le nom de Tshilombo apparaissait plusieurs fois. Il ne s'agissait pas ici du Tshilombo, le patron, mais d'une autre facette de l'homme, que Célio ne connaissait pas. Le jeune homme s'attarda, les sourcils froncés. Il rassembla ensuite les cahiers, s'empara du bijou qu'il glissa dans la poche de sa veste et sortit en éteignant la lumière.

Arrivé chez Nana, celle-ci le débarrassa de ses vêtements pour lui passer un boubou plus confortable. Elle l'installa dans le canapé et lui dit de ne plus bouger. A la télévision, on ne parlait que du coup d'Etat. Célio était en train de suivre les nouvelles de 20 heures. Nana l'avait prévenu : Makanda avait été présenté à des journalistes dans la journée. Lorsque les images apparurent, on put voir un Makanda Rachidi, les mains menottées dans le dos, debout, entouré de militaires à la mine sévère. Les cheveux décoiffés et son air désemparé témoignaient de ce qu'il avait pu souffrir depuis son arrestation. En quelques heures, on avait l'impression qu'il avait fondu de quelques kilos. L'homme n'était déjà plus que l'ombre de lui-même. Un officier, devant un pupitre, lisait ce qui lui était reproché. L'accusé écoutait d'un air déjà résigné. Avec ce qui était retenu contre lui, le pauvre était déjà passible d'au moins trois ou quatre peines de mort. Tshilombo triomphait. On ne vit pas les militaires impliqués dans le coup, mais leur sort fut évoqué. Ils subissaient, pour l'instant, un interrogatoire et en étaient aux aveux. Qui étaient les morts dans l'affaire ? demanda un journaliste. Celui qui avait été tué devant la RTN avait certainement été exécuté par ses complices, tandis que le mort de la Gombe avait, lui, été abattu par les forces de l'ordre, alors qu'il essayait de fuir. Leurs noms étaient connus, mais ne pouvaient être révélés à cause de l'enquête qui se poursuivait. Pauvres Bamba et Landu ! Les voilà qui passaient pour des traîtres, pensa Célio. D'autres arrestations étaient-elles à craindre ? demanda un des journalistes. L'officier mit en garde l'opposition. D'un air mystérieux, il ajouta que des têtes allaient encore tomber. Après cela, on emmena le prisonnier. La population serait tenue au courant minute par minute du dénouement de l'affaire. Bien sûr ! pensa Célio, sinon à quoi bon toute cette mascarade ? Tshilombo avait écrit sa pièce et il allait prendre soin de la délivrer jusqu'au dernier acte, jusqu'à la dernière réplique. Il avait prévu des rebondissements nombreux et passionnants. Tout allait être parfait. Célio n'en doutait pas. Le casting d'ailleurs était impeccable. Makanda n'avait jamais été aussi convaincant. Il jouait là le rôle de sa vie, bien involontairement, il est vrai, mais on pouvait dire qu'il avait déjà marqué les esprits.

On put ensuite assister à la prise d'assaut de la tour de la RTN par les forces de l'ordre, comme si on y était. L'exercice était rondement mené. Le gouvernement sortit rassuré par la démonstration de force. Nana éteignit le téléviseur, mais devina qu'il était difficile pour Célio d'échapper à ses pensées. Elle pouvait imaginer ses doutes et ne voulait pas l'influencer. Elle le connaissait assez pour savoir que les événements de cette nuit l'avaient sérieusement ébranlé. Célio lui avait affirmé qu'il n'avait que très peu contribué à l'opération, mais il en était éclaboussé, et bien plus qu'il n'aurait voulu. Elle avait toujours su que la voie qu'il avait suivie n'était pas exactement celle qu'il aurait voulue. Elle connaissait le fonctionnement des rouages de l'Etat, elle en était un elle-même.

Quand on a beaucoup souffert et que, comme chez Célio, la capacité de résilience est immense, celle-ci peut s'affaiblir du fait de l'empathie que l'on peut éprouver pour les autres. On supporte mal ce qui est dur et conduit au désespoir ou à la mort. Pour l'instant, pensa Nana, Célio en prenait pour son grade. Ces morts et ces innocents le hanteraient encore un bon bout de temps. Pour s'en sortir, il lui faudrait vivre ses doutes et ses questionnements jusqu'au bout.

Cette nuit-là, Nana tenta, par tous les moyens qu'offre l'amour, d'atténuer les tourments que subissait son amant. Elle fit tout pour que l'ambition qui le ravageait se concentre sur le feu qui brûlait en elle. Cette incandescence irradia jusqu'aux tréfonds de Célio. Les mains de Nana parcourant son corps exacerbèrent davantage la sensation. Il tenta bien d'y résister mais, à un moment donné, la perception de l'espace-temps se dilua complètement dans le contact de leurs corps. Nana prolongea cet état jusqu'au moment où tout ce qui représentait l'orgueil et l'ambition n'eut plus droit de cité. Il lui fallut presque la nuit entière pour enfin l'épuiser. De ses lèvres, avec beaucoup de tendresse et de patience, elle extirpa par chaque pore de sa peau l'angoisse et le remords qui subsistaient en lui. C'est ainsi qu'il put entrevoir un monde lumineux aux reflets dorés, pareil à la peau douce de Nana. Sa seule perspective fut alors les vallonnements moelleux de son corps, brassant en leurs courbes des torrents d'émotions, semblables à des boules de feu, qui lui comprimaient la cage thoracique. Célio connut alors un éblouissement fulgurant, comme une révélation, avant de sombrer et de se laisser porter par ce qui lui semblait être une douce certitude, la certitude simple et unique, de l'existence et de la présence de Nana dans sa vie.

Cela lui prit deux jours. Pendant ce temps, Célio réfléchit sur son destin et lui-même. Il ne bougea pas de chez la jeune femme. Elle allait travailler et le laissait seul à la maison, accaparé par ses pensées. Il appela le Bureau pour dire qu'il serait absent quelque temps, prétextant une crise de malaria. Il avait besoin du temps de la réflexion. Il ne se sentait plus capable de travailler au bureau Information et Plans, à mentir au peuple et au monde entier. Son intelligence valait mieux que cela.

Car son intellect avait entrepris un combat au corps à corps contre les choix qui l'avaient conduit à suivre les chemins d'une certaine opulence et d'un certain pouvoir. En fait, il ne fallut pas très longtemps pour que le jeune homme achève le processus de se retrouver, et reprenne conscience de ce qu'il était réellement. Quitter le Bureau, par contre, signifiait aussi mettre Tshilombo hors de sa portée. Et cela ne l'arrangeait pas pour le moment car Célio aspirait à la vengeance.

Il avait tourné en rond comme un fauve neurasthénique, tourmenté par l'incertitude et les noms de Baestro, de Tshilombo et du pauvre Bamba, qui revenaient en écho à chaque instant. Bamba et ses liens étranges avec Tshilombo. Ces liens qui, d'après les carnets, n'avaient rien à voir avec des relations de patron à subordonné. L'adjudant l'avait d'ailleurs payé de sa vie. Célio n'en revenait toujours pas. Ses yeux se portèrent vers les cahiers qu'il avait trouvés chez le vieux soldat. Ceux-ci étaient posés devant lui et semblaient anodins. De vulgaires cahiers d'écolier à la couverture ornée d'un éléphant ou d'un zèbre. Célio en prit un. Du plat de la main, il lissa machinalement les coins écornés. Son regard dans le vague était concentré sur un point imaginaire, autour duquel une épure était en train de se mettre en place dans son esprit.

Tshilombo était perplexe. Que devait-il penser de l'attitude de son conseiller ? Celui-ci le regardait tranquillement mais ses yeux étaient légèrement injectés de sang. Il avait dû passer une sale nuit. Il n'avait plus son regard candide. Tshilombo le trouvait même un peu nerveux. Visiblement, il faisait des efforts pour conserver un air détaché. Il aurait dû savoir dès le premier regard que le jeune homme lui échapperait un jour. D'ailleurs, avait-il jamais réellement su qui était Célio Matemona ? Aujourd'hui seulement, et cela paraissait incroyable, il se rendait compte qu'il ne savait pas grand-chose de lui. Il l'avait engagé un jour, complètement bluffé par son aplomb et la vivacité de son intelligence. Etait-ce réellement de l'intelligence, d'ailleurs ? Le jeune homme ne serait-il qu'un esquiveur comme il y en a tant à Kinshasa ? Difficile à dire. Mais le directeur se posait la mauvaise question parce que, généralement, ceux qui appartiennent à cette engeance, pour mieux tromper, de préférence caressent dans le sens du poil. On ne pouvait pas dire que c'était le cas, ici. Célio et lui avaient travaillé sans que Tshilombo ne cherche à en savoir plus sur la personnalité de son conseiller. Il se devait de reconnaître qu'ils avaient eu pas mal de succès ensemble, mais qui était-il en dehors du type à la dégaine de miséreux qu'il avait rencontré chez la mère Bokeke ? Aujourd'hui, il redressait la tête, et se permettait même de vouloir prendre tout le monde de vitesse. Il serait encore en train de croupir dans sa pauvreté, n'eût été son poste actuel. Tous les mêmes. Des ingrats. En même temps, Tshilombo n'y pouvait rien. Si Célio voulait partir, c'était son droit, quoique… Gonzague Tshilombo contempla encore longuement la lettre de démission posée devant lui. Pourquoi partait-il ? Et pourquoi, maintenant ? Il releva la tête et plongea son regard dans celui de son, déjà, ex-subordonné, espérant y lire une réponse. Il sentit une sourde colère naître en lui, mais celle-ci, ne sachant où se fixer, s'en alla d'elle-même, après quelques secondes d'errements

— Je vois qu'aucun argument ne vous retiendra. Si tel est votre désir, vous pouvez partir. Tout ce que je peux vous souhaiter, c'est de la chance à l'avenir. Pour les modalités pratiques, passez donc voir Angèle d'ici un jour ou deux. Cela a été un plaisir de travailler avec vous. Célio eut un sourire poli, serra la main de son ex-patron et quitta la pièce.

C'est ainsi que Célio Matemona, dit "Célio Mathématik", abandonna son poste au bureau Information et Plans et se retrouva chômeur. Il était satisfait d'avoir présenté sa démission, s'ensuivit néanmoins une sorte de dépression qui l'anesthésia pendant une semaine. Il ne resta toutefois pas complètement inactif. Il débarrassa d'abord l'appartement qu'il occupait de ses affaires personnelles, qu'il déposa chez Nana. Durant ce temps, Célio lut et relut les cahiers de Bamba. Etonnant de voir jusqu'où la frustration pouvait mener un individu. Bamba, au fond de lui, était plus porté à l'enquête qu'à l'action. Et, pour combler son manque, il s'était attaché à noircir des cahiers de conclusions sur des événements qui avaient émaillé la vie de Kinshasa. Il y avait des enquêtes jamais abouties, sur des crimes complètement oubliés. Mais il y avait aussi l'affaire du faux meeting politique où Baestro avait trouvé la mort. L'opération "Mokili ebende" comme l'avait intitulée Bamba. Célio lut les détails qu'il ne connaissait pas. Cela confirmait ce qu'il savait. Baestro et les autres victimes de l'histoire avaient délibérément été sacrifiés aux ambitions de Tshilombo et de Makanda. Célio tomba aussi sur l'affaire Varlet, à laquelle il était directement lié. C'est vrai qu'il n'en était pas fier. Le jeune Français avait été une victime facile. Puis il lut les choses stupéfiantes concernant Tshilombo. Le jeune homme se demandait même si la mort de Bamba n'était pas liée aux révélations inscrites dans ces cahiers. Le hasard n'existait pas dans leur business.

Célio tenait avec ces carnets quelque chose d'explosif, qu'il comptait bien exploiter. Le procès des insurgés était prévu pour dans quelques semaines et le faux lieutenant Bamba, depuis qu'il avait été cité parmi les mutins comme celui qui avait opéré le putsch manqué, était maintenant connu de tout le monde. Célio comptait bien le faire connaître encore davantage. Bamba n'était pas, à vrai dire, ce qu'on appelle un ami, mais Célio voulait faire quelque chose pour lui, à titre posthume, et quelques semaines étaient plus qu'il n'en fallait pour réaliser ses projets.

— Bois ! Un peu surpris, Célio obtempéra. Les deux hommes s'étaient réunis dans le bureau du prêtre. Celui-ci le regardait, un sourire malicieux aux lèvres. L'alcool qu'il venait d'avaler d'une seule gorgée allumait des paillettes dans ses yeux. Le père Lolos était visiblement satisfait de la nouvelle que Célio venait de lui annoncer.

— Bois, Célio, bois. Dans les Ecritures, on conseille de boire un verre de vin de temps en temps, c'est bon pour l'estomac. En même temps, les excès de toutes sortes sont dénoncés. Je me réjouis que tu aies pu arriver à constater qu'il y avait quelque chose d'excessif dans ce que tu faisais. L'excès tue, Célio, n'oublie pas cela. Et le Bureau allait tuer ce que tu as de bien en toi.

Le jeune homme était allé voir le père Lolos pour lui apprendre son départ du Bureau. Celui-ci n'avait pas caché sa joie. Le vieux prêtre considérait que l'intelligence de son protégé pouvait être utilisée à d'autres tâches.

— Qu'est-ce tu vas faire maintenant ?

— Je ne sais pas encore, je me donne le temps.

— Fais comme tu veux, mais oublie le gouvernement, ce n'est pas pour toi. Je comprends qu'il ait fallu que tu travailles, mais pas au risque de te brûler les ailes. Prends plutôt en compte ta nature profonde. Tu ne seras jamais un salaud, Célio. Et pour tout te dire, je suis fier d'avoir un fils comme toi. Le jeune homme regardait le vieux prêtre appuyé contre son bureau, un sourire malicieux aux lèvres comme quelqu'un qui vient juste de faire une mauvaise blague.

X

LES COURBES DÉCISIVES

Chez Vieux Isemanga, les discussions allaient bon train, comme d'habitude. Célio, assis sur le banc, réfléchissait à ce que le vieux prêtre lui avait dit. Effectivement, il avait péché par vanité. Le vertige de côtoyer les sommets de l'Etat, le besoin de reconnaissance l'avaient conduit à utiliser ses talents pour produire de l'horreur. Tout cela pour finalement trahir les gens au milieu desquels il était assis. Ces gens dont il était le plus proche. Les habituels employés travaillant dans le coin étaient présents ce jour-là. Il y avait aussi Trickson, Sera Sera, le jeune homme de confiance, Face ya Yézu. Vieux Isemanga, d'un geste d'expert, retournait les brochettes de viande sur leur coussin de braises.

— Vous les jeunes, vous ne savez rien !

— Ça suffit, le vieux. On sait que dans ta génération, vous étiez plus intelligents.

— C'est la vérité ! Regardez un peu ces soldats qui font des coups d'Etat et qui se font attraper comme des novices. Des ignares ! C'est pas comme ça qu'on conduit une opération. Même les animaux sont plus intelligents. Ils ont agi trop vite, sans réfléchir. Un mille-pattes est plus futé que cela. A notre époque, on était plus malins, on observait la nature, on écoutait les anciens. Je connais un insecte rampant[1] qui, quand il est en rut, pour arriver à ce qu'il veut, ne lésine pas sur les moyens. Cette petite bête utilise pour se reproduire un stratagème ingénieux. Tout d'abord, il produit un fil de soie qui part de l'extrémité arrière de son corps. Ce fil, il l'attache quelque part sur le sol, puis il recourbe sa queue vers le haut. Ce qui ressemble à un arc. Sur le bout de sa queue, il y a son appareil génital. Quand il a fait cela, il fait glisser quelques gouttes de sa semence sur le fil. Sa femelle, qui est très myope, se promène en utilisant sa queue qu'elle arque aussi vers le haut, comme une canne d'aveugle. Lorsqu'elle touche le fil de soie, elle le suit à tâtons. Jusqu'où ? Jusqu'aux gouttes de sperme qu'elle absorbe une à une avec son appareil génital qui lui aussi se trouve dans sa queue. Quand la femelle rencontre la première goutte, elle est toute contente. Elle ne peut que se réjouir de prendre avec délectation les autres gouttes, une à une. Une à une, parce que, tout fait nombre, petits. Comme je l'ai toujours dit, et comme le pense l'insecte dont je parle, et dont je ne connais plus le nom. Tout ça pour vous dire qu'il faut faire les choses avec un bon plan, par étapes successives. Pas *ngulu ngulu*[2].

Evidemment, l'assemblée qui l'avait laissé parler plusieurs minutes était maintenant pliée de rire. Le vieux en sortait de plus belles chaque jour. On fit des commentaires sur la lubricité de l'insecte et du vieux.

— Vieux, tu es mystique ! s'exclama Trickson

1. Il s'agit du machilis.
2. Littéralement, "cochon cochon" : dans le désordre.

— On ne te croit plus, ajouta Sera Sera. C'est quoi cette bête qui contrôle la situation de cette façon ? Quoi, il piège la *go* en lui offrant des spermatozoïdes sur une guirlande ? Quel pervers ! Vieux, tu exagères.

Le vieux avait raison, pensait pourtant Célio. Les raisonnements les plus simples étaient souvent les meilleurs. Lui, il avait toujours voulu faire dans le sophistiqué, recourir à des théorèmes et à des conjectures. Et pour quel résultat ? Il était parfois nécessaire de recourir aux idées basiques. Un plus un est égal à deux. Deux plus un égale trois. Voilà l'axiome par lequel le petit animal accomplissait son objectif. Tout simplement. Sans rien à prouver, de façon limpide. L'esprit de Célio se mit alors à évoquer Kabeya Mutombo, Archimède de Syracuse, Apollonius de Perga, Georg Ferdinand Cantor, Pythagoras ; tous ceux qui avaient fait de lui ce qu'il était aujourd'hui ; qui lui avaient permis d'appréhender ce monde si compliqué. Puis, il pensa avec attendrissement à Einstein, Vieux "Einsch'", comme il avait coutume de l'appeler. Il savait bien, lui, que tout était relatif. Que ce qui était évident, ne l'était jamais à tout moment, en tout lieu et de la même façon. Le jeune homme était persuadé qu'il devait cette fois agir comme le petit insecte vicieux. Il se dit qu'il pourrait en faire autant mais pour cela, il avait besoin de réfléchir.

— Mboyo, Boketshu !

— Oui, tonton Célio ! répondirent les jumeaux en accourant.

— Tenez, dit Célio, en leur tendant l'*Abrégé de mathématique* qu'il venait de sortir de sa mallette. Sans même remercier, le plus rapide des enfants s'empara du livre et se mit à détaler,

poursuivi par l'autre. Célio les observa se cha-
mailler un moment, avant de s'asseoir dans la
poussière côte à côte, et d'ouvrir le manuel au
hasard. En voilà deux qui commençaient peut-
être là une histoire. Quant à lui, il devait encore
trouver des moyens d'appliquer l'axiome de
Vieux Isemanga et de l'insecte rampant pour
atteindre le but qu'il s'était fixé depuis quelque
temps : faire mordre la poussière à Tshilombo,
en espérant en plus qu'il puisse s'étouffer avec.

La publication d'extraits des carnets de l'adjudant Bamba avait fait autant d'effet qu'un coup
de canon en pleine sieste. Célio avait choisi, avec
soin, trois quotidiens parmi les plus influents
pour répandre le contenu des cahiers : les notes
secrètes d'un des mutins. Les rédacteurs en chef,
évidemment, étaient ravis de tomber sur un tel
scoop. Par téléphone, Célio avait pu négocier
avec les journaux, afin que ceux-ci ne publient
chacun qu'une petite partie des notes. Les autorités, et Tshilombo en particulier, ne manque-
raient pas de se manifester et de mettre fin à
l'aventure et cela, dès la première parution des
notes dans la presse. Quand le nom de Tshilombo apparaîtrait, Célio préférait prendre des
précautions en éparpillant les risques.

Le premier article éveilla l'attention de tous,
parce que les carnets reparlaient d'une affaire qui
avait été classée depuis longtemps : l'affaire des
femmes aux seins mutilés, dont les corps avaient
été retrouvés dans des hôtels sordides de la périphérie. Les carnets reprenaient la trace de
l'homme à la "haute stature", dont on avait beaucoup parlé à l'époque des meurtres. On pouvait
découvrir que l'adjudant Bamba Togbia avait
mené, parallèlement à l'enquête officielle, des in-
vestigations de sa propre initiative. La population

faisait ainsi la connaissance d'un limier émérite, plus connu sous le sobriquet de "le faux lieutenant".

Le quotidien dans lequel paraissait l'extrait avait pris soin de mettre le texte en première page. Cela ne concernait pas le coup d'Etat proprement dit, mais qu'importe, l'histoire intéressa énormément. Celle-ci commençait comme ceci :

Déjà, j'avais réfléchi à cet "homme à la haute stature". Qui pouvait être assez sadique pour découper un téton à coup de dents ? se demandait Bamba dans ses écrits. Il poursuivait :

Dans ma réflexion, je partais de l'idée qu'en Afrique, un crime en série de cette sorte ne pouvait être qu'affaire de sorcellerie et de grande sorcellerie, encore ! Quelqu'un voulait obtenir quelque chose de très important. Et qui d'autre qu'un grand patron aurait de telles ambitions, avec de telles conséquences ? Moi, adjudant Bamba, je connais les tueurs en série. Je les ai étudiés grâce au magazine Détective. *Là, j'ai lu que ces criminels sont en général des hommes entre trente et quarante-cinq ans, de race blanche. Les Blancs à Kinshasa ont mieux à faire que de découper des tétons de femmes. Donc, mon enquête se dirigea vers le milieu des féticheurs. Milieu très opaque et mystérieux.* (C'est ainsi que le nom de "Mbuta Luidi" et le mot "patron" apparurent dans le récit pour la première fois.)

Garant le 4 x 4, un jour, près de la maison de Mbuta Luidi, j'ai vu la voiture du patron avec lui-même au volant, quittant la bicoque du vieux. La chose n'était pas exceptionnelle en soi, le patron avait lui aussi le droit de consulter. Mais j'étais dans l'étonnement.

J'avais déjà essayé de questionner Mbuta Luidi au sujet des sacrifices rituels. A force de faux-fuyants, il m'a caché la vérité. Il n'a rien voulu me dire. Mais à demi-mot, il m'a appris tout de même qu'il lui arrivait, à son corps défendant, d'exiger des poils pubiens humidifiés, qu'il fallait arracher à une femme pendant le coït. Il disait qu'il n'allait pas plus loin que cela, qu'il n'était pas méchant. Par contre, ses collègues… Poils pubiens ou téton de femme, l'importance du sacrifice dépendait de l'enjeu, pensai-je. (Le récit continuait sur des pistes que Bamba avait suivies.)*

Je répertoriai les trois plus grands sorciers de la ville. Ce n'était pas difficile. J'ai demandé à Mbuta Luidi, qui se disait le meilleur de tous. Il a cité les noms de ses deux plus proches concurrents, en profitant au passage pour les maudire verbalement. J'avais établi pendant quelques jours des planques chez les praticiens désignés. J'ai constaté un grand nombre de voitures de grosse cylindrée qui s'arrêtaient devant chez les féticheurs, mais n'ai pas cru bon de relever les plaques d'immatriculation. Je n'ai rien remarqué de significatif. Mon intuition ne me disant rien, je finis par me rabattre sur le patron. Mon instinct de chasseur me conduisit à m'attacher à lui et à ses faits et gestes. (C'est ainsi que se terminait le premier extrait des carnets de Bamba.)

Célio avait bien fait de ne pas confier à un seul journal le contenu des notes. Certains avaient dû lire avec angoisse les révélations de feu l'adjudant Bamba Togbia et n'allaient pas tarder à réagir. La journée n'était pas terminée qu'une escouade de soldats fit irruption au siège du journal et exigea du rédacteur en chef les carnets en tant que pièce à conviction, indispensable à l'enquête. Le journaliste fut emmené, mais ne dévia pas une seconde de sa ligne de défense : il avait reçu un courrier avec le texte, ainsi que la promesse que la suite des carnets allait suivre, dès la parution du première extrait. L'homme n'en dit pas plus, il protégea sa source jusqu'au bout. Si le grand public était curieux de connaître le nom du fameux "patron", dans son milieu, on commençait à deviner qui cela pouvait être, sachant pour qui travaillait l'auteur des révélations.

Quelques jours plus tard, un autre journal prit le relais et apporta des précisions.

Puisque j'avais le patron sous la main, je décidai de m'intéresser à lui. Rien n'aurait pu me mettre sur une piste quelconque en le regardant vivre, au jour le jour, mais je persistais à l'observer sans états d'âme, comme un scientifique, avec patience et obstination, oubliant qu'il était mon boss. Le jour du meurtre suivant, avant 8 heures du matin, la nouvelle était déjà arrivée à Matonge. Le corps d'une femme au sein mutilé avait été retrouvé dans un hôtel, du côté des Eucalyptus, à N'jili. Ce matin-là, j'étais très pressé de voir la tête du boss. Il débarqua au bureau vers 10 heures, toujours aussi classe que d'habitude. L'air peut-être un peu plus joyeux. Comme dans un contentement.

Depuis que je m'intéressais à lui, j'avais pris l'habitude de le regarder de plus près, de méditer sur ses humeurs et de lui laver sa voiture régulièrement, pour, comment dire ? y jeter un coup d'œil. Fouiller les fauteuils, peut-être trouver des traces, un indice. Ce jour-là, ma patience a été récompensée. En dessous du siège passager, j'ai trouvé un bijou de femme. Une boucle d'oreille en or, qui représentait le profil d'une reine égyptienne. Quelqu'un l'avait sûrement perdue pendant des ébats mouvementés. Je gardai le bijou. On verrait plus tard. Plus tard arriva très vite. Je décidai d'aller voir l'officier en charge de l'enquête. Un jeune homme bien, un adjudant comme moi, respectueux des aînés. En tant que collègue, il me donna quelques renseignements concernant la victime. Notamment son adresse. Elle habitait chez ses parents. L'histoire commençait banalement. Une jeune femme rencontre un inconnu, un soir. Ils décident de prendre une chambre à l'hôtel, dans laquelle elle se fait trucider. Elle s'est beaucoup défendue avant d'être étranglée. Il semble qu'il n'y ait pas eu de relations sexuelles. Il y avait des renseignements très flous au sujet de l'homme. De haute stature, d'après les réceptionnistes, on n'en savait pas plus. Je remerciai l'adjudant et le quittai. Je n'en savais pas beaucoup, mais ce qu'il m'apprit me permettait d'avancer dans mon enquête.

Grâce à l'adresse, j'ai été visiter les parents de la femme. Ils habitaient Ngaba. Je ne trouvai que la mère ainsi qu'un grand frère, un chômeur de longue date, d'après son air fatigué. Je me fis passer pour un des inspecteurs chargés de l'enquête. Je n'eus pas besoin de montrer ma carte militaire. Mon regard et le 4 x 4 parlaient pour moi. Quand j'exhibai la boucle d'oreille, la mère poussa un cri strident et se jeta par terre. Son fils tenta vainement de la consoler. Je n'eus pas besoin d'en savoir plus. Le bijou appartenait bien à la victime. Cette certitude me glaça mais ne me fit pas perdre ma détermination. Ainsi l'assassin de toutes ces pauvres femmes était peut-être le patron, celui auquel personne n'aurait pensé ? Qu'allais-je faire de l'information ? La divulguer ?

Et pour quoi faire ? De toute façon, ce que je détenais n'était pas encore suffisant pour le mettre en état d'arrestation ou quoi que ce soit. Trop puissant. Mon opinion, quant à elle, elle était faite. Mais je décidai de la garder pour moi et voir venir. Je n'en restai pas là, malgré tout.

Par malheur, je n'ai pas été beaucoup à l'école. La vie militaire m'a pris tout jeune. Mais depuis toujours, j'étais doué pour le dessin. J'aurais pu être un artiste. Les enfants aimaient que je leur dessine des petites choses, comme des fleurs, des personnages. Ce talent me servit. Je dessinai presque parfaitement un portrait-robot de Tshilombo, avec lequel je passai dans les hôtels où avaient eu lieu les meurtres. Ce n'était pas facile de retrouver un des réceptionnistes qui avait travaillé la nuit du crime. En posant des questions, je l'ai retrouvé dans son quartier, non loin de là. Comme le réceptionniste que j'avais vu précédemment, il me confirma que mon dessin ressemblait bien au signalement de l'homme qui accompagnait la fille cette nuit-là. Mes soupçons se confirmaient. Je détenais une information capitale qui pouvait faire très mal. Pourquoi en profiter tout de suite ? Il serait toujours temps d'exploiter cela plus tard. Malgré moi, je tenais Gonzague Tshilombo à ma merci. Ce que je savais sur lui me serait un jour payé au centuple. L'avenir sourit à celui qui sait attendre. Cela faisait trop de temps que mon avenir me faisait la gueule, il était temps que cela change.

Ainsi se terminait la seconde partie des carnets de Bamba, le nom de Tshilombo était lâché. Pour la première fois dans l'exercice de ses fonctions, l'homme perdit son sang-froid. Lui qui vivait la discrétion comme une seconde nature était en proie à la panique. Son nom s'étalait désormais en première page d'un journal, et dans une histoire de tueur psychopathe, en plus. Cela avait été son secret jusqu'à maintenant et brusquement, tout volait en éclats. Il avait été obligé d'accomplir ces actes. Pour maintenir une certaine position, il fallait parfois aller au bout des choses. Qui pourrait le comprendre ? Ils allaient tous lui jeter la pierre.

Tshilombo avait envoyé ses hommes au quotidien qui avait publié les informations mais ils n'avaient rien pu tirer. Il n'allait tout de même pas faire saisir tous les exemplaires de la ville ! Au comble de l'anxiété, l'homme tournait en rond dans son bureau quand son téléphone vibra de façon inquiétante ce matin-là : c'était le président de la République.

Ce n'était pas encore tout. Le coup de grâce vint avec le dernier article, que la population attendait avec le plus vif intérêt : l'épisode du coup d'Etat. Parce que, jusqu'à présent, il n'en avait pas encore été question. L'extrait qui allait abattre définitivement Tshilombo commençait ainsi : *J'aurais pu garder mes conclusions pour moi, si ce salaud ne m'avait pas offert deux mille dollars de récompense pour le coup d'Etat. Prendre d'assaut la tour de la RTN et lancer une proclamation sur les ondes nationales, pour deux mille dollars seulement ? Pour qui me prenait-il ? Là, j'ai bien été obligé de tout lui dire, au sujet de ce que je savais sur les meurtres rituels. Dès que j'ai abordé le sujet, Tshilombo est devenu très attentif. Il m'a écouté en silence, comme on écoute un oncle plein de conseils. Il ne m'a pas interrompu une seule fois, se demandant sans doute par quel hasard j'avais pu tomber sur ces choses le concernant. Je lui ai tout dit. Mon*

habitude d'enquêter sur certaines affaires inté-
ressantes. Comment j'ai commencé à m'intéres-
ser aux sorciers de la ville et à leurs pratiques. Je
lui ai expliqué pourquoi j'avais porté mon intérêt
sur Mbuta Luidi. D'abord, parce que je l'avais un
jour vu sortir de chez lui, et aussi parce le vieux
féticheur exigeait de temps en temps des mor-
ceaux humains pour ses rites. Je lui ai parlé de
ma patience. Qu'il ne devait surtout pas croire
que c'était de l'acharnement de ma part. Je
n'avais absolument rien de personnel contre lui.
La preuve ? N'avais-je pas jusqu'à présent gardé
les résultats de mon enquête pour moi ? Je lui ai
parlé du portrait-robot que j'avais fait de lui. Les
réceptionnistes avaient été catégoriques. J'avais
du talent, avaient-ils tous dit, le portrait ressem-
blait bien au tueur.

   C'était la première fois que je menais une
enquête sur quelqu'un de si proche. C'était comme
un jeu d'enfant. Cela n'avait jamais été aussi
facile. Mais, malgré que je détenais les preuves de
la culpabilité de Tshilombo, je ne voulais pas lui
nuire et je ne voulais pas connaître ses motiva-
tions. On recherche tous quelque chose dans
la vie. C'était mon patron, après tout. On était
ensemble depuis longtemps. Il avait toujours été
bien avec moi. Mais ce salaud voulait me faire
participer à un coup d'Etat pour deux mille mal-
heureux dollars ! En partageant le même secret
depuis si longtemps, n'étions-nous pas un peu
comme des complices, plus liés l'un à l'autre que
des frères de sang ? Je n'eus aucun mal à le per-
suader de me remettre vingt mille dollars, plutôt,
en échange de mes services et de mon silence.

   C'est aujourd'hui le grand jour. Ces mots sont les
derniers que j'écris dans ce cahier. Tout est prêt. Le
patron m'a déjà remis les dix mille d'acompte ce

*matin. Je n'ai plus qu'à aller chercher les hommes
au pont Matete, faire mon affaire et quitter cette
foutue ville, une fois pour toutes. Mais je n'ai pas
confiance. Tshilombo est un fourbe. Il est comme
le léopard qui attaque par-derrière. Que me
réserve-t-il ? A sa place, je ferais semblant d'accepter tout, pour mieux supprimer la menace, après
que le menaceur a fini de servir. Si Tshilombo doit
agir contre moi, ce sera aujourd'hui, pendant
l'opération, ou juste après. Je m'attends à tout.
Un homme mauvais reste un homme mauvais.*

Ainsi se terminait le testament de l'adjudant
Bamba Togbia.

Pour l'opinion publique, la culpabilité de Tshilombo ne faisait plus aucun doute. Si Makanda
Rachidi avait été le promoteur de la tentative de
coup d'Etat, lui en avait été l'organisateur. Celui
qui articulait le bras armé. Le journal qui publia
cela n'eut aucun ennui, car Tshilombo, à ce
moment, se faisait tout petit. Logiquement, il
cherchait certainement un moyen de se disculper
des terribles accusations portées contre lui. Les
journaux, bien sûr, s'emparèrent de l'information
et on commença sérieusement à s'intéresser à
l'homme. On examina son parcours professionnel. On fit des suppositions sur son identité politique. Que cherchait-il en tentant un coup de
force ? Après toutes ces révélations, qu'attendait-
on pour l'arrêter ? On s'interrogea, mais il y avait
plus imminent : le procès de Makanda et des
insurgés, autrement dit le procès de "La Bande
des Treize", comme on les appelait dorénavant.

Celui-ci se déroulait à l'auditorat militaire et
était diffusé sur la chaîne nationale, suivi par
toute la population. Il fallut deux jours d'au-
dience-marathon parce qu'on voulait en finir au

plus vite. Lorsque Makanda parut dans le prétoire bondé de monde, il y eut comme un flottement. Un murmure se fit dans la salle mais fut aussitôt calmé par les coups de maillet du juge président. Makanda Rachidi avait un peu retrouvé de sa superbe. Ce n'était plus l'ombre qu'on avait entrevue à la télévision quelques semaines plus tôt. L'animal était encore prêt à rugir. Du coin de l'oreille, il écoutait les conseils d'un des avocats, de jeunes officiers que la cour avait commis d'office. Les soldats, ses coaccusés, étaient massés à côté et derrière lui. Ils avaient l'air plutôt perdus. Le greffier lut l'acte d'accusation. Il était implacable : atteinte à la sûreté de l'Etat, assassinat, tentative d'assassinat et association de malfaiteurs. Le meurtre du présumé complice Landu, soldat de première classe, leur fut imputé. La peine de mort fut demandée plusieurs fois pour chacun des inculpés. Un peu plus pour Makanda. La lecture de l'acte d'accusation dura de longues minutes. Ensuite le procureur parla. Il mit en exergue le caractère odieux du complot, la volonté crapuleuse de son exécution et la trahison manifeste du chef des accusés. Cela prit encore pas mal de temps. Les choses devinrent un peu plus intéressantes quand la parole fut donnée aux accusés. On commença par Makanda. Il nia tout en bloc. Il n'était pas présent dans les locaux de la Télévision ce soir-là, il était dans son lit avec sa femme. Laquelle ? répliqua le procureur, en connaissance de cause. La foule hua le menteur. Tout le monde l'avait vu. A qui voulait-il raconter ses salades ?

— J'ai un alibi ! On fit venir son épouse. Elle s'était vêtue d'un pagne défraîchi et avait noué, serré autour de la tête un vieux fichu noir, comme si elle était déjà en deuil. Elle déclara sous serment que l'accusé, ci-devant, était bien dans son lit le jour du crime. Qui donc l'avait encore vu, à part vous ? demanda un juge. On fit venir ses sentinelles[1] qui, pour éviter les ennuis, ne se rappelaient rien de cette nuit, sauf d'avoir entendu, le lendemain matin, tout le monde dire que leur patron avait été vu à l'écran en train de commettre un coup d'Etat. Makanda voulut protester, mais on dut le faire taire, à cause de la colère de l'auditoire. Le président menaça de l'expulser s'il persistait dans sa démarche de vouloir tromper la Cour. Un des avocats s'insurgea contre une telle décision mais il fut hué. Son épouse essaya de parler mais elle fut interrompue net. La Cour fit allusion au délit de faux témoignage. Cela créa un sale climat dans la salle. Comment, en tant que mère de famille, pouvait-elle mentir à ce point ?

Quant aux militaires, visiblement, ils ne savaient pas pourquoi ils se retrouvaient dans le box des accusés. Quand on leur donna la parole, tous soutinrent la même chose : un lieutenant était venu les prendre au pont Matete, où ils étaient de garde. Un lieutenant ? Quel était son nom ? Personne ne s'en souvenait. Il était venu avec un ordre de mission, stipulant de sécuriser la tour de la RTN.

— Vous appelez cela sécuriser ? hurla le procureur. Mesdames et messieurs, annonça-t-il en pointant le doigt vers un écran. Nous allons maintenant visionner le film des événements. Lumière ! On occulta la pièce et une vidéo montra le coup d'Etat. Makanda en plein discours, les bottes militaires, l'assaut des Forces armées, la capture des soldats sur place, celle de Makanda

1. Gardiens de nuit.

sur la route du Bandundu. Après cela, les accusés n'eurent plus grand-chose à dire. Pendant ces deux jours où on assista à la progression du procès, on put voir celui-ci passer sur Makanda et les douze militaires comme un rouleau compresseur. A chacune de leurs tentatives pour essayer de répondre, on leur intimait l'ordre de se taire. Les interventions timides des avocats ne changèrent pas grand-chose. Makanda tenta un dernier rugissement en se proclamant martyr. Il n'était pas le fauve qu'ils croyaient. Il n'était qu'un bouc émissaire. Les images qu'on avait vues étaient fausses. Ce n'était pas lui que l'on voyait là. Lui, il était dans son lit ! Ce fut lamentable, un coup de patte dans le vide.

Les soldats bredouillaient des phrases inintelligibles. Leurs uniformes ne parvenaient pas à leur rendre leur air martial. Les débats leur passaient par-dessus la tête. Leurs regards éperdus exprimaient toute leur incompréhension et leur certitude d'être condamnés à l'issue de ce simulacre de procès. Ils ne purent qu'accuser Bamba et Landu. Oui, approuva le procureur, tout était de leur faute et c'est parce qu'ils n'avaient pas voulu partager la récompense équitablement qu'ils avaient été tués. On a retrouvé sur Bamba des dollars, dont les numéros faisaient partie de la même série que les billets retrouvés sur les mutins. Effectivement, conclut un assesseur, le partage n'avait pas été équitable. Les inculpés eurent beau crier à la machination, on leur renvoya leurs aveux à la figure. Le plus courageux d'entre eux osa évoquer les séances de torture durant leur incarcération, mais en vain. A coups de maillet sur la table, le juge président le fit taire. Plus tard, ils aggravèrent encore leur cas en persistant à déclarer qu'ils n'avaient pas vu

Makanda à la RTN cette nuit-là. C'est ainsi que durant ces deux jours, les téléviseurs de la ville retransmirent les images de "La Bande des Treize", tentant maladroitement de se dépêtrer du filet qui se refermait inexorablement sur eux.

La sentence tomba à la fin du deuxième jour après les plaidoiries sans relief de la défense. Makanda, en tant qu'instigateur, écopa de trente ans de servitude pénale. Le chef de section, le sergent, écopa de vingt ans de prison. Ceux qui avaient été arrêtés à l'intérieur de la tour en prirent pour quinze ans. Le reste dix ans chacun parce qu'ils s'étaient rendus sans résistance. Les sentences parlaient d'elles-mêmes. Des chiffres ronds, nets, impressionnants, conçus pour frapper les imaginations et, en même temps, montrer un semblant de magnanimité de la part de la Cour. Aucune peine de mort ne fut prononcée, ils avaient de la chance. Bamba et Landu bénéficièrent de l'extinction de l'action de la justice, suite à leur décès. C'est seulement quand on les emmena sans ménagement que les condamnés se rendirent compte que les débats étaient terminés. Ils hurlèrent leur innocence. Makanda, avant de disparaître menotté, entama un soliloque sur le complot étatique. Leur devoir accompli, les juges n'écoutaient plus. Ils rempochaient déjà leurs stylos, devenus désormais inutiles.

— N'empêche, malgré les révélations dans les journaux, on n'a pas entendu, une seule fois, prononcer le nom de Tshilombo pendant toute la durée du procès.

— Evidemment. Il ne figurait pas au dossier, répondit Célio. Seul Bamba le connaissait, et depuis quelques jours, toute la ville, bien sûr. Mais la justice est aveugle et parfois sourde aussi. Tu as remarqué ? Il n'y a pratiquement pas eu de témoins à ce procès. Blottis l'un contre l'autre, Célio et Nana venaient de finir de visionner sur un lecteur la fin des audiences. Célio les avaient suivies durant ces deux journées en direct, mais Nana avait apporté chez elle un enregistrement. Il voulait revoir certains extraits. Le jeune homme était pensif. Ainsi tout était consommé. L'épisode du bureau Information et Plans était désormais derrière lui. Il avait appelé ses anciens collègues. Tshilombo n'était plus visible depuis quelques jours. Personne ne savait ce qu'il était devenu depuis le scandale des carnets de Bamba et des femmes assassinées. Toute l'équipe était choquée d'apprendre que leur patron était mouillé dans cette affaire qui scandalisait la ville depuis plusieurs jours maintenant. Angèle, la secrétaire, n'arrêtait pas de pleurer. Qui aurait pu se douter d'une chose pareille ! Travailler avec quelqu'un des années durant pour apprendre en fin de compte qu'il n'était pas celui qu'on croyait. C'était trop pour elle. Si, au moins, il avait été accusé de corruption comme n'importe qui, mais ça ! On ne verrait plus Tshilombo de sitôt.

Pourtant, comme à la chute de Makanda, Célio ne ressentait pas la satisfaction qu'il attendait. Se nourrir de la vengeance n'était décidément pas son plat. Il ne ferait revenir ni Baestro ni les autres. Comme d'habitude, les choses n'étaient pas si simples. Ou peut-être que si. Il se sentait un peu plus en paix avec lui-même. Il n'avait plus cette désagréable impression d'un doigt énorme pointé sur lui en permanence. C'était peut-être cela la conscience. Pendant plus d'une année, il avait travaillé pour le Bureau mais cela n'avait été dans sa vie qu'une saison parmi d'autres. Se mettre le pied à l'étrier avait été sa seule motivation, voilà tout. Mais, en son for intérieur, il savait aussi qu'il avait surtout voulu flatter sa vanité, utiliser la position sociale qu'un emploi à la présidence pouvait lui apporter, l'argent aussi, et les menus agréments qu'il procure. Il avait aussi tenu à satisfaire un ego qu'il devinait démesuré en caressant l'ambition de devenir un grand stratège en politique. Célio avait définitivement tourné la page maintenant. Sa capacité innée à se fondre dans de nouvelles situations lui rendait la vie plus facile. D'ici quelque temps, Tshilombo et ses turpitudes ne seraient peut-être plus pour lui qu'une liste de noms parmi d'autres et d'événements somme toute quotidiens à l'échelle planétaire. Entre-temps, le jeune homme comptait se laisser vivre un peu. Nana était serrée à côté de lui sur le canapé, l'entourant de ses jambes. Des pensées fugaces comme des météores se succédaient dans son esprit mais il ne voulait pas réfléchir. Il ne voulait penser à rien. Nana, le visage enfoui dans son cou, lui murmurait des choses. Célio sentait son souffle tiède et rassurant. Elle lui mordillait délicatement le lobe de l'oreille

— Laisse-moi, dit-il sans se défendre.

— Jamais, répondit-elle avec douceur, mais aussi avec beaucoup de conviction.

On était en milieu d'après-midi et l'activité s'était considérablement ralentie comme d'habitude. Vieux Isemanga avait vendu presque toutes ses brochettes et les blocs de glace, dans la boîte de frigolite, avaient accompli le prodige physique de passer de l'état solide à l'état liquide sans aucun effort. Des passants profitaient du banc pour prendre une petite pause et se désaltérer. Le vieux, en hôte accueillant, les distrayait d'une de ses habituelles divagations. Plus loin, près de Célio et de ses amis, la mère Bokeke, veillant au bien-être de tous, s'était mise aux fourneaux. D'un geste généreux, elle lavait, dans un petit bassin, des feuilles de manioc qu'elle se préparait à piler.

Le rire de victoire qui fusa de la poitrine de Trickson n'abaissa pas d'un seul degré la chaleur écrasant les protagonistes de la partie de dames, qui se déroulait depuis des heures au fond de la parcelle.

— Arrête de jouer, Célio. Les dames, ce n'est vraiment pas un jeu pour toi. Mon cher, ici, il n'y a pas d'hypoténuse, pas d'exposant. Trickson savait de quoi il parlait. Il faut réfléchir, Célio. D'après moi, ce qui te manque, c'est de la tactique. Tout est dans la tactique. Mon vieux, dans ce jeu, pas le temps de calculer son coup avec des équations. L'important, c'est de manger un max de pions. Manger, Célio, c'est tout ce qui compte ! ajouta-t-il, en secouant ses doigts serrés devant sa bouche. Et la bande d'éclater de rire. Célio ne s'offusqua pas, c'était de bonne guerre, il venait de perdre. De toute façon, ces jours-ci, il était plutôt serein. Ses compères avaient repris une nouvelle partie et les commentaires et les claquements des capsules sur le contreplaqué fusaient gaiement.

— Célio, pourquoi tu ne te lances pas dans la politique ? demanda Trickson.

— La politique ne m'intéresse pas. Justement, trop de tactiques, pas assez de pureté. Les mathématiques, elles au moins, sont pures. C'est là qu'apparaissent les véritables révolutions. Vous savez ce que dit le théorème de … ?

— Là, je te coupe, Célio. Laisse-nous tranquille avec tes théories, tes paraboles et tes hyperboles.

D'ailleurs, hyperbole, quel mot ridicule. Pourquoi n'appellerais-tu pas ta future fille Hyperbole Matemona ?

— Lâchez-moi, les mecs ! interrompit Célio, de toute façon, moi, je suis indisponible pour l'instant, je me détends, je laisse venir.

La chaleur accablante ralentissait les mouvements des corps et incitait à la sieste ceux qui étaient satisfaits et en avaient les moyens. Entretemps, sous un tas de cendres froides, non loin des pieds de mère Bokeke, la Faim, tapie là depuis longtemps, rongeait son frein. Ses deux cerveaux, dans une réflexion conjuguée, avaient tiré des conclusions des derniers développements qui s'étaient opérés dans le pays. Le gouvernement, sous les pressions, avait décidé de mettre en place un processus électoral. La Faim sentait en cela comme une menace sourde encore, qu'il faudrait tôt ou tard combattre et par tous les moyens. Pour l'instant, comme on n'assistait encore qu'aux négociations au sujet de la nouvelle Constitution, elle se permettait de se détendre, de laisser venir, elle aussi. Elle avait pourtant bien l'intention d'agir contre cet événement majeur qu'étaient des élections. Ce serait une rude bataille, elle le pressentait. Le monstre bicéphale était au courant qu'elle avait, grâce à sa longue pratique et à son manque total de pitié, suscité l'intérêt de beaucoup. La Faim tablait sur le fait qu'elle pouvait toujours, en temps utile, compter sur des alliés sûrs et efficaces qui sauraient prolonger son œuvre, la relayer. C'était des alliés de longue date. Toujours les mêmes et qui avaient déjà, elle le savait, entrepris un début de travail de sape, en profondeur.

ÉPILOGUE

Le monde entier était en émoi. Sur toutes les chaînes de télévision, on ne parlait plus que de l'événement, avec reportages à l'appui. Tous les problèmes récurrents furent mis au second plan pour laisser place à l'impossible. L'information dépassait de loin tous les scoops. L'exploit enfin avait été réalisé, demain on élisait les membres de l'Assemblée nationale en République démocratique du Congo. Car, on s'en souvenait, lorsqu'on les avait attendues, il y a de cela quelques années, il n'y avait pas eu de nouvelle constitution, pas d'élections, rien de semblable. La Faim utilisa les grands moyens. Elle conclut des alliances et il y eut la guerre. Le pays vacilla sérieusement mais le peuple résista au choc. Malgré les terribles épreuves, il fallut encore des cris, des barricades et un immeuble de la mission de l'ONU incendié, pour qu'enfin la nouvelle puisse être annoncée à travers Kinshasa et tout le pays : le coup d'envoi du processus électoral était enclenché. Depuis des mois, on ne parlait plus que de cela. Les candidats à la députation ou à la présidence de la République sillonnaient la ville en cortèges bruyants à la recherche de voix à récolter. On pouvait les voir s'époumoner dans leurs micros, suivis par des foules de sympathisants enthousiastes, ou simplement par les éternels désœuvrés, acteurs de tout événement important à Kinshasa. Le pays attendait ces élections depuis la nuit des temps. Enfin, pas vraiment depuis la nuit des temps, parce qu'une petite lueur était apparue brièvement en 1960, mais opportunément, on avait assassiné Patrice Lumumba, pour décourager, une fois pour toutes, l'exercice du suffrage universel. Le peuple, avec obstination, avait tenu bon, et depuis près d'un demi-siècle, s'était battu contre l'oppression avec peu de moyens et de soutiens, il est vrai, mais il avait toujours voulu signifier aux pouvoirs en place qu'il n'y aurait pas d'autre alternative que des élections libres et transparentes. De vraies élections, avec observateurs, matériel informatique, communauté internationale et *tutti quanti*. On avait recensé tout le monde, même les laissés-pour-compte du genre Trickson, qui s'était inscrit sur la liste des électeurs sous son vrai nom de Patrick Iyofa Befale. Face ya Yézu avait gardé son surnom, le trouvant plus attrayant que son nom véritable. De toute façon, il avait trouvé cinq témoins pour attester devant autorités qu'il s'agissait de son véritable patronyme.

On croisait donc les doigts. Tout était prêt pour désigner, dès demain, de véritables mandataires politiques et bientôt, le premier président de la République, dûment élu. Pas comme avant. Pas un président du genre qui, quand on vous demande son nom, vous fait vous sentir comme le bâtard à qui on demande le nom de son père.

Cela n'avait pas été sans mal. Beaucoup d'ailleurs n'y croyaient plus. Les bailleurs de fonds avaient failli fermer boutique. On put néanmoins faire avancer les choses. Avec des bouts de ficelle, mais le résultat était là : demain, à la première heure, les files commenceraient à se former devant les bureaux de vote.

— Au temps de nos ancêtres, chez moi, à Monkoto, n'importe qui ne pouvait pas devenir chef. Pour cela, il fallait être préparé.

— Vieux, *tika biso nye*[1] ! Moi, j'ai déjà choisi mon candidat et rien ne me fera changer d'avis. On connaît tes discours, le vieux. Toujours pour décourager.

Vieux Isemanga n'avait cure des protestations du petit Amisi qui passait par hasard. Il poursuivit : – Au temps de nos ancêtres, vous croyez qu'on pouvait venir comme ça et dire : "Je veux être le chef !" Impossible, petit. Il fallait être initié. Savoir dès le plus jeune âge quels sont les devoirs de sa charge. Ensuite, quelles sont les prérogatives. De nos jours, on voit des types avec, à la bouche, du français long comme mon bras, venir se bousculer aux portillons du pouvoir et prétendre qu'ils viennent de ma part. Ils disent qu'ils sont là pour me représenter. D'où je les connais, ces types ? Que veulent-ils ? Mon bien-être ? Ou bien le pouvoir ?

— Vieux, qu'est-ce que tu veux ? dit Trickson, tout le monde voulait des élections, on les a, de quoi tu te plains ? Tout se passe bien. Depuis pas mal de temps, on n'a pas entendu le moindre coup de feu. Avec les années que nous avons connues, qui aurait cru cela ? Les factions et les partis ont conclu la paix des braves. Les politiciens semblent avoir accepté le fait accompli. Vieux, avec tout le respect que je te dois, je crois qu'on peut être satisfait.

— Satisfait à quel prix ? objecta le vieux. C'est vrai que le prix était plus qu'élevé, vu le nombre

1. "Laisse-nous tranquilles !"

indécent de morts qu'avait provoqué la guerre. C'est vrai qu'en usant de lyrisme, on pouvait évoquer les sacrifices incommensurables consentis par le peuple et les martyrs dont le sang abreuve nos sillons, mais Vieux Isemanga ne mangeait pas de ce pain-là.

Célio, qui passait dans le quartier, avait tenu à partager quelques brochettes avec ses amis. Ils avaient des choses sérieuses à discuter pour le lendemain parce qu'il y avait de cela quelque temps, avec ses potes, ils avaient débattu de démocratie sociale et néo-libérale, de liberté et d'égalité. Célio leur avait affirmé que, selon l'*Abrégé de mathématique à l'usage du second cycle* de Kabeya Mutombo, édition 1967, dans une inéquation du premier degré, *lorsque l'on multiplie ou que l'on divise les deux membres d'une inégalité par un nombre, autre que 0,*

1°) Si ce nombre est positif, l'inégalité subsiste ;

2°) Si ce nombre est négatif, l'inégalité change de sens. Ce qui dans l'absolu n'était pas terrible, non plus. L'inégalité est une plaie contre laquelle il faut lutter de toutes ses forces, déclara-t-il. En entendant cela, les amis de Célio se dirent qu'il possédait peut-être là une piste de réflexion, en même temps qu'un début de discours, pour proposer le bonheur au peuple. Encouragé par tant d'enthousiasme, après quelques atermoiements, il avait finalement décidé de se présenter aux législatives qui devaient se dérouler le lendemain.

Ses amis, depuis longtemps, avaient pris la décision de lui faire une place dans la ville. Les déshérités du "maquis", les handicapés, les *sheges*[1], avaient, avec les désœuvrés de Barumbu et de Lingwala, constitué un réseau dans toute cette

1. Enfants des rues.

zone de la ville de Kinshasa afin de lui rassembler un électorat conséquent. On disait même que leur influence s'étendait jusqu'à Kasa-Vubu. Entre-temps à Masina, avec les années, Gaucher était devenu un opérateur économique prospère. Après son *ligablo*, il avait acquis un moulin à manioc puis une chambre froide qu'il avait installés dans un container, au fond de la parcelle de son oncle. Le propriétaire des "Etablissements Dona", grâce à sa renommée avait, là-bas aussi, sensibilisé pas mal de monde en faveur de Célio.

Depuis le temps du Bureau, le jeune homme n'avait plus approché la politique, fût-ce avec une cuillère à très long manche. Il avait préféré se consacrer à développer son ancienne ONG qui s'occupait de philanthropie. Ce n'était pas le travail qui manquait, surtout avec le phénomène des *sheges* qui s'était amplifié et la guerre. Tshilombo avait disparu. Suite à l'affaire des femmes mutilées et du coup d'Etat, le président pour l'écarter lui avait octroyé un poste d'ambassadeur dans une république lointaine de l'ancienne Union soviétique. Sa femme Odia avait demandé le divorce juste après le scandale et ne voulait plus entendre parler de son mari. L'homme, en même temps qu'il avait brisé sa vie comme elle le prétendait, avait aussi détruit sa famille. Kapinga, qu'elle avait fait venir du village pour la marier à Kinshasa avec un beau parti, l'avait trahie et était partie avec Tshilombo dans son exil forcé. Pendant des mois, elle n'avait pas donné signe de vie. Puis brusquement, elle s'était manifestée à partir de Londres, où elle s'était installée, en envoyant deux billets d'avion et des passeports ornés de visas "Schengen" à deux de ses petits frères, ignorant Odia, sa bienfaitrice grâce à qui elle avait pu voir l'Europe. Tshilombo, quant à lui, n'était plus ambassadeur depuis long-temps. On dit qu'il aurait vendu le bâtiment de l'ambassade et qu'il aurait obtenu l'asile politique aux Pays-Bas, non loin de ses enfants.

Contre son gré, Makanda était passé aux oubliettes de l'Histoire. La "Bande des Treize", de triste mémoire, n'était même plus un souvenir. Tout cela était loin. Sans théories sérieuses, le métier de la politique était bien périlleux, se dit Célio. Pour l'instant, il avait à faire, lui. Les quartiers étaient mobilisés. Tous les petits ne parlaient que de Célio Matemona, dit Célio Mathématik, celui qui serait le mieux à même de les représenter à l'Assemblée nationale. Il avait tenu quelques meetings et de ce fait commençait à se piquer au jeu. En tant que maître de la communication, l'organisation de la campagne l'avait passionné également. Nana ne voyait pas cela d'un très bon œil, mais tant qu'elle veillerait à ce qu'il garde la tête froide, les choses devraient bien se passer.

Célio ne s'inquiétait pas, il en avait vu d'autres. Même s'ils étaient peu nombreux à vraiment le savoir, personne parmi ceux qu'il avait croisés ne pouvait douter que l'individu, effectivement, contrôlait les opérations, déterminait les variables et semblait de longue date côtoyer les nombres et les phénomènes complexes. Et là, on restait encore dans l'approximation la plus vague, dans l'hypothèse la plus pure, en quelque sorte.

TABLE

BABEL

Extrait du catalogue

COÉDITION ACTES SUD – LEMÉAC

Achevé d'imprimer en avril 2012 par Normandie Roto Impression s.a.s.
61250 Lonrai sur papier fabriqué à partir de bois provenant de forêts gérées durablement (www.fsc.org) pour le compte d'ACTES
SUD, Le Méjan, Place Nina-Berberova, 13200 Arles.
Dépôt légal 1re édition : avril 2011.
N° impr. : 121611
(Imprimé en France)